Gabriele Seitz

Die Brüder Grimm

Leben - Werk - Zeit

Winkler Verlag München

© Winkler Verlag, München 1984.
Alle Rechte, einschließlich derjenigen des auszugsweisen
Abdrucks und der photomechanischen Wiedergabe, vorbehalten.
Gestaltung: Meike Harms. Gesamtherstellung: Passavia
Druckerei GmbH Passau. Printed in Germany.
ISBN 3-538-06748-1

CIP-Kurztitelaufnahme der Deutschen Bibliothek
Seitz, Gabriele: Die Brüder Grimm : Leben – Werk – Zeit /
Gabriele Seitz. – München : Winkler, 1984.
ISBN 3-538-06748-1

Inhalt

ANHANG

Für Susanne Eversmann

Wir wollen uns einmal nie trennen

HERKUNFT UND LEBEN DER BRÜDER GRIMM

Ich bin der zweite Sohn meiner Eltern und zu Hanau 4. Jan. 1785 geboren. Mein Vater wurde, als ich ohngefähr sechs Jahr alt war, zum Amtmann nach Steinau an der Straße, seinem Geburtsort, ernannt, und in dieser wiesenreichen, mit schönen Bergen umkränzten Gegend stehen die lebhaftesten Erinnerungen meiner Kindheit.« So beginnt Jacob Grimms kleine Autobiographie aus dem Jahr 1830.

Solange die Familie Grimm zurückzuverfolgen ist, war sie in Hessen beheimatet. 1508 erwarb ein Peter Grym das Bürgerrecht in Frankfurt. Johannes Grimm, der Begründer des Hanauer Zweiges der Familie, unterhielt in dieser alten Stadt an der Kinzig die Gastwirtschaft »Zum weißen Roß«. Der erste Akademiker der Familie wurde Friedrich Grimm, seit 1679 erster Pfarrer und Inspektor der reformierten Gemeinden der Grafschaft Hanau. Auch sein Sohn entschied sich für die Theologie, wirkte

Marktplatz von Hanau, des Geburtsorts von Jacob und Wilhelm Grimm. Zeitgenössischer Stich

als »treu eifriger Pfarrer und Seelsorger« in Steinau. Sein zehntes Kind, Philipp Wilhelm, studierte die Rechte, wurde zunächst Hofgerichtsadvokat in Hanau, dann Amtmann in Steinau.

Philipp Wilhelm heiratete im Februar 1783 Dorothea Zimmer, die Tochter eines Kasseler Kanzleirats. Noch im selben Jahr gebar sie einen Sohn, Friedrich Hermann, der aber schon wenige Monate später starb. Am 4. Januar 1785 kam dann Jacob Ludwig Carl zur Welt, und nur ein Jahr darauf, am 24. Februar, sein Bruder Wilhelm Carl, mit dem ihn eine lebenslange Schicksalsgemeinschaft verbinden sollte. In kurzen Abständen folgten die Geschwister Carl Friedrich, Ferdinand Philipp, Ludwig Emil und schließlich Charlotte Amalie, genannt Malchen oder Lotte. »Wir Geschwister wurden alle, ohne daß viel davon die Rede war, aber durch Tat und Beispiel streng refor-

miert erzogen«, so der Bericht Jacobs; »Lutheraner, die in dem kleinen Landstädtchen mitten unter uns, obgleich in geringerer Zahl, wohnten, pflegte ich wie fremde Menschen, mit denen ich nicht recht vertraut umgehen dürfte, anzusehen, und von Katholiken, die aus dem eine Stunde weit entlegenen Salmünster oft durchreisten, gemeinlich aber schon an ihrer bunten Tracht zu erkennen waren, machte ich mir wohl scheue, seltsame Begriffe.« Die Brüder Grimm wurden also im Geist des Reformators Johann Calvin erzogen, dessen Lehre in Hessen-Kassel seit Beginn des 17. Jahrhunderts viele Anhänger gefunden und einige Jahrzehnte später besonders durch die französischen Glaubensflüchtlinge, die Hugenotten, noch weiteren Zustrom erfahren hatte. Das bedeutete, sie wuchsen in einer Atmosphäre strengen Bibelglaubens und schlichter Lebensführung auf, in einer Umgebung, der Pflichter-

Geburtshaus der Brüder Grimm in Hanau. Zeitgenössische kolorierte Zeichnung

Dorothea Grimm, geb. Zimmer. Porträt der Mutter auf dem Deckel einer Silberdose

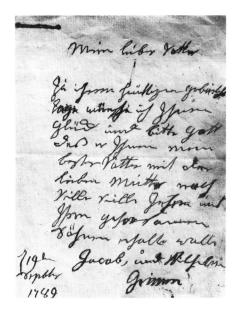

Erstes schriftliches Zeugnis Jacob Grimms: Geburtstagsbrief des Vierjährigen an den Vater

Der Vater, Amtmann Philipp Wilhelm Grimm. Ölgemälde von Georg Karl Urlaub, vor 1798

füllung, Sittlichkeit und Recht höchste Werte waren und in der die Idee von Freiheit und Selbstverantwortung die Auffassung des Zusammenlebens in der kirchlichen und politischen Gemeinschaft bestimmte. Diese Erziehungsfaktoren haben das Leben der Brüder Grimm stark geprägt. »Liebe zum Vaterland war uns, ich weiß nicht wie, tief eingeprägt, denn gesprochen wurde eben auch nicht davon, aber es kam bei den Eltern nie etwas vor, aus dem eine andere Gesinnung hervorgeleuchtet hätte; wir hielten unsern Fürsten für den besten, den es geben könnte, unser Land für das gesegnetste unter allen; es fällt mir ein, daß mein vierter Bruder, der von uns hernach am frühesten und längsten im Ausland leben mußte, als Kind auf der hessischen Landkarte alle Städte größer und alle Flüsse dikker malte.«

Die Kindheit der Geschwister erscheint umrahmt von einer kleinen, familiären Welt der Sicherheit, von einem bürgerlichen Idyll, das sich bald auflösen sollte. Sein Zentrum bildete

ein stattliches Fachwerkhaus mit zwei alten Linden davor, die Dienstwohnung des geachteten Richters und höheren Verwaltungsbeamten Philipp Wilhelm Grimm. Das Amtshaus in Steinau, schrieb Ludwig Emil in seinen Erinnerungen, hat »einen runden Turm, worin eine Wendeltreppe in die Amtsgerichtsstube und den oberen

Schwester Charlotte Amalie Grimm, genannt Lotte. Bleistiftzeichnung von Ludwig Emil Grimm, 1818

Stock führt. Das Haus ist groß und geräumig, hat einen großen, eingeschlossenen Hof mit Scheune, Ställen für Pferde und Kühe, Holzschuppen und allem, was zum Landbau gehört.« Im Wohnzimmer, wo gewöhnlich gegessen wurde, hingen die Familienbilder, Ölporträts der Ahnen – Zeichen für Traditionsbewußtsein und Familienstolz, aber auch für einen gewissen, bescheidenen Wohlstand. Vor und nach dem Essen wurde gebetet, »der alte Kutscher Müller trug die Speisen auf, der Vater legte vor. Auch entsinne ich mich noch, daß einmal wahrscheinlich auswärtige Verwandte dagewesen sind, da wurde in einem großen Saal, mit Stuckarbeit an den Wänden, gegessen. Die Stühle waren mit blauem Seidenzeug, worin weiße Blumen waren, überzogen; es war eine große Tafel, und beim Dessert wurde von einem grünlichen Kräuterkäse abgerieben, und den speisten die Leute auf Butterbrot; der Kutscher hatte seine Livree an.«

Uniform trug auch der Vater, wenn er hinüberritt ins Amt nach Schlüch-

Das Amtshaus in Steinau, Wohnung der
Familie Grimm von 1791–1796

tern, wo er den mit Zinn beschlagenen Gerichtsstab führte: einen blauen Frack mit goldenen Epauletten und rotem Samtkragen und Stiefel mit silbernen Sporen. »Er nahm dann fast jedesmal eins von uns Kindern vorn aufs Pferd, und der Kutscher Müller, der ihn begleitete, auch eins, und ließ uns eine Strecke mitreiten.« Nach der Erinnerung Jacobs war der Vater »ein höchst arbeitsamer, ordentlicher, liebevoller Mann; seine Stube, sein Schreibtisch und vor allem seine Schränke mit ihren sauber gehaltnen Büchern« waren ihm »leibhaftig vor Augen«.

Die Mutter Dorothea Grimm war offenbar von melancholischem Gemüt, Ludwig Emil schilderte sie als »meist traurig, sie saß oft stundenlang auf der Bank und strickte oder hatte ein Buch, worin sie las. So gegen Abend machte sie einen Spaziergang durch den Garten, wobei wir alle sie begleiteten, und da hatte sie besondere Freude an dem großen, schönen, blau blühenden Flachsland, und sie sprach so sanft und erzählte uns allerlei und hatte die Lotte an der Hand.«

Das jüngste der Geschwister wurde von den fünf Brüdern als Kind verwöhnt und geneckt. »Wir wilden Jungen hatten das Schwesterchen so lieb, daß wir unsere Sparbüchse mit ihr teilten und sie oft weinte und sich nicht zu retten wußte, wenn jeder sie küssen wollte.« Später, nach dem Tod der Mutter, hatte Lotte ihren Brüdern den Haushalt zu führen – 14 Jahre lang, bis zu ihrer Heirat im Jahr 1822 mit dem Oberappellationsrat und nachmaligen kurhessischen Staatsminister Ludwig Hassenpflug. Werfen wir auch einen Blick auf die Zukunft der anderen Brüder: Ludwig Emil, der jüngste, der sich durch Charme und einen gewissen Humor auszeichnete, nutzte seine künstlerische Begabung und studierte an der Münchener

Juliane Charlotte Friederike Schlemmer, die älteste Schwester des Vaters. Bei ihr lernten Jacob und Wilhelm Grimm Lesen und Schreiben. Zeitgenössischer Scherenschnitt

Akademie Malerei, beendete sein Leben als Professor der Kasseler Kunstakademie. Ihm verdanken wir ein umfangreiches Werk vor allem von Zeichnungen und Radierungen, von denen etliche zu den besten Leistungen romantischer Kunst in Deutschland gezählt werden dürfen.

Ferdinand, 1788 geboren, galt in der Familie wegen seiner plan- und richtungslosen Unstetigkeit als Sorgenkind. Viele Jahre besonders von Jacob und Wilhelm gehalten und erhalten, wurde er schließlich Korrektor im Reimer Verlag in Berlin.

Carl, von ernstem und schwerfälligem Naturell, lebte als wenig erfolgreicher Kaufmann in Hamburg und Kassel, zeitweise auch in Frankreich, nahm wie die beiden jüngeren Brüder an den Freiheitskriegen gegen Napoleon teil. Unverheiratet wie Ferdinand, entwickelte er sich schließlich zu einem Einzelgänger, der von den Einkünften aus einer »Anleitung zur doppelten italienischen Buchfüh-

rung« und dem Unterricht in diesem Fach sowie in Englisch und Französisch lebte. Es mag sein, daß die dominierende Stellung Jacobs und Wilhelms, die vor allem mit Ludwig harmonierten, ihren Teil zu der Entwicklung Carls und Ferdinands beitrug.

Besonders Jacob und Wilhelm verband von Kind auf eine ungewöhnlich tiefe und innige Zuneigung. Ein erstes schriftliches Zeugnis dafür legt eine Eintragung Jacobs in das Stammbuch Wilhelms ab: »Mit einem Liebe-Meer möcht' ich Dich fassen. / Zum einzgen Freunde müßt' ich Dich erwählen, / Wenn nicht Natur Dich schon mir überlassen. / Du ewge selge Lieb inwohnst uns beiden! / Noch Tod, noch süßes Leben mag uns scheiden.« Als die Brüder zum ersten Mal für kurze Zeit ge-

Der Steinauer Stadtpraeceptor Johan Georg Zinckhan. Kinderzeichnung von Ludwig Emil Grimm. Der erste Lehrer der Geschwister Grimm hält in der Linken eine seiner Peitschen. Vor ihm aufgeschlagen: »Die lateinische Gramatic«. Unten sein steter Spruch: »Des Deiwels«

Leoparden. Aquarell von Jacob Grimm

trennt waren, schrieb Wilhelm an Jacob: »Von den ersten Tagen weiß ich Dir nichts zu sagen, als daß ich sehr traurig war, und noch jetzt bin ich wehmütig und möchte weinen, wenn ich daran denke, daß Du fort bist. Wie Du weggingst, da glaubte ich, es würde mein Herz zerreißen, ich konnte es nicht ausstehen, gewiß, Du weißt nicht, wie lieb ich Dich habe. Wenn ich abends allein war, meinte ich, müßtest Du aus jeder Ecke hervorkommen.« Diese außergewöhnlich enge Beziehung zwischen den Brüdern änderte sich nie. Ihr Lebensweg war von Anfang bis Ende ein gemeinsamer.

Ihre allererste Ausbildung erhielten Jacob und Wilhelm als Vier- und Fünfjährige noch in Hanau, bei der kinderlosen, ältesten Schwester des Vaters, der Tante Schlemmer, die sie gern hatten und die sie lesen und schreiben lehrte. »Die Tante hatte sich von einem alten Vogte [Fächer] einen elfenbeinernen Deuter gemacht, der nach der letzten Lektion zum Zeichen ins Buch gelegt wurde. Meistenteils aber nahm sie eine Stecknadel um feiner zu deuten zu Hilfe, woher es kam, daß alle Buchstaben mehr oder weniger zuletzt zerstochen wurden ...«. In Steinau dann wurden sie von dem pedantischen alten Stadtpraeceptor Zinckhan unterrichtet, einem Despoten, der den Stöcken und ledernen Peitschen, mit denen er seine Schüler züchtigte, Namen gab. »Wenn ihm eine Stechfliege an der Wade saß, so traf er sie meist mit einem Stock«, erinnerte sich Ludwig Emil. »Noch gehen in Steinau einige herum, die durch seine Prügel ein Auge verloren haben.« Jacob und Wilhelm hatten wohl wenig von ihm zu fürchten, da sie sehr begabt waren; bald schon langweilte sie Zinckhans Lateinunterricht, der hauptsächlich im Auswendiglernen gereimter Lebensweisheiten seines Geschmacks bestand. In Jacobs Gedächtnis blieb vor allem Zinckhans

Landschaft mit Schloß. Pinselzeichnung von Wilhelm Grimm, Sepia

»charakteristisches Benehmen« und gar »eine Menge ergötzlicher Späße, Redensarten und Manieren« haften. Bei einem Privatlehrer lernten die Brüder Französisch, und wenn sie die Großeltern in Hanau besuchten, setzte sich der bejahrte Kanzleirat Zimmer stundenlang zu ihnen und sah zu, wie sie aus Niebuhrs »Arabischer Reise« die Kupfer kopierten. »Bis zu seinem Ende, als er die Feder nur noch mit Mühe halten und nur noch mit Anstrengung schreiben konnte, erteilte er uns in Briefen die liebreichsten Lehren.« In ihrer Freizeit betrachteten Jacob und Wilhelm Naturkundebücher und sammelten »Insekten, Schmetterlinge und dergleichen«, die sie anschließend abzeichneten und mit »geringen Muschelfarben« illuminierten. Hier zeigte sich schon früh ihr Sammlergeist und die Anlage, das Gefundene

›wissenschaftlich‹ zu verarbeiten. »Genaue und sorgsame Monographien, wie etwa Lyonets Werk [›Traité anatomique de la chenille qui ronge le bois de la saule‹, 1760] über die Weidenraupe, haben immer meine Bewunderung erregt«, schrieb Wilhelm später. »Solche Beiträge für die Wissenschaft können an Umfang gering sein, aber ihr Einfluß ist unberechenbar und ihr Wert unvergänglich.« Die Liebe zur Natur, das geradezu sentimentale Verhältnis zu ihr blieb eine Konstante im Leben der Brüder. Stets standen auf ihren Schreibtischen ihre Lieblingsblumen, bei Jacob Goldlack und Heliotrop, bei Wilhelm Primeln. »Alles Blühende und Sprossende erfreute sie. Auf ihren Tischen lag mancherlei Gestein als Briefbeschwerer. Auf dem Jacobs zumal ein aus versteinerten Muscheln zusammengewachsenes Stück, auf

dem Wilhelms eine Stufe Bergkristall. Beide Brüder hatten dieselbe Art, von ihren Spaziergängen einzelne Blüten und Blätter mitzubringen, die sie in die von ihnen am meisten gebrauchten Bücher legten. Oft ist auf den getrockneten Blättern das Datum, auch der Ort fein aufgeschrieben, von wo sie stammen. Ihr ganzes Leben begleiten diese Zeichen der Erinnerung. Zuweilen auch sind sie besonders in Papier geschlagen und nähere Umstände dazu bemerkt«, heißt es im Bericht von Wilhelms Sohn Herman.

Bald schon erwiesen sich die Ausbildungsmöglichkeiten in dem hessischen Landstädtchen als erschöpft. Nach dem Urteil Ludwig Emils waren Jacob und Wilhelm »die fleißigsten, konnten aber in Steinau nichts mehr lernen, und Jacob soll das selbst gesagt und dabei geweint haben und vor Ärger in der Stube herumgekrochen sein«.

Dieser Umstand veranlaßte Dorothea Grimm, nach dem plötzlichen, frühen Tod ihres Mannes, der Anfang 1796 einer Lungenentzündung erlegen war, ihre beiden ältesten Söhne auf das Lyceum Fridericianum nach Kassel zu schicken. Dabei half die Schwester, Henriette Zimmer, die am landgräflichen Hof in Kassel als erste Kammerfrau in Diensten stand, mit Rat und Tat – denn der finanzielle Rückhalt der vierzigjährigen Witwe war gering.

Jacob und Wilhelm hatten die Schwelle der Kindheit in dem Augenblick überschritten, als sie dem Sarg des Vaters und den Trägern, die Zitronen und Rosmarin in der Hand hielten, gefolgt waren. Die Mutter betrachtete sie nun als stützende Gefährten, und der elfjährige Jacob, nun »Nachfolger der höchsten Autorität«, trug mit fester Handschrift den Tod seines Vaters in die Familienbibel ein.

Auf einem Zettel notierte Wilhelm

seine Empfindungen: »Wie wir zum ersten Male weggingen nach Kassel, ist mir am lebhaftesten der Augenblick, wo wir aus der Stadt fuhren. Wir saßen in der Kronenwirtskutsche, ich vorwärts und sah in der Ferne unsern Biengarten mit den weißen Steinpfosten und dem roten Gittertor und ein großer Nebel lag darauf, ich dachte an all die Zeit, die ich darin zugebracht, sie war mir aber als ganz fern und als liege ein großer Graben dazwischen und ich sei ganz abgeschnitten davon und fange nun etwas Neues an.«

In Kassel wurden die Brüder nach umständlicher, mehrtägiger Reise von ihrer Tante herzlich empfangen. Da sie selbst keinen Haushalt führte, hatte sie ihnen ein Logis beim Koch des Landgrafen besorgt. Über sechs Jahrzehnte später beschrieb Jacob die Situation: »So nahmen uns denn in den langsam schleichenden Schuljahren *ein* Bett auf und *ein* Stübchen, da saßen wir an einem und demselben Tisch arbeitend.« Ganz auf sich allein gestellt, nur durch Briefe aus dem fernen Steinau ermuntert und ermahnt und von der bei Hofe meist unabkömmlichen Tante aufopfernd versorgt, holten die Brüder in kurzer Zeit ihren schulischen Rückstand auf. Es ging um die Bewältigung der oberen vier von sieben Klassen des Lyceums, die auf die Universität vorbereiteten. Das Pensum war enorm: »Neben täglichen sechs Stunden auf dem Lyceum [auch samstags] brachte ich mit meinem Bruder noch wenigstens vier oder fünf Stunden täglich in Privatlehrstunden bei dem Pagenhofmeister Dietmar Stöhr zu«, berichtete Jacob, er »lehrte besonders französische Sprache. Im ganzen hatte man uns doch zuviel aufgelastet; ein paar Freistunden hätten uns wohlgetan; wir hatten aber mit wenigen Leuten Umgang und verwendeten beinahe alle

Henriette Zimmer, Schwester der Mutter, Kammerfrau bei der Landgräfin bzw. Kurfürstin von Hessen-Kassel. Sie unterstützte Jacob und Wilhelm Grimm während ihrer Schul- und Studentenjahre aufopfernd. Bleistiftzeichnung von Ludwig Emil Grimm, dat. März 1808

Muße, die uns noch von der Schularbeit übrigblieb, auf Zeichnen.« Für Wilhelm wirkte sich »der Übergang zu dieser sitzenden Lebensweise« auf seine »bisher so feste Gesundheit« aus: Nach einem Anfall von Scharlachfieber bekam er Asthma, eine Krankheit, von der wir heute wissen, daß sie auch psychosomatisch bedingt sein kann. Von dieser Zeit an hatte Wilhelm zeitlebens mit Krankheiten zu kämpfen,

vor allem mit Herzinsuffizienzen. Die Lehrer bestätigten den Brüdern »vorzügliche Fähigkeiten und übergroßen Fleiß«, »rühmliche Fortschritte«, »treffliche Talente«, die »Vergnügen« machen (für Jacob) und »glückliche Erfolge«, »vortreffliche Naturgaben, mit dem rühmlichsten Fleiß verbunden«, die »vorzüglichen Beifall« verdienen (für Wilhelm). Bemerkenswerte Weitsicht zeigte der Rektor des

Lyceum Fridericianum, der in Wilhelms Abgangszeugnis vom Juni 1803 die Hoffnung aussprach, er werde »sich auf die Wissenschaften« verlegen, um »einst unter den Gelehrten mit Ruhm einen Platz« zu behaupten.

Da auf den Universitäten nur eine bestimmte Anzahl von Plätzen zur Verfügung stand, hatten die hessischen Fürsten nach eigenem Ermessen Regeln festgelegt, nach denen nicht jeder ohne weiteres studieren konnte. Frau Grimm mußte eine sogenannte Dispensation beantragen, die auch bewilligt wurde, so daß der siebzehnjährige Jacob sich im April 1802 an der Marburger Philipps-Universität immatrikulieren konnte. Ein Jahr darauf kam auch Wilhelm nach. Beide Brüder studierten die Rechte, hauptsächlich deswegen, weil auch der Vater Jurist gewesen war.

In Marburg gab es damals nur etwa 200 Studenten, aber, wie der hessische Schriftsteller Ernst Koch schrieb: »Göttingen hat eine Universität, Marburg ist eine … indem hier alles, vom Prorektor bis zum Stiefelwichser, zur Universität gehört.« Weiter heißt es in dem Vergleich über die miteinander konkurrierenden Universitätsstädte: »Durch Göttingen weht englische Seeluft und Hannöverscher Noblessenwind … ein Ball in Göttingen ist ein Handschuh, den die Damenwelt in den Circus der gräßlichsten Langeweile wirft«, ein »Ball in Marburg ist eine lachende Rose, welche die Studenten den Marburger Mädchen schenken«. Die Brüder schenkten den Marburger Mädchen – auch aus Geldknappheit – nur selten lachende Rosen; hin und wieder gingen sie mit ihren Freunden Paul Wigand und Ernst Otto von der Malsburg zu einem thé dansant, der damals Mode wurde, spielten auch Theater, besonders Wilhelm, der wesentlich geselligere von beiden. Jacob hatte wohl zeitlebens zu

keiner Frau eine nähere als eine geschwisterliche Beziehung. Nur einmal scheint den Eigenbrötler der Gedanke an Heirat kurz gestreift zu haben; er betraf die 1798 geborene Nichte zweiten Grades Luise Bratfisch, ist aber nur sehr spärlich belegbar. Auch der charmante Wilhelm, der erst mit 39 Jahren heiratete, scheint zumindest während seiner Studentenzeit keine Liebschaften gehabt zu haben; wohl aber unterhielt er Seelenfreundschaften, wie zu Wilhelmine von Schwertzell, einem landadeligen Fräulein, das auf dem Familienbesitz in dem Marburg nahegelegenen Willingshausen lebte, wo Wilhelm öfters zu Besuch war.

Mehr als für Mädchen interessierten sich die Brüder für die mittelalterlichen Minnelieder, die die Bibliothek ihres jungen, verehrten Professors Friedrich Karl von Savigny barg. Die Entdeckung dieser Texte bedeutete für Jacob und Wilhelm ein Schlüsselerlebnis; die Begegnung mit Savigny sollte sie in ihrer wissenschaftlichen Denkweise nachhaltig prägen.

Mit Fleiß verfolgten die Brüder ihre juristischen Studien, wenngleich die – meistens auf lateinisch gehaltenen – Vorlesungen sie oft langweilten und Wilhelm zeitweise kränklich und deprimiert war. Beide wollten das Studium in möglichst kurzer Zeit absolvieren, um ihre Mutter und die Tante Zimmer finanziell zu entlasten. Noch ohne Abschlußexamen folgte Jacob jedoch im Januar 1805 einer Einladung Savignys, der seinen begabtesten Schüler aufforderte, nach Paris zu kommen, um ihm bei den Forschungsarbeiten für seine »Geschichte des römischen Rechts im Mittelalter« zu helfen. Zwar nahmen Jacob die Schätze der Bibliothèque Impériale (heute Nationale) gefangen, aber sonst gefiel es ihm in Paris, wo sich Napoleon Bonaparte im Dezember 1804 zum Kaiser der Franzosen ge-

krönt hatte, »weiter gar nicht«. Er fand die Architektur vielfach »häßlich«, und die Straßen seien »beständig schmutzig«. Überdies mißhagte ihm Paris als geschichtlicher Ort. In Anspielung auf die Revolutionstribunale meinte er: »Es schaudert mir immer, über einen solchen Platz zu gehen, besonders möchte ich nicht stets da wohnen, und es gehört wirklich die leichtsinnige französische Natur dazu, um das alles den anderen Tag zu vergessen.« In seiner freien Zeit ging Jacob mit Savigny ins Theater; die Tragödien von Racine und Corneille empfand er als langweilig, wenn auch präzise gespielt. Sonntags besuchte er Museen und Galerien, wo ihn die Werke Leonardos, Tizians und besonders die seines Lieblingsmalers Raffael tief beeindruckten.

Vor allem aber faßte Jacob in Paris den Entschluß, nicht die juristische Laufbahn einzuschlagen. Auch mag die Aufforderung Wilhelms eine Rolle gespielt haben, der ihm aus Marburg schrieb: »Ich habe daran gedacht, ob Du nicht in Paris einmal unter den Manuskripten nach alten deutschen Gedichten und Poesien suchen könntest, vielleicht fändest du etwas, das merkwürdig und unbekannt.« Um sich noch einmal dem Staats- und Privatrecht zuzuwenden, müsse ihm »das Wasser bis an den Hals gehen«, erklärte Jacob; er wünsche sich »nichts mehr, als einen Dienst zu haben, der mir nicht den ganzen Tag wegnimmt, sondern Zeit läßt, meine Lieblingsstudien fortzusetzen; denn ich gestehe es, ohne diese würde ich ziemlich unglücklich sein«. Jacob hatte sein ganzes Interesse auf die noch weitgehend unerforschte altdeutsche Literatur gelenkt.

Als er im Oktober 1805 nach Kassel zurückkehrte, fand er ein neues Zuhause vor, denn die Mutter war inzwischen mit den jüngeren Geschwistern aus Steinau in eine Wohnung an der

Marktgasse übersiedelt. Nach Abschluß seines Marburger Examens im Frühjahr 1806 fand sich auch Wilhelm in Kassel ein. Er war ebenfalls nicht mehr an einer juristischen Karriere, sondern auch an der Erforschung der mittelalterlichen Literatur interessiert.

Inzwischen hatte sich die politische Lage in Deutschland zugespitzt. Napoleon machte mit seinem Anspruch auf die europäische Vorherrschaft ernst. »Das Drückende jener Zeiten zu überwinden half denn auch der Eifer, womit die altdeutschen Studien getrieben wurden«, schrieb Wilhelm. »Die Jurisprudenz konnte um so eher beiseite gelegt werden, als meine Kränklichkeit mir nicht erlaubte, an eine Anstellung zu denken. Ohne Zweifel hatten die Weltereignisse und das Bedürfnis, sich in den Frieden der Wissenschaft zurückzuziehen, beigetragen, daß jene vergessene Literatur wieder erweckt wurde; allein man suchte nicht bloß in der Vergangenheit einen Trost, auch die Hoffnung war natürlich, daß diese Richtung zu der Rückkehr einer andern Zeit etwas beitragen könne.« Die Beschäftigung und Auseinandersetzung mit der alten Nationalliteratur war den Brüdern Grimm, wie wir noch sehen werden, nicht nur eine wissenschaftliche Herzensangelegenheit, sondern auch ein politisches Programm geworden.

Im selben Jahr, in dem Napoleon bei Jena und Auerstedt den Untergang des friderizianischen Preußen besiegelte (Herbst 1806) und die Franzosen auch Kassel besetzten, begannen die Brüder mit ihrer später weltberühmten Märchensammlung. Auf der Kasseler Wilhelmshöhe residierte nun – die kurfürstliche Familie war geflüchtet – Jérôme Bonaparte als Herrscher über das neugegründete Königreich Westphalen. Das hessische Kriegskollegium, bei dem Jacob als Sekretär

Blick aus der Grimmschen Wohnung auf die Kasseler Marktgasse. Aquarell von Ludwig Emil Grimm, 1842

diente, wurde in eine Verpflegungskommission für die Truppe umgewandelt und Jacob aufgrund seiner exzellenten Französischkenntnisse dort zur Arbeit herangezogen; er konnte sich aber schon nach wenigen Monaten dieser »lästigen Geschäfte« entledigen.

»Der Lotte ihre Stube« in der Wohnung am Wilhelmshöher Tor in Kassel. Ölgemälde von Ludwig Emil Grimm, 1821

Am 27. Mai 1808 mußte Jacob an die Kammerfrau Zimmer, die mit der Kurfürstin nach Gotha geflüchtet war, schreiben: »Liebste Tante! Fassen Sie sich auf das Allerhärteste, was Sie von uns hören können. Heute morgen, um 3/4 auf 7 Uhr ist unsere allerliebste Mutter zu Gott gegangen und ist also nicht mehr als 52 1/2 Jahr alt geworden. Nur acht Tage hat sie gelegen, nämlich von verwichenen Freitags Nacht hat sie eine Brustentzündung

befallen, wovon wir Ihnen nichts schreiben wollten in der festen Hoffnung, daß es sich bessern würde, aber leider haben alle gebrauchten Mittel nichts gefruchtet … Wir sind nun in der trostlosesten, traurigsten Lage und wissen uns noch nicht zu helfen … Gott wird Ihnen Stärke geben, diese Unglücksbotschaft leichter zu ertragen. Ich kann nicht weiter schreiben.« Der 23jährige Jacob, der sich nun vor der Aufgabe sah, den kränkelnden Wil-

helm und die jüngeren Geschwister zu ernähren, bewarb sich um die Leitung der Privatbibliothek des Königs Jérôme und erhielt die recht gut dotierte Stellung auch. Sie hatte den Vorzug, daß sich praktisch niemand um die Tätigkeit Jacobs kümmerte und er daher verstärkt, im Verein mit Wilhelm, seinen Forschungen nachgehen konnte; – vor allem die Märchensammlung, deren erster Band 1812 erscheinen sollte, wuchs.

Doch Wilhelms Gesundheitszustand verschlechterte sich so, daß es ihm oft »unmöglich« schien, »noch ein halbes Jahr fortleben« zu können, und er in seinen ständigen Angstträumen sein »geborstenes, vom Blut überquollenes Herz« vor sich liegen sah. Der äußerst besorgte Jacob ermöglichte dem Bruder 1809 eine monatelange intensive Behandlung bei dem bekannten Professor Johann Christian Reil in Halle. Die damaligen modernen Methoden, Herzinsuffizienzen zu begegnen, glichen einer Roßkur: nach einem Seifen-, Eisen- oder Solbad und der Einnahme von »Pillen, die eine Knallkraft haben, denn sie zerspringen, wie ein wenig Hitze daran kommt«, »geh' ich auf das Klinikum, wo ich elektrisiert werde, eine prächtige, große Maschine von Mahagoniholz wird da gedreht, auf einen Tisch mit Glasbeinen, worauf ein Armsünderstühlchen, muß ich mich setzen und mit Ketten werd' ich dann in Verbindung gebracht und die Elektrizität strömt durch mich.« Das Ergebnis sind Blasen und »Mißbehagen, rührt mich aber jemand oder auch nur meinen Rock an, so fahren starke Funken heraus, die knistern und durch mich schlagen«. Ob nun solche Behandlungsweise »oder das Fernhalten jeder Arbeit und Anstrengung und die Spaziergänge in den reizenden Gegenden von Giebichenstein das wohltätigste waren, weiß ich nicht, aber ich mußte doch am Ende der Kur eine Besserung meines Zustandes anerkennen«.

Clemens Brentano, der sich ebenfalls in Halle einfand, lud Wilhelm ein, gemeinsam Achim von Arnim in Berlin zu besuchen. Berlin empfand Wilhelm als »eine merkwürdige Stadt«, deren Eleganz ihm imponierte. »Nichts Traurigeres aber ist als diese verlassene Pracht jetzt in allen diesen Schlössern, wo man nichts hört als seine Fußtritte und die Steine, die herunterfallen« – der preußische König war vor den Franzosen nach Ostpreußen geflohen. Doch so sehr Arbeitslosigkeit und Armut das Bild der preußischen Hauptstadt bestimmten, so still und niedergedrückt die Atmosphäre war, so sehr blühte andererseits das geistige Leben in den Salons und Tischgesellschaften der Romantiker. Wilhelm, der vorteilhafte Beziehungen zu Literaten und Literaturwissenschaftlern anknüpfte, meinte, »daß es keine Stadt gibt, in welcher die Bildung so durchgedrungen«, und »dem

Das Haus am Wilhelmshöher Tor in Kassel. Aquarell von Ludwig Emil Grimm

Der Bruder Carl Grimm in zwei Versionen als Freiwilliger Jäger. Aquarellierte Zeichnung von Ludwig Emil Grimm, 1814

gesellschaftlichen Leben hat sie Feinheit, Witz und Leichtigkeit gegeben«.

Auf der Heimreise, auf der er »nach Postwagenmanier tüchtig zerstoßen« wurde, stattete Wilhelm, ein Empfehlungsschreiben Arnims in der Tasche, Goethe einen Besuch in Weimar ab. »Wie wurde ich überrascht von der Hoheit, Vollendung, Einfachheit und Güte dieses Angesichts.« Ordengeschmückt und mit gepudertem Zopf empfing der Zeus auf dem Parnaß des deutschen Geisteslebens Wilhelm sehr freundlich und verschaffte ihm vor allem Zutritt zu den reichhaltigen Bibliotheken von Weimar und Jena.

In die folgenden Jahre fallen die ersten Veröffentlichungen der Brüder Grimm; Jacob brachte 1811 seine These »Über den altdeutschen Meistergesang« heraus, Wilhelm im selben Jahr seine Übersetzung »Altdänische Heldenlieder, Balladen und Märchen«. 1812 erschien der gemeinsam erarbeitete Band der »Kinder- und Hausmärchen« sowie die Edition der »beiden ältesten deutschen Gedichte aus dem 8. Jahrhundert. Das Lied von

Hildebrand und Hadubrand und das Weißenburger [= Wessobrunner] Gebet«. Im Jahr darauf folgten Wilhelms »Drei altschottische Lieder« und Band I der gemeinsam herausgegebenen Zeitschrift »Altdeutsche Wälder«.

Inzwischen hatte die Niederlage Napoleons in der Völkerschlacht bei Leipzig im Oktober 1813 die politische Lage verändert. In Kassel mußte König Jérôme das Feld räumen, und Jacob, der dadurch seine Bibliothekarsstelle – allerdings hocherfreut über die Wende – verlor, trat alsbald in die Dienste des zurückgekehrten Kurfürsten. Als Legationssekretär begleitete er den hessischen Gesandten Graf Keller, Blüchers Armee durch Frankreich, den Schauplatz der Befreiungskriege, folgend, in das schließlich von den verbündeten Heeren eroberte Paris. Auch die jüngeren Brüder Carl, Ferdinand und Ludwig kämpften als Freiwillige in Frankreich gegen Napoleon, während Wilhelm, dessen Gesundheitszustand patriotische Aktivitäten dieser Art nicht zuließ, einen Posten als Sekretär an der kurfürstlichen Bibliothek erhielt. Im Juli 1814 kehrte Jacob nach Kassel zurück, in die Wohnung am Wilhelmshöher Tor, das neue Domizil der Geschwister Grimm. Er konnte sich aber nicht, wie erhofft, den in Paris und anderen Städten nach alten Handschriften angefertigten Exzerpten widmen, denn schon wenig später schickte man den Gesandtschaftssekretär auf den Wiener Kongreß. Jacob, über das diplomatische Intrigenspiel und den »verkehrten und undeutschen Gang und Geist des Kongresses« tief enttäuscht, suchte in seiner geringen Freizeit die Wiener Bibliotheken, besonders die Hofbibliothek auf und knüpfte wertvolle wissenschaftliche Beziehungen, in erster Linie zu osteuropäischen Literaturhistorikern. Während ihm der Salon Dorothea von Schlegels, der Mittelpunkt des Kreises katholischer Romantiker, wenig zusagte, gefiel ihm der Zirkel von Buchhändlern, Bibliothekaren und Verlegern, der sich jeden Mittwochabend im Gasthof »Zum Strobelkopf« traf, besser. Hier lernte Jacob nicht nur den späteren Verleger seiner Übersetzung von altspanischen Romanzen kennen, sondern erfuhr auch einige Märchen bzw. Märchenvarianten für den zweiten Band der »Kinder- und Hausmärchen« (1815).

Nach Abschluß des Wiener Kongresses mußte Jacob im September 1815 noch einmal nach Paris reisen, das er jetzt den »verwünschten Ort« nannte. In diplomatischer Mission sollte er »die aus einigen Gegenden Preußens geraubten Handschriften ermitteln und zurückverlangen, nebenbei auch einige Geschäfte des Kurfürsten besorgen, der in dem Augenblick keinen Bevollmächtigten dort hatte«.

Wilhelm unternahm indessen mit dem Malerbruder Ludwig eine romantische Reise: »Meine Flügel waren Segel auf einem Schiffchen den Rhein hinab«, diesem »wunderbaren Fluß, der einen Deutschen, der ihn zum ersten Mal sieht, so eigen bewegt«. Nach einem kurzen Aufenthalt bei den Freunden Savigny und Brentano in Frankfurt ging es weiter nach Heidelberg, wo Wilhelm Goethe noch einmal traf, der dort ebenfalls die berühmte Gemäldesammlung der Brüder Boisserée bewunderte.

Das sich dem Ende zuneigende Jahr 1815 hatte nicht nur eine reiche wissenschaftliche Ernte gebracht – neben der Veröffentlichung der schon erwähnten Werke auch den zweiten und dritten Band der »Altdeutschen Wälder«, den »Armen Heinrich von Hartmann von Aue« und die »Lieder der alten Edda« –, sondern es sah auch Jacob und Wilhelm wieder vereint in Kassel. Gemeinsam angestellt an der Bibliothek des Kurfürsten, entwickelten sich die Brüder in der nun folgenden Periode in bescheidenem äußeren Lebensrahmen weiter zu Gelehrten von Weltruf.

Als Autodidakten wurden die Brüder Grimm Begründer und Namengeber einer neuen, selbständigen Wissenschaft, der Germanistik. Sie umfaßt die Bereiche Sprache und Literatur, Volkskunde, Rechtswesen, Religion und Geschichte der germanischen Völker. Auf allen diesen Gebieten forschten und arbeiteten Jacob und Wilhelm mit schier unglaublichem Fleiß, immenser Konzentrationsfähigkeit, hohem Sachverstand und einem genialen Gespür für Zusammengehörigkeiten. Doch die große Leistung der Brüder, auf die wir später noch eingehen werden, ist nicht denkbar ohne die innige Zuneigung und die sensible Achtung, die sie füreinander empfanden und die eine starke vitale Basis bedeutete.

Bei aller Gemeinsamkeit von Interessen und Anschauungen waren sie aber von durchaus unterschiedlichem Naturell. Dies verriet schon ihr Äußeres. Jacob war relativ klein und schlank, bewegte sich wendig und verfügte über körperliche Zähigkeit und Gesundheit, wenn ihn auch hin und wieder starke Kopfschmerzen plagten. Seine hellen, durchdringenden Augen behandelte er zeitweise mit einer Opiumtinktur gegen Ermüdungserscheinungen, denn Jacob war stark kurzsichtig; im Alter kam Schwerhörigkeit dazu. Wilhelm war von größerer Statur, langsamer in den Bewegungen; seine weicheren Gesichtszüge beherrschten sanfte, dunkle Augen. Immer wieder machten ihm Krankheiten schwer zu schaffen. Während Jacob der Intellektuellere war, von dem sein Bruder meinte, »an Scharfsinn und Gelehrsamkeit habe ich ihn zu allen Zeiten über mich gestellt«, hatte der musikalische, liebenswürdige Wilhelm alle Anlagen zu einem Poeten, der, gesellschaftlich gewandt, seine Umwelt bezaubern konnte. Dagegen empfand sich Jacob als »rechtes Hausstück«, er »scheue Bekanntschaften und Besuche«, lebe am liebsten in einer »gewissen, halbwehmütigen Zurückgezogenheit«. Für »glücklich halte ich mich nicht«, erklärte er, »allein Gott hat mir im Grund ein heiteres Gemüt verliehen, das gleich wieder ausmauert, wo es Risse und Lükken setzt. Meine Arbeiten gedeihen mitunter, das freut und tröstet mich.«

Die Lebens- und Arbeitsgemeinschaft der Brüder änderte sich nicht, als ihre Schwester Lotte, die ihnen bislang den Haushalt geführt hatte, 1822 den Bruder ihrer Freundinnen Marie und Jeanette Hassenpflug, Hans Daniel Ludwig Hassenpflug, heiratete. Gerührt beschrieb sie Wilhelm: »Wie sie im Brautkleid und Myrtenkranz ganz blaß vor innerlicher Bewegung in das Zimmer trat, glich sie so sehr meiner seligen Mutter, die ich nur blaß und kränklich gekannt habe, daß

Neujahrsgruß Jacob Grimms an seine Schwester Lotte mit Neckadresse, die sich auf ihre bevorstehende Hochzeit mit Ludwig Hassenplug am 2. Juli 1822 bezieht

mich schon dieser Anblick zu Tränen brachte.« Sachlicher konstatierte Jacob, daß wir »jetzt wieder einen halbstudentischen Haushalt führen müssen«. Doch dabei blieb es nicht lange, denn im Mai 1825 feierte Wilhelm Hochzeit mit der neun Jahre jüngeren (also 30jährigen) Henriette Dorothea Wild. Jacob hatte die Verbindung mit der Tochter des Kasseler Sonnenapothekers offenbar nicht nur lange voraussehend erwartet, sondern auch gewünscht, denn als er zu Weihnachten 1820 seinen Geschwistern eine kleine gedruckte, von ihm verfaßte Familienbibel, »Hausbüchel für unser Leben lang«, schenkte, fand sich Dortchen Wild in ihr bereits mit einbezogen. »Ich habe meine Frau schon als Kind gekannt«, schrieb Wilhelm, »und meine Mutter hat sie als ihr eigenes geliebt, ohne daß sie dachte, sie könnte es jemals wirklich werden.« Dortchen war »heiter von Natur, frei von tausend Dingen, die andern Menschen einen Tag nach dem anderen verderben, und sehr gut und liebreich von Herzen, und das nicht bloß gegen mich, auch gegen die andern Brüder, die sie gewiß so sehr lieben, als man eine Schwester nur lieben kann«. Die

Entscheidung für Dorothea Wild war nicht nur ein Glücksfall für Wilhelm, sondern auch für Jacob. Nicht einen Moment stand die Auflösung der Wohn-, Lebens- und Arbeitsgemeinschaft zur Diskussion; sie wurde bis zum Lebensende der Brüder beibehalten. Soweit die Überlieferung zu übersehen ist, gibt es nicht ein Zeugnis dafür, daß Wilhelm mit seiner Frau oder Jacob mit seiner Schwägerin je Zwistigkeiten gehabt hätte. Dafür gibt es zahlreiche Dokumente der Zuneigung, des Verständnisses und der gegenseitigen Fürsorge. Diese Tatsache spricht insbesondere für Dorothea Grimm. 1826 gebar sie einen Sohn, der nach seinem Paten Jacob hieß, aber schon nach wenigen Monaten starb. Zwei Jahre darauf folgte ein zweiter Junge, der wieder seinen ältesten Onkel zum Paten hatte und die Namen seiner Großväter Herman und Friedrich erhielt; er sollte später ein bekannter Kunsthistoriker werden. Jacob, der eingefleischte Junggeselle, war so begeistert von den Kindern seiner Geschwister Wilhelm, Lotte und Ludwig, die ihn »Apapa« nannten, daß er sogar deren Löckchen sammelte.

Im Herbst 1829 sahen sich Jacob und Wilhelm gezwungen, ihre Bibliothekarsstellen zu kündigen und Kassel zu verlassen, denn die kurhessische Regierung verletzte sie schwer in ihrem Ehrgefühl und berechtigten Anspruch, als sie die eben frei gewordenen Stellen des Oberbibliothekars und Direktors der Antiken mit einem Außenseiter besetzte. Schweren Herzens nahmen sie das Angebot, das sie aus dem Königreich Hannover erreichte, an. Jacob wurde als ordentlicher Professor und Bibliothekar, Wilhelm zunächst als Bibliothekar nach Göttingen, an die damals wohl berühmteste Universität und Bibliothek Deutschlands berufen.

Dorothea Wild, die spätere Frau Wilhelm Grimms. Federzeichnung von Ludwig Emil Grimm, dat. 18. August 1814

Herman, Rudolf und Auguste, die Kinder Wilhelm und Dorothea Grimms. Getuschte Federzeichnung von Ludwig Emil Grimm, ca. 1840

Bei eisigem Wetter in halboffener Kutsche passierten Wilhelm und Jacob, der einen kleinen Blumenstock für die provisorische Göttinger Wohnung unter seinem Mantel hielt, am 28. Dezember 1829 den Löwen von Sandstein, die Markierung der hessischen Grenze.

Es war gewiß kein Zufall, daß Jacob seiner lateinisch gehaltenen Antrittsvorlesung, einer Abhandlung über die deutsche Sprache, den Titel »De desiderio patriae« (»Heimatliebe«) gab. Die Brüder gewöhnten sich in Göttingen nur schwer ein. Zunächst standen Höflichkeitsbesuche bei den Universitätskollegen und Honoratioren auf dem Programm: »Über sechzig Besuche waren zu machen und wieder zu empfangen, die wenigsten darunter konnten mit Visitenkarten abgetan werden.« Gar nicht gefiel ihnen der Zirkel der alteingesessenen Professoren, die sich »in der Weise veralteter Diplomaten« gaben, und »die es für ihre Pflicht hielten, wichtig zu tun, wenn auch keine Ursache dazu vorhanden war. Ihr Umgang ist unerquicklich, ihre Soupers sind luxuriös und langweilig, wir waren bald entschlossen, uns auf dergleichen nicht einzulassen.« Sie beschränkten sich auf den freundlichen Umgang mit den Familien der Juristen Hugo, Blume, Albrecht und Göschen, mit dem Theologen Lücke, dem Altphilologen Müller, dem Orientalisten Ewald, dem Literaturhistoriker Gervinus und »am meisten und liebsten« verkehrten sie mit dem Historiker Friedrich Christoph Dahlmann. Im Mai 1830 zog die Familie Grimm, der nun auch ein zweites Kind, Rudolf, und bald darauf ein drittes, Auguste, angehörte, in die neue Wohnung in der Allee, die schräg gegenüber der Bibliothek lag. Dort hielt Jacob auch öfters seine Kollegien in einem Parterre-Raum. Obwohl ihm die Vorle-

»Apapa wische Wangen«. Jacob Grimm und sein Neffe Herman. Federzeichnung von Ludwig Emil Grimm, dat. Dezember 1829

sungen »keine Freude, aber viel Mühe« bereiteten, denn »das Auftreten zu bestimmter Stunde auf dem Katheder hat etwas Theatralisches« und war ihm »zuwider«, und obwohl Jacob ein schlechter Redner war, der eher stockend vortrug, fand er doch eine für damalige Verhältnisse stattliche Anzahl begeisterter Hörer. 25 bis 60 Studenten verfolgten seine Ausführungen über deutsche Grammatik, Rechtsaltertümer und Literatur oder Diplomatik, auch immer einige Engländer, wie zum Beispiel John Kemble,

der sich später in Großbritannien einen großen Namen als Germanist machte.

Wilhelm, seit 1831 ebenfalls Professor der philosophischen Fakultät, wurde ein sehr beliebter Dozent; leichter als Jacob fand er Zugang zu seinen Studenten, denen er Vorlesungen über das Nibelungenlied oder die mittelhochdeutsche Erkenntnissammlung Freidanks hielt. Dazu waren die Tage der Brüder angefüllt von neuen ausgedehnten Forschungen und der Arbeit in der Bibliothek, über

Auszug der Brüder Grimm nach Göttingen 1829.
Aquarell von Ludwig Emil Grimm, dat. 1830.
»Dieser Triumphf Zug ist erfunden und gezeich-
net worden im Dec. 1829 und Januar 1830 und
ist sehr lustig munter und angenehm anzuschauen
und gehört der Marie.« Rechts in der fünfspänni-
gen Kutsche mit Initialen des Familiennamens
sitzen Jacob und Wilhelm mit Zylindern, ihnen
gegenüber Dorothea, die Frau Wilhelms, mit
dem Sohn Herman (»zu Apapa gehn«). Rechts
oben als Oberleutnant der Landwehr Ludwig
Emil Grimm mit blankem Degen (»rechts
schwenkt ihr Füchse«). In der Kutsche hinter
Jacob und Wilhelm die Kinderfrau Ewe. Links
im Schlitten (im Wappen: Lotte G[rimm]
H[assenplug]) Lotte mit ihren Kindern Karl,
Friedrich und Berta. Aufgeklebte Knallbonbon-
Verse runden die Karikatur ab

die Jacob klagte, sie sei »ein stets hung-
riges Tier«; insbesondere ärgerte er
sich ständig über die »wunderlichsten
Grillen« des Oberbibliothekars Reuß.
Tagelang blieb den Brüdern nicht ein-

mal Zeit, »um eine Viertelstunde auf
den Wall unter die Bäume zu laufen«.

Als der neue König Ernst August
II. von Hannover am 1. November
1837 das 1833 (infolge der Juli-Revolution von 1830) schwer erkämpfte
Staatsgrundgesetz außer Kraft setzte,
änderte sich die Lage schlagartig.
Denn die Brüder Grimm standen mu-
tig zu ihrem Eid, den sie als Staats-
beamte auf die Verfassung geleistet
hatten. Zusammen mit ihren fünf
Mitstreitern Dahlmann, Albrecht,
Ewald, Gervinus und Weber prote-
stierten sie gegen den willkürlichen
Verfassungsbruch des Königs. Daraufhin enthob Ernst August die Göttinger Sieben fristlos ihrer Ämter. Jacob, Dahlmann und Gervinus, denen
man vorwarf, die Protestschrift an die
Öffentlichkeit gebracht zu haben,
mußten innerhalb von drei Tagen das

Land verlassen. Jacobs – und einige
Monate später auch Wilhelms – Exil
hieß Kassel. Die brotlos gewordenen
Professoren zogen zu ihrem Bruder
Ludwig. In dieser Situation entschlossen sich Jacob und Wilhelm, eine Anregung des Altphilologen und Germanisten Moriz Haupt und der Verleger
Karl August Reimer und Salomon
Hirzel in die Tat umzusetzen. Am
29. August 1838 veröffentlichte die
»Leipziger Allgemeine Zeitung« ihren Plan: »Es ist in der menschlichen
Natur gegeben, aus dem Herben ein
Süßes zu ziehen, der Entbehrung
neue Frucht abzugewinnen. Jacob
und Wilhelm Grimm, von gemein-
schaftlichem Schicksal gleichzeitig betroffen, nach langem und vergeblichem Harren, daß sie ein deutsches
Land in seinen Dienst aufnehmen
werde, haben den Mut gefaßt, ihre

Zukunft sich selbst zu erfrischen, zu stärken und sicherzustellen. Sie unterfangen sich eines großen deutschen Wörterbuchs.« – Ein Jahrhundertwerk, die umfassendste Erschließung des deutschen Sprachschatzes bis auf den heutigen Tag, war geboren.

Als 1840 Friedrich Wilhelm IV. als »Romantiker auf dem Thron« preußischer König wurde, bedeutete dies eine günstige Wendung für die Brüder Grimm. Der am geistigen Leben sehr interessierte König berief die berühmten Gelehrten, zu deren Verehrern er schon lange gehörte, an die 1810 von Wilhelm von Humboldt gegründete Berliner Universität. Er gewährte ihnen günstige Arbeitsbedingungen, nach denen sie sich in erster Linie ihrer Forschung widmen konnten, und ein Salär, das die Mittfünfziger »endlich einmal der Sorgen überhob«; wir

»dürfen in dieser materiellen Beziehung ruhiger leben, als es uns bisher gegönnt war«. Begeistert begrüßten die Studenten ihre neuen Professoren, nicht nur ihrer allseits bekannten, höchsten fachlichen Kompetenz wegen, sondern auch – nach den Göttinger Ereignissen – als Vertreter einer kompromißlos freiheitlichen Haltung.

Achtung und Ehrung erfuhren die Brüder in ihren Berliner Jahren in reichem Maß; sie nahmen sie mit der ihnen eigenen persönlichen Zurückhaltung auf. Der gesellschaftlichen Öffentlichkeit der kulturellen Hauptstadt Berlin konnten sie sich – wie es besonders Jacob gerne getan hätte – nicht ganz entziehen. Hin und wieder nahmen sie sich jetzt Urlaub; Wilhelm ging dann mit seiner Frau in Kur, etwa nach Bad Harzburg, Jacob reiste nach Italien und Skandinavien

und berichtete anschließend von seinen Eindrücken, die er seinem Naturell gemäß wissenschaftlich verarbeitete, vor der Berliner Akademie.

Mit dem zunehmenden, pragmatischen Geiz, mit dem erfahrene Menschen in ihren letzten Lebensjahren mit der Zeit haushalten, konzentrierten sich die Brüder abseits des Universitätsgetriebes auf das ihnen Wesentlichste: das »Deutsche Wörterbuch«; – es sollte allerdings erst 100 Jahre später abgeschlossen werden.

Nach ihrer Gewohnheit gingen die Brüder bis zuletzt täglich im Berliner Tiergarten spazieren: getrennt, denn der beweglichere Jacob ging rasch, Wilhelm beschaulich langsam. Wenn sie sich dann begegneten, winkten sie einander zu.

Steinau vor 1850. Zeitgenössischer Stich

Allerdings bin ich in dem jetzt von Ihnen bewohnten Hause, in der Langen Gasse neben dem Hinterhaus des Rathauses, zum ersten Bewußtsein gekommen ... Die Kinderstube war hinten und ging in den von einer nahen Mauer beschränkten Hof, über die Mauer ragten Obstbäume aus dem benachbarten Garten, wahrscheinlich dem Rathausgarten. Im Rathaushof spielten wir oft, gegenüber auf der anderen Seite der Straße wohnte damals ein Handschuhmacher... Ich wurde oft über den Paradeplatz in die Altstadt zum Großvater getragen und geführt, mußte im letzten Jahr, etwa 1790, in eine Schule laufen, die auf der entgegengesetzten Seite hinter dem Neustädter Markt am Platz der französischen Kirche lag.

Aber geboren wurden wir in diesem Hause nicht, sondern in einem am Paradeplatz, wenn man vom Weißen Löwen

an hinaufgeht, etwa im zweiten oder dritten Haus der Reihe oben ...

<small>JACOB GRIMM, KINDHEITSERINNERUNG AN HANAU. BRIEF AN LUISE GIES, 30. DEZEMBER 1858</small>

Ich weiß noch ganz klar, wie ich in einem weißen Kleid mit rotem Band in dem Bosquet zu Philippsruhe mich verloren hatte, und wie ich die glatten, beschnittenen Baumwände, an welchen alle Blätter nebeneinander hingen, und den reinen Kies auf dem Wege ängstlich schnell, aber scharf betrachtete, wie mir die Stille, in die ich horchte, und die grüne Dämmerung immer mehr Angst machte und eine Angst auf die andere stellte, wie ein Stein auf einen Stein, und sie so immer wuchs. Ich erinnere mich genau, daß an einem

Sommermorgen die Soldaten in Hanau zur Revue auszogen, ich guckte aus dem Fenster, und man konnte sie nur ganz am Ende der Langen Gasse quer vorbeiziehen sehen. Die Flinten glänzten in der Sonne, und ich dachte, wie froh ich sein würde, wenn ich einmal mit hinaus dürfte gehen, neben der schönen Musik und in den frischen Morgen.

Das war häufig bei uns, daß die Mutter auf einem Tritt saß am Fenster und in den Spiegel sah, der draußen fest war und worin man alle Leute auf der Straße sehen konnte. Der eine Flügel des Fensters stand auf, die Sonne lag auf den Dächern, und die Stühle des Strumpfwirkers schnurrten beständig, das war immer eine langweilige Zeit.

<small>WILHELM GRIMM, AUF EIN EINZELBLATT NOTIERTE KINDHEITSERINNERUNG AN HANAU</small>

Die Stadt Steinau liegt sehr malerisch; auf dem höchsten Punkt liegt die Kirche, das Schloß und das Rathaus, und von jeder Seite, woher man auch kommt, nimmt sie sich gut aus. Im Frühjahr wird die Kinzig groß und tritt aus und überschwemmt die Landstraße; die Mauerwiese und der ganze Kinziggrund ist dann mit rotem Wasser überschwemmt; und allgemeiner Jubel war, wenn dann die Störche auf die Wiesen wiederkamen und ihr altes Nest auf dem Stadttor wieder bezogen. Luft und Klima sind sehr gesund und gut, und wenn in Kassel die Veilchen noch eine Seltenheit sind, blühen sie dort überall. Die Ostereier suchten wir im Biengarten, und da wurden sie schon in Gras und Sauerampfer versteckt.

LUDWIG EMIL GRIMM ÜBER STEINAU. IN: »ERINNERUNGEN AUS MEINEM LEBEN«

In den französischen Revolutionszeiten wurde es auch bei uns unruhig. Es kamen immerwährende Durchzüge, bald die Franzosen, bald Österreicher, Holländer, Preußen, Mainzer und Hessen; da gab es denn immer etwas für uns zu sehen, und wir waren immer am Fenster; die gute Mutter war in großer Angst und ließ uns nicht in die Schule und auf die Straße. Die Nachzügler von den Regimentern waren meist betrunken, ritten an die Bäckerläden, spießten mit ihren Säbeln das Brot oder bei den Metzgern das Fleisch und ritten schreiend und galoppierend weiter. Die gefürchteten österreichischen Rotmäntel verkauften gestohlene und geplünderte Sachen aller Art, die feinsten Tischzeuge, Silbergeschirr, Bücher, Porzellan, Becher, Vorhänge und tausend andere Sachen. Abends konnten wir aus unsern Fenstern Hunderte von Wachtfeuern auf der Mauerwiese und in unserm Biengarten brennen sehen. Die durchziehenden Soldaten hatten geschlachtete Hühner, Gänse, welsche Hahnen, Schinken, Würste, Rindfleisch, Ziegenlämmer auf ihren Tornistern hängen und Frauenhalstücher um, und an die Pferdeschwänze waren

Hinrichtung des französischen Königs Ludwig XVI. Aquarellierte Kinderzeichnung von Wilhelm Grimm

durchlöcherte Laibe Brot geknüpft. Ganze Wagen voll geschlachteter Ochsen, Schweine, Kälber fuhren nach, die Soldaten marschierten meist in der größten Unordnung. In jede Nebengasse liefen sie aus dem Regiment heraus, um etwas zu stehlen; kein Offizier bekümmerte sich darum; die Holländer waren am ärgsten, die Franzosen am ordentlichsten; alle Brunnen waren mit Durststillenden besetzt und alle Wirtshäuser mit Branntweinverlangenden, die nicht bezahlten. Oft gab es Schlägereien mit den Bürgern und der Soldaten unter sich. Eine Frau hat einen Soldaten, der ihr mit einem Ladestock einen Schlag gegeben, mit einer Wagenkette so auf den Kopf geschlagen, daß er auf der Stelle tot blieb.

Ich entsinne mich vieler französischer Regimenter, die mit klingendem Spiel durchzogen, aber so zerrissen und zerlumpt waren, daß sie gar keinen Soldaten ähnlich sahen; die meisten hatten keine Schuhe mehr und gingen barfuß, sangen aber und waren lustig. Viele hatten zahme Eichhörnchen auf dem Tornister sitzen oder Elstern, Raben u. dgl. Sie marschierten schnell durch, weil sie auf der Flucht vor dem Erzherzog Karl waren. Ganze Herden Kühe, Schweine, Schafe usw. folgten den Regimentern. Die Leute wurden gezwungen, Heu und Stroh herzugeben, sie selbst schleppten Holz, Stühle, Bänke u. dgl. auf die Wiese, um Wachtfeuer damit anzumachen; in unserm Biengarten hatten sie ein Geländer um das Blumengärtchen verbrannt.

Viele hatten Bauernpferde, und manche hatten Bauernmützen auf; dann und wann sah man auch Gefesselte mit zerlumpten Kleidern, die Hände mit Ketten oder Stricken auf dem Rücken befestigt, zwischen den Regimentern mitmarschieren; die Leute sagten, es seien gefangene Spione. Viele Soldaten trugen die Arme in Binden oder Tücher um ihre verwundeten Köpfe, viele Wagen voll Verwundeter und Sterbender folgten.

LUDWIG EMIL GRIMM, ERINNERUNG AN STEINAU IM JAHR 1796 (RÜCKZUG DER VON DEM ÖSTERREICHISCHEN ERZHERZOG KARL GESCHLAGENEN FRANZOSEN AUF DAS LINKE RHEINUFER). IN: »ERINNERUNGEN AUS MEINEM LEBEN«

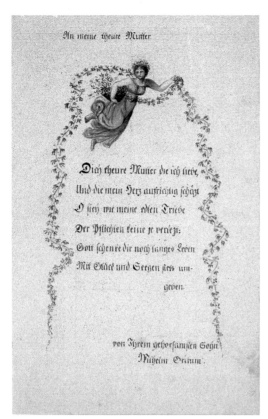

An meine theure Mutter

Dich theure Mutter die ich liebe,
Und die mein Herz aufrichtig schäzt
O sieh wie meine edlen Triebe
Der Pflichten keine je verlezt;
Gott schenke dir noch langes Leben
Mit Glück und Seegen stets umgeben.

von Ihrem gehorsamsten Sohn
Wilhelm Grimm.

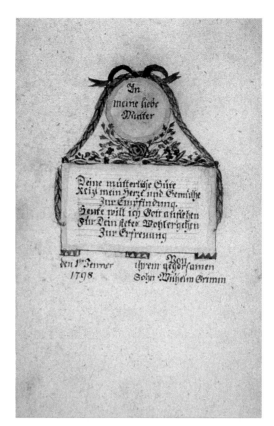

In meine liebe Mutter

Deine mütterliche Güte
Reizt mein Herze und Gemüthe
Zur Empfindung.
Heute will ich Gott ansehen
Für Dein stetes Wohlergehen
Zur Erfreuung

den 1ten Jenner
1798.

Von
ihrem gehorsamen
Sohn Wilhelm Grimm

O Mutter! die mir Achtung zu verehren,
Mir immer meine Pflicht gebeut,
Nichts kann die Ehrfurcht gegen Sie vermehren,
Die Ihnen stets mein Herz geweiht,
Und heute steigt mein Wunsch für Sie auf neue,
Zu Gott, daß er Ihr edles Herz erfreue.

Kassel
am 1t Jenner
1800.

Von Ihrem
gehorsamen Sohn
J. L. K. Grimm.

An die beste Mutter

Von edlen Kindespflichten angetrieben,
Bring ich, o Mutter Dir den Dank
Und werde einst noch Deine Asche lieben
Und Dich verehren lebenslang
Gott schenke Dir noch langes Leben
Und laß im Seegen Dich gesund
Mein williges Herz kann Dir nichts geben
Als diesen Wunsch von meinem Mund

Kassel den 1t Jenner 1800.

von Ihrem gehorsamen
Sohn Wilhelm Grimm

*Neujahrsglückwünsche
von Jacob und Wilhelm
Grimm für ihre Mutter*

Nach Tisch gingen wir oft mit der Mutter in den Biengarten, ... einen sehr großen Garten; es war eine rot angestrichene Türe und ein Fahrtor daran; in der Mitte war eine große, dichte Laube und in deren Mitte ein steinerner Tisch, ringsum große Bänke. Vor der Hütte war wieder eine Bank, und die Äste bildeten wieder eine Laube darüber; vor der Hütte hatte die liebe Mutter gewöhnlich ihren Sitz; da konnte sie den Garten und uns Kinder übersehen. Dieser liebe Biengarten war meist der Tummelplatz unserer Kindheit ...

LUDWIG EMIL GRIMM, KINDHEITSERIN-NERUNG. IN: »ERINNERUNGEN AUS MEINEM LEBEN«

Ich suchte auch den Garten auf, den die Eltern ehemals besessen hatten. Der Baum stand noch, an welchem der weiße Mantel der Mutter zu hangen pflegte, den wir von weitem sahen, wenn wir nach beendigter Schule nachkamen, und es war mir, als sähe ich sie selbst langsam über die Wiese hergehen. Als ich mit diesen Erinnerungen in dem Garten auf und ab ging, kam ich mir selbst wie ein abgeschiedener Geist vor, der zu der ehemaligen Heimat wieder einmal zurückgekehrt ist. Ob das heftige Gefühl, das mir die Seele erfüllte, Schmerz oder Freude war, weiß ich nicht, es war wohl beides zugleich. Die Liebe zu meiner Mutter ist noch jetzt, nachdem sie länger als zwanzig Jahre im Grab liegt, unvermindert in meinem Herzen; der Traum führt mich manchmal zu ihr hin, sie sitzt meist, wie in den letzten Jahren ihres Lebens, auf einem kleinen Teppich vor einem Arbeitstischchen, reicht mir die magere, aber sanfte Hand und fragt, warum ich so lange nicht bei ihr gewesen sei? Hätte es Gott gefallen, ihr Leben zu verlängern, welche Freude, wenn wir ihr die mühseligen, uns geopferten Jahre mit ebensoviel stillen und ruhigen hätten vergelten können. Alte Leute kehren wohl, wenn keine Sorge und Arbeit sie mehr unterbricht, zu den Beschäftigungen der Jugend zurück, sie pflegen Blumen, einen Lieblingsvogel, und die Bücher, die der ernste Drang des Lebens ihnen verschlossen hatte, werden wieder geöffnet. Die Mutter las gerne, der Grandison [»Der deutsche Grandison« von J. K. A. Musäus] war ihr Lieblings-

»Mutter beim Essenkochen«. Aquarell von Jacob Grimm, dat. 1800

buch, dessen verschlungene Begebenheiten und vielfältige Charaktere sie sehr wohl behalten hatte; manchmal bei recht heiterer Stimmung sagte sie uns Stellen aus Gellerts beschämter Schäferin [»Sylvia, ein Schäferspiel«] vor, worin sie als Kind eine Rolle gespielt hatte.

WILHELM GRIMM, ERINNERUNG AN SEINE MUTTER, HERBST 1826. IN: »SELBSTBIOGRAPHIE« (1830)

Er war wohl sechzig Jahre alt; soviel ich mich seiner noch erinnere, will ich ihn beschreiben: nicht sehr groß, breitschulterig, mit markiertem und gescheitem Kopf, trug er, wenn er in die Kirche und ausging, eine Perücke, die unten dicke, gemachte Locken hatte, aber nicht gepudert war. Im Winter trug er einen schwarzen, im Sommer einen hellblauen oder violetten Anzug, Rock mit breiten Schößen, großen Taschen und roten Knöpfen. An jedem Rock war aber am Kragen da, wo die Locken der Perücke hingen, das Zeug sehr abgeschabt und hatte ganz die Grundfarbe verloren; besonders hatte der violette Rock durch das Wetter sehr die Farbe verloren, und wir konnten das Alter der Röcke gar nicht berechnen. Dabei trug er einen altmodigen dreieckigen Hut, schwarze oder violette wollene Strümpfe, Schuhe mit großen Schnallen und endlich ein großes, altes spanisches Rohr.

Im Winter gingen die Bürgerjungen von acht bis elf Uhr in die Schule und von elf bis zwölf wir, und sie mittags von eins bis drei und wir von drei bis vier. In der großen Schulstube hatte er in der Türe oben ein Loch machen lassen, ein Blech darauf und in das Blech ein kleines Löchelchen gebohrt. Nun schlich er langsam die Treppe herauf, konnte durch das Löchelchen alle Schüler übersehen, blieb da eine Zeitlang stehen und beobachtete da die Mutwilligsten, kam dann herein, ergriff den Stock ohne ein Wort zu sagen, und nun bekamen die Ertappten tüchtig Schläge; wenn er dann wieder auf dem Pult stand, sagte er nur: »Wißt ihr warum?«, und wenn die nicht augenblicklich ja riefen, bekamen sie noch einmal Schläge.

LUDWIG EMIL GRIMM ÜBER DEN STEINAUER STADTPRAECEPTOR ZINCKHAN, DEN ERSTEN LEHRER DER GESCHWISTER GRIMM. IN: »ERINNERUNGEN AUS MEINEM LEBEN«

Jacob betrachtete sich, so jung er war [11 Jahre], nach des Vaters Tode als Haupt der Familie. Immer haben seine Geschwister diese Stellung anerkannt. Er war der Nachfolger der höchsten Autorität. Nur die Mutter stand über ihm, die er in fast pedantischer Weise, so lange sie lebte, als die oberste entscheidende Instanz auch da das letzte Wort zu sagen bat, wo die arme gebeugte Frau sich gerne dem Willen des Sohnes unterordnete. Mein Vater Wilhelm, nur 13 Monate jünger als Jacob, hat dessen höhere Stellung bis in ihre letzten Zeiten stets anerkannt. Erst jetzt entdecke ich mit Rührung zuweilen, wie heilig ihm dieses Verhältnis war; denn es lag etwas Herrschendes in Jacobs Natur, dem sich unterzuordnen nicht immer leicht war.

HERMAN GRIMM ÜBER SEINEN ONKEL JACOB. IN: »DIE BRÜDER GRIMM UND DIE KINDER- UND HAUSMÄRCHEN«

Ich weiß noch, wie [die Mutter] den freudigen Brief erhielt, worin Jacob schrieb, daß er uns in den Ferien [in Steinau, Herbst 1802] besuchen wolle. Da wurden Hühnerchen gebraten und Zwetschgenkuchen gebacken ... Das war eine Freude, wie er ankam! Er trug die damalige Studentenkleidung, scharlachroten Frack mit schwarzem Samtkragen und Aufschlägen, lederne Beinkleider und hohe glänzende Kanonenstiefel mit Sporen. Da ritt er denn mit [seinem Freund] Jacob Denhard nach Schlüchtern und in die

Umgegend zu Bekannten. Auch Fußpartien, wobei wir mitgingen, nach Bellings [einem Dorf östlich von Steinau], in die Wälder ringsum wurden unternommen, und die gute Mutter war immer so betrübt, wenn er wieder wegreiste! Da sah sie immer in der Nacht nach dem Himmel, ob das Wetter auch gut sei. Der Jacob mußte uns prüfen, was wir gelernt hätten; er sagte, wir wären noch sehr weit zurück, und es wäre Zeit, daß wir von Steinau wegkämen.

LUDWIG EMIL GRIMM ÜBER DIE BESUCHE DES MARBURGER STUDENTEN JACOB GRIMM IN STEINAU. IN: »ERINNERUNGEN AUS MEINEM LEBEN«

Religion recht fest im Herzen halte,
Daß Dich beselige des Glaubens Milde,
Daß Zweifel nie die Seele Dein zerspalte,
Wohl ruhend unter Gottes sicherm
          Schilde,
Daß Tugend sich von neuem Dich
          entfalte,
Wenn außen toben Leidenschaften wilde:
Dies ist mein Segen, der Dich soll
          begleiten
Durch dieser Erde Freuden so als Leiden.

    Von Deiner Dich herzlich liebenden
                Mutter Grimm

Steinau, den 26. Oktober 1804

EINTRAGUNG DOROTHEA GRIMMS IN DAS STAMMBUCH IHRES SOHNES WILHELM

Wappen der Familie Grimm. Aquarell von Jacob Grimm

Num. 1. *Die Mutter*, von einer höchst resignierenden, alles ertragenden und leidenden, alles für uns hingebenden Natur. Dabei doch manchmal hart und verschlossen. Von dieser Verschlossenheit scheinen wir alle, mehr oder weniger und auf verschiedene Manier unsern Teil zu haben.

2. *Die Tante*, die ältere unverheiratete Schwester von der Mutter. Von Natur durchaus gutmütig und liebend, sie hat uns fast studieren lassen und unterstützt uns noch immerfort.

3. Die einzige *Schwester*. Ein sonderbar hart steinern Gemüt, das wir mit aller Liebe nicht zwingen können. Brav und rechtschaffen, aber ich fürchte leer, der Mutter im Äußern und sonst ähnlich, aber lange nicht so gut wie die Mutter. Die Mutter ist viel frömmer und weiblicher erzogen worden.

Das Beste ist, daß wir alle sehr aneinander hängen.

JACOB GRIMM, ERKLÄRUNGEN ZU DREI ZEICHNUNGEN, DIE ER FRIEDRICH KARL VON SAVIGNY AM 21. MAI 1808 SCHICKTE

Schwester Charlotte Amalie Grimm, genannt Lotte. Radierung von Ludwig Emil Grimm, dat. 1820

Bei Grimm wohne ich sehr angenehm, du kennst sie, es sind die bravsten Leute auf der Welt, und von dem *heimlichen* Grimm, den du im Ältesten vermutest, ist keine Spur. Im Gegenteil, er ist zu sanft, sonst brächte er den jüngsten Bruder (d. h. aber Ferdinand) zu einem Handwerker und die Schwester in eine strenge Pension. Sie nimmt sich der Wirtschaft gar wenig an, was doch zu ihrem Vermögen wenig paßt.

ACHIM VON ARNIM ÜBER EINEN BESUCH IN KASSEL. BRIEF AN CLEMENS BRENTANO, 8. DEZEMBER 1808

Vom Ludwig haben wir vor kurzem einen Brief gehabt. Er ist gesund und fleißig, freilich kostet er viel Geld, und das ist die Ursache, warum wir nicht auskommen können mit unserer jährlichen Einnahme. Wir schränken uns so viel, als nur der Anstand erlaubt, ein, aber weiter kann man doch nicht gehen. Hätten wir einen andern Ort, unsere Einnahme zu verzehren, so könnten wir gut davon leben, aber hier geht es nicht. Wir fünf Menschen essen nur drei Portionen und nur einmal. Ich hebe mir gewöhnlich noch etwas zum Frühstück auf, weil ich bis fünf Uhr zu warten, ohne etwas zu essen, nicht vertragen kann. Der Jacob ißt gewöhnlich bis dahin nur zum Frühstück, wo jeder nur eine einzige Tasse Kaffee trinkt, weiter nichts als ein Milchbrot. Den Tee am Abend haben wir uns auch abgeschafft, weil der Zucker allzu teuer ist. In reiner Wäsche, in Kleidern müssen wir doch immer anständig gehen.

Ihr gehorsamer Neffe Wilhelm.

WILHELM GRIMM AN HENRIETTE ZIMMER, 11. MAI 1812

Ludwig Emil Grimm als 20jähriger. Kreidezeichnung seines Lehrers an der Münchener Akademie, Nepomuk Muxel, dat. 1811

Dieser Mangel an aller Arbeit ist auch schuld gewesen an des Ferdinands seinem Unglück, ich fange endlich an zu hoffen, daß es noch besser mit ihm werden könne, seit er vor einigen Wochen mit freiwilligem Entschluß von hier nach München zum Louis gegangen. So schwer es uns in anderer Hinsicht ist, so lieb ist es uns doch als das einzige Mittel seiner Rettung. Er war so außer der Welt und allen Verhältnissen, und dabei in völliger Geringschätzung derselben, daß er sich in nichts als in ein paar Empfindungen herumtrieb,

die im Anfang und Grund etwas Wahres gehabt haben, in die er sich aber, weil er an nichts ruhen, sich stützen und halten konnte, so hineindrängte und quälte, daß er fast in lauter Unwahrheit und Unnatur war, und dabei das immer für das Wahrste und Edelste und allein Gültige auf der Welt hielt. Er ist nicht ohne Geist und Verstand, Gott weiß, ob diese noch an ihren rechten Platz gelangen.

WILHELM GRIMM ÜBER SEINEN BRUDER FERDINAND. BRIEF AN ACHIM VON ARNIM, 26. SEPTEMBER 1812

Das macht der Ferdinand, der in einem tiefen Abgrund lebt ... bei ihm ist nichts aufgegangen als eine fürchterliche Selbstquälerei ... gegen uns aber, namentlich gegen mich ein bis auf die größte Kleinigkeit überlegter und durchgeführter Haß.

WILHELM GRIMM ÜBER SEINEN BRUDER FERDINAND. IN: »BESINNUNGEN« (1814)

Carl ist nun nach Hamburg am ersten Festtag abgegangen, um gleichsam wieder von vorn anzufangen ... Obgleich wir

Bruder Ferdinand Grimm. Bleistiftzeichnung von Ludwig Emil Grimm, dat. April 1808

dadurch von einer großen Last befreit sind, denn einen so unbeschäftigten, pedantischen, hypochondrischen Menschen immer unruhig um sich herum zu haben und in jedem Gedanken gestört zu werden, ist ein paar Jahre lang schwer zu ertragen, so tat er mir doch unbeschreiblich leid, und ich habe so weinen müssen, wie lange nicht. Er war eine Zeitlang doch der seligen Mutter liebstes Kind, weil er mehr als die andern in ihre Familie glich, und als er im Postwagen ernst und traurig saß, hatte er einen eigenen Zug von der Mutter im Gesicht, die gerade so den Mund zusammenschloß, daß ich es kaum aushalten konnte.

WILHELM GRIMM ÜBER SEINEN BRUDER CARL. BRIEF AN ACHIM VON ARNIM, FRÜHJAHR 1821

Liebe Geschwister, ich schenke Euch allen zu diesen Weihnachten ein immerwährendes Hausbuch, dessen Abfassung mich kleine Mühe gekostet hat, obwohl ich

Euch versichere, daß die darin abgehandelten Verhältnisse meinem Herzen mehr zu schaffen machen, als alles, was mir je im Kopf herumgegangen ist. Bleibt mir alle gut und duldet das Menschliche an mir, das einmal aufhören wird, wenn die Hauptsache, nämlich daß wir uns lieb haben, fortdauert. Was mich anbelangt, so will ich alle Scharten, die an mir sind, nach und nach auszuwetzen trachten, wenn auch meine Klinge dadurch kleiner wird.

Daß ich Dich mit hineingezogen habe, ehrliches Dortchen, vergib mir, denn es geschah, teils um durch Dich das Büchelchen etwas ansehnlicher zu machen, da unsere Verwandtschaft fast ausgestorben und ohne rechten Anhalt ist, teils weil ich Dich so lieb habe als meine Geschwister, was gewiß genug sagen will.

JACOB GRIMM ALS VERFASSER EINER KLEINEN FAMILIENCHRONIK, »HAUSBÜCHEL FÜR UNSER LEBEN LANG« (1820)

Die Sache war schon sehr lang im Werk, hat sich aber erst gegen Weihnachten bestimmt entschieden; seine Braut ist ein uns allen angenehmes, willkommenes und redliches Mädchen, namens Dortchen Wild; Sie können sie unten bei der Lotte gesehn haben. In unserem Hauswesen wird es nur gute Folgen haben, denn es versteht sich und ist auf ältere, unverbrüchliche Übereinkunft, sogar auf stillschweigende gegründet, daß wir Brüder zusammenwohnen bleiben und alles zusammenwerfen. Also können Sie dem Wilhelm Glück wünschen, obgleich ich es schreibe, er schämt sich, selbst davon zu reden.

JACOB GRIMM ÜBER DIE BEVORSTEHENDE HOCHZEIT WILHELMS. BRIEF AN KARL LACHMANN, 15. JANUAR 1825

Vorigen Sonntag morgens nach der Kirche bin ich getraut worden im Beisein der Geschwister und nächsten Verwandten; wir haben den Tag unter uns und in Stille verlebt, und da habe ich auch Ihrer und Ihrer Freundschaft mit Rührung gedacht

... Ich habe das Vorgefühl, daß ich mein Lebtag glücklich sein werde, wie ich es seit acht Tagen bin. Sie ist herzlich, natürlich, verständig und heiter, hat Freude an der Welt und ist doch jeden Augenblick bereit, sie für etwas Höheres und Besseres hinzugeben, wonach wir streben und was die Welt nicht gewährt.

WILHELM GRIMM ÜBER SEINE HOCHZEIT MIT DOROTHEA WILD. BRIEF AN DAVID T. A. SUABEDISSEN, PFINGSTEN 1825

Ich wünsche, daß Sie Dortchen kennten, Sie würden sie lieben, sie gleicht Ihnen durch ihr reines, liebreiches Herz, das kein Ende kennt, und ist frei von allem Schein und allem Erborgten; wäre es ihr nicht schon von Natur zuwider, mancherlei Leiden würden sie darin geläutert haben. Wüßten Sie, wie wunderbar mich Gott in diesem Verhältnis geführt hat, eine lange Reihe von Jahren und noch bis zuletzt

»Dortchen« Wild. Bleistiftzeichnung von Ludwig Emil Grimm, dat. 20. März 1815

Karikatur des Schwagers, des reaktionären hessischen Staatsministers Ludwig Hassenpflug. Darunter im Original aufgeklebter Zettel:

»Pütters Reichsgeschichte vermiße ich. Sollte sie mein Ludwig mitgenommen haben«. Federzeichnung von Ludwig Emil Grimm, nach 1832

... [Die] Geburtstage waren hohe Tage für uns Kinder. Soweit ich mich zurückerinnere, bekam Jacob immer auf demselben silbernen Teller, der nur bei dieser Gelegenheit gebraucht wurde, einen wahren Berg von Traubenrosinen, die er mit in sein Zimmer nahm, und ein Paar gestickte Pantoffeln, die er sogleich ergriff, an den neuen Sohlen roch und sie dann mit fortnahm, um alsbald darin wieder zu erscheinen.

Mein Vater [Wilhelm] erhielt am 24. Februar ebenso sicher einen Topf mit blühender Primula veris, seiner Lieblingsblume, mit der für mich der Begriff von Geburtstag verbunden ist ...

HERMAN GRIMM, ERINNERUNG AN DIE GEBURTSTAGE VON JACOB UND WILHELM GRIMM. IN: VORREDE ZU EINER NEUEN AUSGABE DER KINDER- UND HAUSMÄRCHEN, 1895

Auszug aus:

»EINER MUSS HEIRATEN!«

»Originallustspiel« in einem Akt von Alexander Wilhelmi [d. i. Alexander Viktor Zechmeister], erschienen 1853 in Dresden. Persiflage auf die gelehrten Brüder Grimm, die ihre Tante – als Vermittlerin zum Leben und Vertreterin der Konvention – unter die Haube bringen will. Um die Tante zufriedenzustellen, losen die Junggesellen, wer von beiden der von der Tante vorgesehenen Braut den Hof zu machen hat. Das Los fällt zwar auf Jacob, aber Wilhelm nimmt ihm aus Mitleid die Aufgabe ab und entschließt sich letztlich, zu heiraten.

PERSONEN.

JACOB ZORN } *Brüder, Professoren*
WILHELM ZORN } *an einer Unversität.*
GERTRUDE, *ihre Tante.*
LOUISE, *ihre Nichte.*

ORT DER HANDLUNG:

Gartenhaus und Garten der Brüder Zorn, in einer Universitätsstadt.

(Die Szene stellt einen Garten vor. Ein offener Pavillon oder eine große Laube befindet sich rechts neben dem Eingange zu einem Hause. In dem Pavillon steht ein großer Tisch mit Büchern, Globen, physikalischen Instrumenten bedeckt.

wußt' ich nicht, wie es endigen würde, und doch hatte ich den Glauben, ich würde jeden Ausgang mit einer gewissen Stille und Ruhe empfinden. Ich bin in den anderthalb Jahren, daß ich verheiratet bin, keinen Augenblick in dem liebreichsten Verhältnis gestört worden und habe Gottes Güte und Gnade nicht lebhafter als darin empfunden.

WILHELM GRIMM ÜBER SEINE FRAU DOROTHEA. BRIEF AN JENNY VON DROSTE-HÜLSHOFF, 23. SEPTEMBER 1826

Mein Schwager Hassenpflug, ein redlicher, aber einseitiger und etwas eitler Mann, hat jetzt in Kassel eine glänzende Laufbahn gemacht und ist des Kurprinzen Günstling. Vor zwei Jahren noch nicht einmal eigentlicher Oberappellationsrat

sondern nur Assessor, mit dem Titel Obergerichtsrat, ist er seit Neujahr Ministerialrat und gegenwärtig Geheimrat und Vorstand zweier Ministerien, der Justiz und des Innern, geworden. Ich habe ihm aus Kräften von diesen Stellen abgeraten, die ihm Neider und Feinde in Menge zuziehen, zumal seine antiliberale Gesinnung allgemein bekannt ist. Da in einem kleinen Lande der gewöhnliche Gang und Maßstab der Dinge leichter aus den Fugen gerät, so bezweifle ich nicht, daß Hassenpfl. bald förmlicher Minister werden wird, falls keine äußere Notwendigkeit den Prinzen zu einer Abänderung des Systems nötigt.

JACOB GRIMM ÜBER SEINEN SCHWAGER LUDWIG HASSENPFLUG. BRIEF AN FRIEDRICH KARL VON SAVIGNY, 24. JULI 1832

Auf der andern Seite unter einem Baume ein Gartentisch mit Stühlen. Im Hintergrunde zur Seite des Pavillons Gebüsch.)

ERSTER AUFTRITT.

JACOB UND WILHELM *(auf bequemen Lehnstühlen im Pavillon sitzend, in Lektüre vertieft). Frau* GERTRUD *(nach einer kleinen Pause aus dem Hause tretend).*

GERTRUDE. Richtig! Da sitzen sie wieder wie Ölgötzen, in das verdammte Kalbfell vertieft. Alles könnte ringsum zu Grunde gehen, sie merkten nichts davon, und das stärkste Erdbeben wäre nicht im Stande, sie aus ihrer Lethargie aufzurütteln – Heda, Ihr Bücherwürmer, Ihr Pergamentmotten, die Frühstücksstunde ist lange vorüber, und Ihr tut gerade, als ob Ihr gar keinen Magen hättet!

WILHELM *(von seinem Buche aufsehend, ruhig).* Das haben Sie uns ja bereits dreimal gesagt.

JACOB *(ebenso).* Stören Sie uns nicht, liebe Tante, das hat ja keine Eile. *(Beide lesen weiter.)*

GERTRUDE *(erzürnt).* So? Und glaubt Ihr, man hat nichts anderes zu tun, als zu warten, bis es Euch beliebt, das bißchen Kaffee zu nehmen, und es immer warm zu halten? *(Zu Wilhelm)* Eben weil ich es schon dreimal sagte, wäre es Zeit, denke ich, darauf zu achten.

WILHELM *(ohne auf sie zu achten, zu Jacob).* Es unterliegt keinem Zweifel, daß die Finnen und Letten hindostanischen Ursprungs sind. Aus der unleugbaren Sprachverwandtschaft der Petschenegen mit diesen Volksstämmen geht also hervor –

GERTRUDE *(wütend).* I, potz Finnen und Kalmücken, das ist denn doch zu arg! Es ist gerade, als ob unsereins gar nicht auf der Welt wäre!

JACOB. Ihr Geschrei, liebe Tante, ist ein unbestreitbarer Beweis Ihres Daseins.

WILHELM. Und es wäre wünschenswert, daß Sie unsere Studien nicht durch so nichtige Dinge unterbrächen.

GERTRUDE. Nichtige Dinge? Das prächtige Frühstück! Kaffee, Buttersemmeln, Eier und Schinken nichtige Dinge? Das können nur solche Tintenfische behaupten, wie Ihr seid. Sagt mir einmal, was unter Eurem ganzen gelehrten Krimskrams wichtiger ist!

»So ist es, wenn Donnerstag bey der Lotte die Zeitungen gelesen werden. Bilder – Galerie für Hemene Rim von O Loi [Herman Grimm von Onkel Louis] 1834«. Federzeichnung von Ludwig Emil Grimm, dat. Sommer 1829

Vorne die Kinder Lotte Hassenpflugs, geb. Grimm, mit Carl Grimm, dahinter v. l. n. r. Ludwig Hassenpflug, Lotte Hassenpflug mit Berta auf dem Arm, Dorothea, Wilhelm und Jacob Grimm

JACOB. Liebe Tante, das verstehen Sie nicht.

· ·

WILHELM. ... Warum, Tante, leben Sie denn eigentlich? Sagen Sie mir das einmal.

GERTRUDE *(etwas verblüfft).* Was? Ich? Warum ich lebe? Nun seh' mir einer! Ich – ich lebe zu meinem Vergnügen!

WILHELM. Schöner Grund! Der zieht nicht, Tante; einen bessern.

GERTRUDE *(zornig).* Warum ich lebe?! Das ist mir doch noch nicht vorgekommen! Das hat mir noch niemand gesagt! Ich lebe deshalb, daß solche personifizierten Buchstaben, wie Ihr seid, mich quälen und ärgern können. Daß Ihr mir alle meine Sorge, meine Plage mit Euch mit Undank lohnen, daß Ihr Eurer alten Tante, die für Euern Tisch, Eure Kleidung, Euer bißchen Hauswesen sorgt, den Tod wünschen könnt! Ich lebe Euch wohl schon zu lange? Oh, ich weiß es wohl, ich bin Euch zur Last!

WILHELM. Aber beste Tante, davon war ja gar nicht die Rede.

JACOB *(zu Wilhelm).* Geschieht Dir ganz recht, warum lässest Du Dich mit Frauen in Streitfragen ein. Sie bleiben niemals bei der Stange.

GERTRUDE *(wütend zu Jacob).* So, wir sind es also gar nicht wert, daß man überhaupt mit uns spricht? Wir sind für nichts, für gar nichts auf der Welt? Aber recht, Du bist ja der Ältere und mußt mit Deinen guten Lehren noch das bißchen Leben Wilhelms zerstören. Der hat doch noch Gefühl, noch ein Herz im Leibe; aber Du, Du tätest am besten, Dich in Leder binden und zu Deinen alten Scharteken stellen zu lassen.

WILHELM. Siehst Du! Geschieht Dir ganz recht, warum mußt Du Dich in unsern Streit mischen.

GERTRUDE (auf- und abgehend). Das kann nicht mehr so fortgehen! Das muß anders werden! Und heute noch muß es entschieden sein! Ich werde es Euch schon zeigen! (Sie tritt entschieden an sie hin). Heiraten müßt Ihr! Ein Paar tüchtige Frauen müssen ins Haus! Die werden Euch schon Mores lehren!

WILHELM, JACOB (aufspringend, erschreckt). Gerechter Himmel!

JACOB. Um Gottes willen, Tante, kommen Sie uns nicht wieder mit Ihrer alten Drohung!

WILHELM (kleinlaut). Komm, Bruder, wir wollen ihr den Willen tun und frühstücken gehen.

GERTRUDE (beiseite). Aha! Das hat getroffen! (Laut.) Ja, heiraten, sag ich, und diesmal bestehe ich darauf. Ich habe Euch Partien genug vorgeschlagen, die alle vorteilhaft sind. Ihr habt nur die Auswahl.

JACOB. Wie oft sollen wir Ihnen denn sagen, daß ein solcher Schritt wohl bedacht und überlegt sein muß?

GERTRUDE. Wie lange willst Du noch überlegen? Besieh Dich einmal in dem Spiegel, und sei froh, wenn ein junges Mädchen noch so 'ne Vogelscheuche nimmt.

. . . .

Sechster Auftritt

WILHELM UND JACOB (rechts). LOUISE (am Tische links, weiter lesend).

JACOB (sich vorbereitend, seinen Frack zuknöpfend). Da wären wir also! (Er sieht schüchtern hinüber.)

WILHELM. Ja, und sie wäre auch da.

LOUISE (beiseite). Die haben ganz gewiß etwas vor. (Sieht hinter dem Buche hinüber.)

WILHELM. Gehe nur hin und rede sie an.

JACOB. Sie liest ja. Ich kann sie doch jetzt nicht stören.

WILHELM. Warum denn nicht? Du wirst doch nicht warten wollen, bis sie das dicke Buch ausgelesen hat?

JACOB. Was soll ich ihr aber nur sagen?

WILHELM. Das ist ganz gleich. Du trittst hin, redest sie an und erklärst ihr Deine Liebe.

JACOB. Zum Henker, ich liebe ja nicht!

WILHELM. Das ist auch ganz gleich. Du mußt doch wenigstens so tun.

JACOB. So? Du lieber Himmel, wie soll ich das nur anfangen?

WILHELM. Das ist ganz einfach. Du sagst z. B.: Guten Morgen, liebe Cousine. Wie geht es Ihnen? Was machen Sie? Befinden Sie sich wohl? oder sonst was Schönes.

JACOB. Das kann ich nicht. Das ist mir viel zu schwer!

WILHELM. Ach warum nicht gar! Stelle Dir einmal vor, Du wärst die Cousine und ich wäre Du. Nun gib acht, wie ich das machen werde. (Er geht einige Schritte zurück, setzt sich in Positur und kommt dann auf Jacob zu, ihm den Hof machend, sich zierlich verbeugend.) Guten Morgen, liebes Cousinchen!

JACOB (sich verneigend). Guten Morgen, Vetter!

WILHELM (verlegen). Es – ich – hm – Wie haben Sie geschlafen?

JACOB. So, so; ich danke.

WILHELM. Freut mich – Es – es ist heute sehr schönes Wetter!

JACOB. Ja!

WILHELM. Und – ja – und ich – hm – hm –

JACOB. Nun siehst Du, Du kommst auch nicht vom Fleck!

WILHELM (ärgerlich). I, zum Henker, Du kannst doch nicht verlangen, daß ich Dir den Hof machen soll. Man kommt ja aus aller Illusion, wenn man Dich ansieht, mit Deiner weißen Halsbinde und Deinem spitzen Frack. Bei ihr würde es viel besser gehen.

JACOB. Versuche es also bei ihr.

WILHELM. Nun gut, ich will Dir's vormachen. Tritt hinter einen Strauch und passe ja recht genau auf, damit Du es dann nachmachen kannst.

. . . .

Letzter Auftritt.

VORIGE. GERTRUDE (ist während der letzten Worte aus dem Hause, Jacob aus dem Gebüsch getreten und näher gekommen).

GERTRUDE. Nun, Gott stärke mich! Wilhelm, was soll das heißen?

WILHELM (erschrickt und läßt Louise los). Alle Hagel, die Tante!

GERTRUDE (zu Jacob). Und Du stehst so ruhig da und siehst zu?

JACOB (pfiffig, heimlich zu ihr). Wilhelm zeigt mir nur, wie ich es machen muß.

GERTRUDE. So? Warum tust Du das nicht selbst? Warum hast Du noch nicht mit ihr gesprochen?

JACOB. Gleich, gleich! Wilhelm ist daran schuld, er ist noch nicht fertig.

WILHELM (Louisens Hand fassend). Doch, Bruder, jetzt bin ich vollständig fertig. Beste Tante, lieber Bruder, ich stelle Euch hier unser liebes Cousinchen als meine Braut vor.

GERTRUDE. Was ist das?

JACOB. Deine Braut?

WILHELM. Ja, meine liebe, herzige Braut, die mich eben durch ihre Einwilligung zum glücklichsten Menschen machte.

GERTRUDE. Nun, das sind mir schöne Geschichten! Du willst heiraten? Ich dachte doch, daß Jacob –

JACOB. Ja freilich, ich wollte auch, es gefiel mir schon ganz gut.

WILHELM (Louisen ansehend, lachend). Mir hat es aber noch besser gefallen.

JACOB. Das Los hat ja aber mich getroffen!

WILHELM (lachend). Ja, auf dem Papier. Ich habe aber hier in Wirklichkeit und gewiß den größten Treffer gemacht!

GERTRUDE. Nun, und was sagt Louise?

WILHELM. Oh, die ist es zufrieden; nicht wahr, Louischen?

LOUISE. Wenn meine gute Tante nichts dagegen hat.

GERTRUDE. Nun, meinetwegen! Mir ist es gleich, welcher von Euch heiratet, wenn nur geheiratet wird.

JACOB (schmollend). Das ist recht schlecht von Dir, Wilhelm. Du wolltest mir doch nur vorarbeiten! Warum habe ich denn meinen Frack angezogen?

WILHELM. Ja, in solchen Dingen muß jeder für sich selbst handeln.

JACOB. Schade! Zum ersten Male in meinem Leben hätte ich Geschmack daran gefunden. Aber so geht es einem, wenn man sich mit Frauen einläßt!

WILHELM (Louisen im Arme). Nicht immer; man muß es nur auf die rechte Art anfangen.

GERTRUDE. Und sich nicht gleich abschrecken lassen. Versuche es nur noch einmal, es wird schon besser gehen.

JACOB. Daß mich Gott bewahre! Einmal und nicht wieder. Es ist so ganz gut. Ich lasse mich nicht mehr verleiten, bleibe ledig und bei meinen Büchern. Der Vater sagte ja auch nur: Einer muß heiraten!

———————————

Wir wollen uns einmal nie trennen, und gesetzt, man wollte einen anderswohin tun, so müßte der andere gleich aufsagen. Wir sind nun diese Gemeinschaft so gewohnt, daß mich schon das Vereinzeln zum Tode betrüben könnte.

JACOB AN WILHELM, 12.JULI 1805

Von Dir hatt ich einen wunderlichen Traum an demselben Tag. Was vorhergegangen, weiß ich nur dunkel und verwirrt, ich irrte durch viele Stuben, deren Türen all aufstanden. Ich nahm die Sachen aus Kommoden und Schränken und wollte sie einpacken wie zu einer Reise. Und wenn ich sie aus einer all herausgetan hatte, so lagen sie immer wieder in einer andern in seltsamer Ordnung übereinander gelegt, jemand Unbekanntes half mir dabei, wobei ich mich immer fürchtete, dessen Hände zu berühren. Auf einmal war ich weg und auf dem Weg nach einem hohen Berg. Nun weißt Du, daß auf dem Gotthard in der Schweiz ein vergitterter Behälter ist, in welchen die Erfrorenen nebeneinander gestellt werden und so lange erstarrt dastehn. Nun war ich vor einer solchen vergitterten Höhle, darin saßest Du und stütztest Dich auf den Kopf. Wie ich neben Dir stand, richtetest Du Dich leis auf, Deine Augen waren blutrot und Du sagtest mit schwacher Stimme: »Warum bist Du nicht früher gekommen, ich habe schon zwei Nächte hier gefroren.« Darüber mußte ich entsetzlich weinen in unbeschreiblicher Angst und wachte auf, und mein ganzes Gesicht war verzogen, aber äußerlich hatte ich nicht geweint. Der liebe Gott behüte Dich, und behalt mich lieb.

WILHELM AN JACOB, 28.MAI 1809

Als Du vorigen Winter so krank warst, mußte ich mir auch denken, daß Deine treuen Augen vielleicht nicht mehr auf dieses Buch fallen würden. Ich saß an Deinem Tisch, auf Deinem Stuhl und betrachtete mit unbeschreiblicher Wehmut, wie sauber und ordentlich Du die ersten Bände meines Buchs gelesen und ausgezogen hattest; mir war, als wenn ich es nur für Dich geschrieben hätte und es, wenn Du mir genommen würdest, gar nicht mehr möchte fertig schreiben.

JACOB AN WILHELM, 1831 (WIDMUNG DES 3.TEILS DER »DEUTSCHEN GRAMMATIK«)

Jacob Grimm

Wilhelm Grimm

Die Alte Universität in Marburg, Studienort der Brüder Grimm von 1802–1806

Wahlverwandtschaft

DIE BRÜDER GRIMM, SAVIGNY, BRENTANO, BETTINE UND ACHIM VON ARNIM

Ich denke oft daran, wie wir wohl geworden wären, ohne die Bekanntschaft mit Savigny und Ihnen; sicher viel anders« – schrieb Jacob Grimm 1810 an Clemens Brentano. Dieses Bekenntnis führt zurück in die Jahre 1802/1803, als die Brüder Grimm ihr Studium der Rechtswissenschaften in Marburg begannen und zum ersten Mal Friedrich Karl von Savigny begegneten. »Was kann

ich aber von Savignys Vorlesungen anders sagen, als daß sie mich aufs gewaltigste ergriffen und auf mein ganzes Leben und Studieren entschiedensten Einfluß erlangten?« Und Wilhelm meinte: »Er ist der einzige Mann, den ich in dem Grad verehre. Mein Zutrauen zu ihm ist grenzenlos. Ich würde ohne Bedenken mein ganzes Leben in seine Hände legen.« Welche Eigenschaften vereinigte Savigny

in sich, daß er die Brüder Grimm, die im übrigen alle anderen juristischen Kollegien gähnend langweilten, zu einem derart begeisterten Urteil veranlassen konnte?

Friedrich Karl von Savigny, 1802 mit seinen 23 Jahren einer der jüngsten Professoren Deutschlands, entstammte einer altadeligen, wohlhabenden und weltoffenen Familie, über deren bei Hanau gelegenen Stammsitz Trages er alleine verfügte, da seine Eltern und elf Geschwister früh verstorben waren. Zwanzigjährig promovierte er in Marburg zum doctor juris, war damit auf Anordnung des hessischen Landgrafen zugleich habilitiert. Savignys erklärtes Ziel war es, ein »Kant der Rechtsgelehrsamkeit« zu werden. Schon im Wintersemester 1800/1801 hielt er Vorlesungen über Kriminalrecht und Kriminalprozeß, ein Jahr darauf rückte er mit seinem ersten wissenschaftlichen Werk (»Das Recht des Besitzes«), das in den Augen seiner Schüler »das juristische Schrifttum zu einem Zweig der deutschen Nationalliteratur erhob«, in die erste Reihe der Hochschuljuristen auf. Als Clemens Brentano im Winter 1800 Savigny (den er kurz zuvor in Jena, damals Brennpunkt des jungen geistigen und literarischen Deutschland, wiedergetroffen hatte) zum ersten Mal in Marburg besuchte, klagte er über den Freund: er stecke »tief in den Studien«, überwintere »die Saat seiner großen Zukunft unter einer Schneedecke von Verschlossenheit, die mich verzweifeln macht«. Brentano fuhr zunächst wieder nach Frankfurt ab, widmete Savigny in Anspielung auf »Das Recht des Besitzes« mit milder Ironie ein kleines Gedicht: »Von Folianten rings umgeben / sitzt der stolze Jacopone. / Hochgeehrt von den Clienten / ist der junge, weise Doktor. / Er hielt streng bei den Gesetzen / und schrieb Dissertationen / die ihn bracht zu hohen Ehren / de bonorum possessione.«

Wenige Monate später hörte Jacob Grimm in seinem ersten Semester bei Savigny, in dessen Vorlesungen er die Platzkarte Nummer 1 hatte, »juristische Methodologie«. Er »sprach frei und blickte nur von Zeit zu Zeit auf ein einzelnes beschriebenes Blatt, und es war bei vollkommener Klarheit und dem Ausdruck innerer Überzeu-

gung eine gewisse Zurückhaltung und Mäßigung in seiner Darstellung, deren Wirkung kein rednerischer Überfluß würde erreicht haben … die Einsicht von dem Wert geschichtlicher Betrachtung und einer richtigen Methode bei dem Studium war ein Gewinn, den ich nicht hoch genug anschlagen kann.« Der Wert geschichtlicher Betrachtung: das war für die Brüder Grimm der entscheidende Faktor, auf dem all ihre spätere Forschungsarbeit basieren sollte und der auch, wie wir noch sehen werden, ihre politische Meinungsbildung beeinflußte.

In ihrem Lehrer trafen die Brüder auf den Begründer der historischen Rechtsschule. Savignys wissenschaftlicher Ansatz bestand in der Kombination von historischer, philosophischer und philologischer Betrachtungsweise. Wenn man den Geist eines Gesetzes erfassen wolle, müsse man die Bedingungen seiner Entstehung im Volk sowie seine Entwicklung in der Geschichte kennen. Entsprechend forderte er, »jedes Faktum in seiner historischen Eigentümlichkeit anzuschauen«; »die Bekanntmachung der Quellen nach ihrem Ursprung« war ihm »durchaus das erste Verdienst«. Unter der philosophischen Komponente der Jurisprudenz verstand Savigny die Notwendigkeit, sie zu systematisieren; »philologisch« war für ihn wiederum der Umgang mit dem Gesetz, da die Rechtsprechung auf der sprachlich-folgerichtigen Auslegung der Gesetze basiere. Das »einzige Geschäft des Richters« sei »eine rein logische Interpretation … Die Jurisprudenz ist eine philologische Wissenschaft.« Recht und Sprache haben also gemeinsame Wurzeln, sie sind »volksmäßig, dem Ursprung und der organisch lebendigen Fortbewegung nach«. – Dieses letzte Zitat stammt nun schon von Jacob Grimm.

Ein Beispiel mag die Übereinstimmung der Gedankengänge Savignys und Grimms und deren Umsetzung in die Tat erhellen. In seiner sechsbändigen »Geschichte des Römischen Rechts im Mittelalter« – zu deren Erforschung er sich der Mithilfe Jacob Grimms versicherte, den er 1805 nach Paris berief – legte Savigny, ausgehend von den Quellen, dar, wie das Römische Recht zunächst in den Gerichtsordnungen der Nachfolgestaaten unterirdisch fortlebte, dann mit dem Aufstieg der italienischen Städte im 12. Jahrhundert in die Universitäten eindrang und durch Glossen und Kommentare eine Neubelebung erfuhr. Jacob Grimm versuchte das Gleiche auf dem Gebiet der Sprachwissenschaft; wie dieser für das Recht, forschte er nach Spuren des historischen Werdens der sprachlichen Formen im Volk. In seiner »Deutschen Grammatik« untersuchte er im Gegensatz zu dem, was man bisher unter Grammatik verstanden hatte – nämlich die staubtrockene Sezierung der Sprache – nicht nur Worte und ihre Bauformen, sondern auch die Sprechenden samt ihrer Umwelt, ihren Intentionen. Damit hat »der einzige Jacob Grimm« – nach dem Urteil Heinrich Heines – »für die Sprachwissenschaft mehr geleistet als [die] ganze französische Akademie seit Richelieu. Seine deutsche Grammatik ist ein kolossales Werk, ein gotischer Dom, worin alle germanischen Völker ihre Stimme erheben, wie Riesenchöre, jedes in seinem Dialekt. Jacob Grimm hat vielleicht dem Teufel seine Seele verschrieben, damit er ihm die Materialien lieferte und ihm als Handlanger diente bei diesem ungeheuren Sprachbauwerk.«

Der Einfluß Savignys auf die Brüder Grimm ist kaum zu überschätzen. Sie verdankten ihm nicht nur grundsätzlich die wissenschaftliche Vermittlung der historisch-philologischen Methode, die auf die Erforschung der Quellen zielte und sie in ihrer geschichtlichen Entwicklung interpretierte. Savigny lenkte auch – zumindest indirekt – ihr Interesse auf die altdeutsche Literatur. Denn seine »damals schon reiche und auserwählte Bibliothek« bot den Brüdern, »die bisher außer Schulbüchern und [jenen aus] des Vaters Hinterlassenschaft nur wenige kannten«, großen Reiz. Für Jacob wurde ein ganz bestimmtes Kompendium zum Initiationserlebnis: »Ich entsinne mich, von der Tür eintretend an der Wand zur rechten Hand ganz hinten fand sich auch ein Quartant, Bodmers Sammlung der Minnelieder, den ich ergriff und zum ersten Mal aufschlug, da stand zu lesen ›her Jakob von Warte‹ und ›her Kristan von Hamle‹, mit Gedichten in seltsamem, halb unverständlichem Deutsch. Das erfüllte mich mit eigner Ahnung, wer hätte mir damals gesagt, ich würde dies Buch vielleicht zwanzigmal von vornen bis hinten durchlesen, und nimmer entbehren. Bei Ihnen [Savigny] prangte es unnütz auf dem Brett, Sie haben es sicher nie gelesen, damals aber getraute sich meine keimende Neigung noch nicht, es von Ihnen zu entleihen; doch blieb es so fest in meinen Gedanken, daß ich ein paar Jahre hernach auf der Pariser Bibliothek nicht unterließ, die Handschrift zu fordern, aus welcher es geflossen ist, ihre anmutigen Bilder zu betrachten und mir schon Stellen auszuschreiben. Solche Anblicke hielten die größte Lust in mir wach, unsere alten Dichter zu lesen und verstehen zu lernen.«

Begeistert waren die Brüder Grimm ebenso von Ludwig Tiecks »Minneliedern aus dem schwäbischen Zeitalter«, wobei sie besonders seine Einleitung zu dieser Sammlung beein-

Friedrich Karl von Savigny. Kreidezeichnung von Franz Krüger

druckte. Aber auch zum Beispiel Bischof Percys »Reliques of Ancient Poetry« oder die den gälischen Heldenballaden des 3. Jahrhunderts nachempfundenen Ossian-Dichtungen (»Fingal«) des Schotten Macpherson, die auf die deutschen Romantiker im allgemeinen starke Wirkung ausübten, fanden bei den Brüdern Grimm großen Anklang. Auf ihrer versessenen Suche nach alter Literatur liefen sie – so der Jugendfreund

Paul Wigand – »zu allen Trödlern und Antiquaren« und »versäumten auch keine Bücherauktion«, verwendeten ihr »geringes Taschengeld bloß auf Bücher und Kupferstiche«.

Unter diesen Voraussetzungen ist es nicht erstaunlich, daß die Brüder sich an Clemens Brentano anschlossen, der bereits 1801/1802 einen der wichtigsten Romane der Romantik, »Godwi oder das steinerne Bild der Mutter«, veröffentlicht hatte und sich seit Au-

Kassel, Friedrichsplatz um 1800. Zeitgenössischer Stich

gust 1803 wieder in Marburg, in der Umgebung Savignys aufhielt. Zusammen mit seinem Freund Achim von Arnim befaßte sich Brentano seit 1801 mit einer umfassenden Sammlung alter deutscher Volkslieder; ebenso intensiv beschäftigte er sich mit mittelalterlicher Literatur. Im November 1803 heiratete Brentano, nach zahlreichen erotischen Eskapaden, die acht Jahre ältere, von Friedrich Schiller geförderte Dichterin Sophie Mereau und gründete in direkter Nachbarschaft zu Savigny, der sich wenig später mit Clemens' Schwester Gunda verehelichte, einen eigenen Hausstand. Jacob und Wilhelm waren nun

nicht nur bei Savigny gern gesehene Gäste, sondern verkehrten auch oft in der Reitgasse Nr. 6, wo ihnen Brentanos erlesene Bibliothek und die Gespräche mit ihm wertvolle Anregungen boten. Hier lernten sie auch Christian Brentano kennen, der, vielseitig begabt und unruhig, mathematische, medizinische und philosophische Studien ohne eigentlich praktischen Erfolg trieb; später sollte er derjenige sein, der den berühmten Bruder schicksalhaft beeinflußte, als er ihn an das Lager der stigmatisierten Nonne Katharina Emmerick führte. Und hier sahen sie zum ersten Mal Catarina Elisabeth Ludowica Magdalena,

»vulgairement genannt Bettina« (Bettine Brentano). Clemens' Lieblingsschwester, mit ihm durch eine ungewöhnliche, phantasieüberflutete, traumsüchtige Verständnisinnigkeit verbunden, war 1803, wie Jacob Grimm, 18 Jahre alt. Ausgestattet mit einem enthusiastischen Bedürfnis nach Überhöhung jedes gelebten Moments, unfügsam in gesellschaftliche Konventionen, klug und leidenschaftlich, zog Bettine besonders Wilhelm Grimm in ihren Bann. Während ihr quecksilbriges, herausforderndes Temperament ihre Zeitgenossen nicht selten verschreckte, nannte er sie mit dem Tiefblick des Poeten eine »wunderbare Natur« – »sie gehört zu den geistreichsten, die mir mein Lebtag begegnet sind, und wer sie frei und unbefangen beurteilen kann, muß eine große Freude empfinden, wenn er sie reden hört, es sei nun, daß sie erzählt oder daß sie ihre Gedanken äußert über das, was ein menschliches Herz bewegen kann und wovon das Höchste ihr nicht fremd geblieben ist.« In ihrer Marburger Zeit schrieb Bettine den Hauptteil ihrer Briefe an die junge Stiftsdame und Dichterin Karoline von Günderode, mit der sie eine enge Freundschaft verband und die aufgrund ihrer unglücklichen Beziehung zu einem Freund Savignys, Friedrich Creuzer, 1806 am Rheinufer den Freitod wählte. Jahrzehnte später veröffentlichte Bettine – nach dem Briefroman »Goethes Briefwechsel mit einem Kinde«, der ihr schriftstellerischen Ruhm eintrug – den Briefwechsel mit ihrer Freundin als Erinnerungsmal unter dem Titel »Die Günderode«. Zu einer der bemerkenswertesten Frauen ihrer Zeit wurde Bettine besonders als sozialkritische Autorin, als Vorkämpferin für die Pressefreiheit, als Pazifistin und als Anwältin für die in äußerster Not vegetierenden schlesischen Weber und die in Unfreiheit lebenden Ungarn und Polen. In Berlin widmete sie sich, ohne Rücksicht auf die eigene Gesundheit, der Kranken- und Armenfürsorge. Wo immer sie Unrecht empfand, lehnte sie sich dagegen auf, besonders, wenn es ihre Freunde betraf. So kämpfte sie auch später für die in Göttingen amtsenthobenen Brüder, ihre lebenslangen »lieben Grimmigen«. Bettine, die Achim von Arnim im Juni 1802 bei seinem Besuch im Brentano-Haus »Zum goldenen Kopf« in Frankfurt kennengelernt hatte, kehrte im November 1807, auf der Rückreise von einem gemeinsamen Aufenthalt bei Goethe in Wei-

Gunda von Savigny, geb. Brentano. Vorzeichnung zu einer Radierung von Ludwig Emil Grimm, dat. 1. Januar 1809

mar, mit ihm bei den Brüdern Grimm in Kassel ein. Auch Clemens lebte zu der Zeit vorübergehend mit seiner zweiten Frau Auguste Bußmann in verbitterter Ehe in Kassel, wo sein Schwager Karl Jordis als Hofbankier des Königs Jérôme mit seiner Frau Lulu ein glänzendes Haus führte.

Arnim wußte von Brentano, daß Jacob und Wilhelm in den vergangenen zwei Jahren eine bewundernswerte Sammlung alter Literatur angelegt hatten, vorwiegend in Form von Exzerpten aus mittelalterlichen Handschriften. Während Bettine mit Savigny und ihren Schwestern Gunda und Meline nach Gut Trages weiterreiste, blieb Arnim einige Wochen. Brentano hatte ihn auf die Funde der

Brüder Grimm hingewiesen, nicht ohne Hintergedanken an die Fortführung ihrer gemeinsamen Volksliedsammlung »Des Knaben Wunderhorn«, deren erster Band 1805 erschienen war. Er sollte sich nicht täuschen. Wir wissen erst seit kurzem, daß die Brüder Grimm mit der Vermittlung von mindestens 28 Liedern für den zweiten und dritten Band des »Wunderhorn« schließlich zu den wichtigsten Beiträgern der Sammlung gehörten, und dies nicht nur in quantitativer, sondern auch in qualitativer Hinsicht. Von ihnen stammen einige Stücke, die, von den Herausgebern bearbeitet, zu den populärsten werden sollten, so etwa das später von Engelbert Humperdinck vertonte

Bettine Brentano.
Zeichnung von
Ludwig Emil
Grimm

»Abendgebet« (»Abends wenn ich schlafen geh, vierzehn Engel bei mir stehn …«) und einige Kinderlieder, wie »Schlaf Kindchen schlaf, dein Vatter hüt't die Schaf«, die Wilhelm Grimm aufzeichnete; sein Manuskriptblatt mit sechs Liedern dieser Art ist »eines der frühesten und bedeutendsten Zeugnisse für literarisches Interesse an Kinderlied und Kinderspiel überhaupt« (Heinz Rölleke). Brentano und Arnim haben keineswegs älle der von den Brüdern Grimm gesammelten Volkslieder ins »Wunderhorn« aufgenommen, doch eben nur diese sind bis jetzt veröffentlicht. Hier sind also noch unbekannte Schätze zu heben; es handelt sich um die frühesten volkskundlichen Forschungen der Brüder Grimm.

In diesen Kasseler Wochen ermuntcrtcn Arnim und Brentano ihre Freunde nicht nur, Märchen zu sammeln; sie beschlossen auch, eine eigene Zeitschrift herauszugeben, für die die Brüder Grimm als Mitarbeiter gewonnen wurden. Die »Zeitung für Einsiedler« war – nach einem Wort Joseph von Eichendorffs – »einerseits die Kriegserklärung an das philisterhafte Publikum, dem es feierlich gewidmet und mit dessen wohlgetroffenem Portrait es verziert war; andererseits eine Probe- und Musterkarte der neuen Bestrebungen: Beleuchtung des vergessenen Mittelalters und seiner poetischen Meisterwerke, sowie [sic] die ersten Lieder von Uhland, Justinus Kerner u. a. Die merkwürdige Zeitung hat nicht lange gelebt, aber ihren Zweck als Leuchtkugel und Feuersignal vollkommen erfüllt.« Das Organ der Heidelberger Romantik, das nur vom 1. April bis 30. August 1808 erschien, war durchaus auch politisch gedacht: einer trüben Gegenwart, über die Napoleon sein Damoklesschwert hielt, sollten Zeugnisse der großen Geister der Nation, die in

Abendgesellschaft in Kassel: Lesekränzchen. Federzeichnung von Ludwig Emil Grimm

der Vergangenheit wirkten, gegenübergestellt, Zukunftsglaube geweckt werden.

Während Wilhelm Grimm mehrere Beiträge zur germanischen Heldensage lieferte, veröffentlichte Jacob im »Einsiedler« seine »Gedanken, wie sich die Sagen zur Poesie und Geschichte verhalten«. In diesem Aufsatz verwies er auf die Notwendigkeit, den Quellen der alten Poesie (die er als Sagen bezeichnete) nachzuspüren, weil hier, unverfälscht, das »wahre Wesen der Geschichte und der Poesie« zu finden sei. Nur die Poesie, die einfach, natürlich und kollektiv im Volk gewachsen sei als »lebendige Erfassung und Durchgreifung des Lebens«, nennt er »grünes Holz, frisches Gewässer und reinen Laut entgegen der Dürre, Lauheit und Verwirrung unserer Geschichte, in welcher ohnedem zuviel politische Kunstgriffe spielen«.

Jacob Grimm eröffnete mit diesem frühen, für sein Selbstverständnis als Germanist wichtigen Aufsatz eine Diskussion, die er über mehrere Jahre mit dem Freund Achim von Arnim führte und in die sich auch Wilhelm

einschaltete: die Diskussion über Natur- und Kunstpoesie. Jacob ging es dabei um den Vorrang der Volksdichtung vor der Kunstdichtung; Wilhelm betrachtete die »Kunstdichtung als eine Sonderform der Volksdichtung«; Arnim war, stellvertretend für die Position der Hochromantiker, der Ansicht, daß man Natur- und Kunstpoesie nicht voneinander trennen könne, und meinte, daß jede Dichtung, ob aus alter oder neuerer Zeit, sowohl durch Sprache, Sitte und Tradition beeinflußt, als auch durch die individuelle Phantasieleistung einzelner Autoren geschaffen würde. Jacob stellte die Volkspoesie deswegen über die Kunstpoesie, weil sie ihm »wunderbar und einfach zugleich« erschien; sie war ihm etwas natürlich Gewachsenes, »das rein aus dem Gemüt ins Wort kommt« und so »wie die alte Sprache einfach und nur in sich selber reich« und daher wahr sei. Seiner Ansicht nach konnte nur die Volkspoesie, deren Ursprung er in einem mythischen Zeitalter sah, den metaphysischen Bezug zur Welt herstellen. Dichtungsgeschichte setzte sich für ihn aus einer Folge von Spiegelungen des »Volksgeistes« zusammen, »in die jede spekulative Kunstdichtung nur Blendlichter werfen konnte« (Ludwig Denecke). Kunstpoesie, so Jacob Grimm, sei »schon im ersten Keim philosophischer Art«, »eitle Erfindung«, der »Phantasie der täuschenden und getäuschten Dichter entsprungen«. Er griff damit, von seinem sprachpuristischen Standpunkt aus, die hohe Artistik der hochromantischen Literaturästhetik, die Poesie der Poesie an, in der Ironie, Symbol und Allegorie einen hohen Stellenwert hatten und die sich seiner Auffassung nach eskapistisch von der Wirklichkeit entfernte.

Wilhelm sah die Angelegenheit schlichter und gemäßigter; zwar seien wohl Natur- und Kunstpoesie etwas Verschiedenes, aber auch in der Naturpoesie – zum Beispiel im »Nibelungenlied« – sei »Besonnenheit«, wie er umgekehrt etwa Goethes »König in Thule« als Volkslied einschätzte. Die Grenzen zwischen Volks- und Kunstdichtung ließen sich nach seiner Meinung oft nicht klar ziehen, »der Unterschied ist gewiß nicht absolut, sondern nur zeitlich, als solcher aber hat er sich oft gezeigt«.

Im übrigen brachten die Brüder Grimm der alten Literatur nicht einfach nur selbstgenügsame Sammlerleidenschaft entgegen. In den überlieferten Zeugnissen sahen sie die Wurzeln der Gegenwart: je älter und damit ursprünglicher sie waren, ein um so reineres Verständnis des Hier und Jetzt konnten sie vermitteln. Bei aller Wissenschaftlichkeit ihrer Bemühungen – erforderlich für eine solide Spurensicherung – wollten Jacob und Wilhelm Grimm mit ihren philologischen Veröffentlichungen über das Fachpublikum hinauswirken und warben auch, etwa bei der Märchensammlung oder beim »Deutschen

Wörterbuch«, um Mitarbeit. Sie suchten nach einem neuen Denkanstoß und meinten in dem, was sie »Volkspoesie« nannten, das Allgemeingültige gefunden zu haben.

Bei der Diskussion um Natur- und Kunstpoesie mit Arnim, bei der letztendlich keiner der Teilnehmer von seiner Meinung abrückte, handelte es sich um die Darlegung der Positionen – hier Philologie, dort Dichtkunst; sie wurde mit allem Verständnis füreinander geführt. Ein Beweis dafür ist zum Beispiel die Tatsache, daß Arnim sein romantisch-willkürlichstes Werk, die 1812 erschienene Novelle »Isabella von Ägypten, Kaiser Karl des Fünften erste Jugendliebe«, in der er die Historie zwar mit authentischen Einzelzügen ausstattete, sie aber ins Rätselhafte tauchte und im Märchenhaft-Phantastischen auflöste, Jacob und Wilhelm Grimm widmete. In sanft-ironischer Anspielung auf die Diskussion um Natur- und Kunstpoesie schrieb er in der Zueignung: »Ihr Freunde wißt, daß ich von keiner Schule, / Daß ich um keines Menschen Beifall buhle;/ Ihr wißt, daß wir uns oft um Wahrheit stritten,/ Und keinen Irrtum aneinander litten:/ In Eurem Geist hat sich die Sagenwelt / als ein geschloß'nes Ganze schon gesellt,/ Mein Buch dagegen glaubt, daß viele Sagen / In unsern Zeiten erst recht wieder tagen,/ Und viele sich der Zukunft erst enthüllen, / Nun prüfet, ob es Euch das kann erfüllen.«

Die Freundschaft mit Arnim war unerschütterlich. Es ist jedoch charakteristisch, daß Wilhelm dem Duzfreund – die Bekannten, mit denen die Brüder auf dem Duzfuß standen, ließen sich leicht an einer Hand abzählen, selbst Savigny oder Brentano gehörten nicht dazu – doch näher stand als Jacob. Auch die Bindung an Bettine, die seit März 1811 mit Arnim, von dem sie sagte, es gäbe ihn

»nicht auf der Welt zum zweiten Mal«, verheiratet war, war bei Wilhelm tiefer und lebendiger. Jacob, ihr gleichwohl sehr verbunden, sah sie nüchterner, zeigte sich mitunter wohl auch nicht ohne Stacheligkeit, wenn sie sich bis spät in die Nacht verplauderte und ihn von der Arbeit abhielt. So äußerte sich Jacob nach einem solchen Abend in Berlin: »Bettina redet drei, vier Stunden lang in einem Atem über Studenten oder Homöopathie oder Old Bull, über den König, unsere Einrichtungen usw. Sie hat gar keine Ruhe und den Trieb, andern oft ganz fremden Menschen zu raten und beizustehen, zuweilen mit großem Erfolg, meistens aber im Übermaß von aufgewandten Mitteln.«

Wie nah das Verhältnis zwischen Wilhelm und Arnims, die ihm beide »wie ein heller Himmel« erschienen, war, zeigte sich auch etwa, als Achim 1816 schwer krank in Wiepersdorf, seinem Gut im Brandenburgischen, darniederlag und Bettine meldete: »mein und Euer Arnim« – habe »neun Tage zwischen Leben und Tod gerungen« und in dieser Situation geäußert, wie schön es wäre, »einen lieben Freund wie Wilhelm« um sich zu haben. Herman Grimm, der ältere Sohn Wilhelms, der 1859 Gisela, die jüngste unter den sieben Arnim-Geschwistern, heiratete, sah in seiner Schwiegermutter Bettine »von Kind auf eine Verwandte höherer Ordnung«, eine »Art Doppelgängerin von meiner Mutter«, was übrigens durchaus ein Licht auf Dorothea Grimms Persönlichkeit wirft. Und Wilhelm Grimm empfand – nach dem Tod Arnims (1831) – eine Selbstverständlichkeit in der gewiß nicht kleinen Aufgabe, eine erste Edition der sämtlichen Werke des Freundes in 22 Bänden zu veranstalten, die ihn 18 Jahre lang, 1839 bis 1856, beschäftigte.

Die Bindung an Savigny bekundete sich dagegen stärker bei Jacob Grimm. In den 59 Jahren ihres auf weite Strecken in Briefen dokumentierten Umgangs kamen immer wieder auch private Angelegenheiten, wie etwa die Sorge um die Brüder Carl und Ferdinand, zur Sprache. Auch war es Savigny, der, wenn die Not es erforderte, von sich aus immer bereit war, die Brüder finanziell zu unterstützen; er hat (neben Arnim und Brentano) u. a. zur Ausbildung Ludwig Emils an der Münchener Akademie nennenswert beigesteuert. Savignys Ausgeglichenheit, verständnisvolle Zurückhaltung und Wertschätzung seines einst begabtesten Studenten veranlaßte Jacob sogar mitunter, dem nur wenig Älteren gegenüber aus der Reserve seiner hartnäckigen Introversion aufzutauchen und kritische Schilderungen seines Selbstverständnisses zu geben. Zum anderen pflegte Jacob mit Savigny einen beständigen schriftlichen Austausch wissenschaftlicher Erkenntnisse, wobei sich weitgehende Übereinstimmungen ergaben, aber auch die zunehmend selbständige Position Jacobs zutage trat. In seinen und Wilhelms Briefen an Savigny blieb kaum ein Thema ausgespart. Tagesereignisse mischten sich mit Betrachtungen über die moderne Literatur und Philosophie, Glaubensfragen wurden ebenso erörtert wie der Zusammenhang von Mythos und Geschichte, Poesie und Leben, Sprache und Recht; die Entrüstung über politische Gegebenheiten und das Leiden an der Unfreiheit der Restaurationszeit fanden ihren Ausdruck. Anläßlich der Göttinger Ereignisse war das Verhältnis zu Savigny zwar vorübergehend getrübt, auch traten in späteren Jahren in Anbetracht von Savignys Amt als preußischer Minister für Gesetzgebung, das ihn zur Repräsenta-

»Herr und Frau von Arnim bei + 6° Kälte«. Federzeichnung von Ludwig Emil Grimm

tion verpflichtete, leichte Entfremdungserscheinungen auf, aber dennoch blieb die ›Wahlverwandtschaft‹ mit ihm in ihrem Kern ebenso fest erhalten wie die Bindung an Achim und Bettine von Arnim.

Anders dagegen das Verhältnis der Brüder Grimm zu Brentano. 1811 noch hatte Wilhelm ihm und Arnim seine Übersetzung »Altdänische Heldenlieder, Balladen und Märchen« gewidmet, was Brentano aber ebenso überging, wie er die Urhandschrift der Märchensammlung verschlampte, die Jacob und Wilhelm ihm 1810 sehr großzügigerweise zur Verfügung gestellt hatten. Aber vielleicht waren es weniger diese Tatsachen, die eine Abkühlung der Beziehung bewirkten, als die persönlichen Eigenheiten ihres wichtigen Anregers, die den Brüdern auf die Dauer den Umgang mit ihm schwer machten.

Denn wie Eichendorff zu Recht bemerkte, lag Clemens Brentano, fortwährend von überraschenden Phantasie- und Gemütssprüngen gelenkt und ausgestattet mit »eingeborener Genialität«, unbändigem Witz, aber auch mit einer selbstverachtenden Sentimentalität, »ständig im Kampf mit dem eigenen Dämon«. Und dieser war – wiederum nach einem Wort Eichendorffs – »die eigentliche Geschichte seines Lebens und Dichtens«.

Für eine Widmung des ersten Bandes der »Kinder- und Hausmärchen« (1812) jedenfalls kam Brentano, der sich prompt unfreundlich über die Sammlung der Brüder ausließ, indem er sie Arnim gegenüber als »lumpicht« und »sehr langweilig« bezeichnete, schon nicht mehr in Frage. Sie war gerichtet »an die Frau Elisabeth [Bettine] von Arnim für den kleinen Johannes Freimund«.

Marburg, Universität und Schloß. Bleistiftzeichnung von Carl Johann Arnold

Etwas vollkommen tun heißt aber, es so tun, daß das Werk unser Innerstes durchdringe und so als ein Teil von uns selbst und somit frei ins Leben trete. So entstehen Meisterseelen, welche die Beherrschung des Gegenstandes mit der Behauptung ihrer Individualität verbinden. Die einzige Art und Weise aber, in welcher wir etwas zu unserm Eigentum zu machen vermögen, ist die, daß wir es vollkommen ausführen. Deshalb besteht die ganze Kunst des Lehrenden darin, die produktive Energie des Schülers methodisch zu beleben und ihn die Wissenschaft selbst ausfinden zu lassen. Ich bin daher überzeugt, daß dies eine notwendige Methode, und daß sie folglich möglich ist. Unsere Vorlesungen, wie sie gegenwärtig gehalten werden, haben wenig Ähnlichkeit damit … Die Art des Vortrages sollte im höchsten Grade ungezwungen sein: lehrend, sprechend, fragend, im gegenseitigen Gespräch, wie es eben der Gegenstand erfordern mag. Bei solchem Verfahren kann keine Berechnung stattfinden. Die größte Schwierigkeit würde darin bestehen, eine Anzahl von Lehrenden zu finden, die es sich aneigneten. Doch nichts ist unmöglich.

FRIEDRICH KARL VON SAVIGNY, ANSICHTEN ÜBER DIE FUNKTION EINES AKADEMISCHEN LEHRERS. BRIEF AN HENRY C. ROBINSON, JANUAR 1803

Zu Marburg muß man seine Beine rühren und Treppe auf, Treppe ab steigen. Aus einem kleinen Hause der Barfüßerstraße führte mich durch ein schmales Gäßchen und den Wendelstieg eines alten Turms der tägliche Weg auf den Kirchhof, von dem sich's über die Dächer und Blütenbäume sehnsüchtig in die Weite schaut, da war gut auf und ab wandeln, dann stieg man an der Mauerwand wieder in eine höherliegende Gasse vorwärts zum Forsthof, wo Professor Weis noch weiter hinauf wohnte. Zwischen dessen Bereich und dem Hoftor unten, mitten an der Treppe, klebte wie ein Nest ein Nebenhaus, in dem Sie [Savigny] Ihr heiteres, sorgenfreies und der Wissenschaft gewidmetes Leben lebten. Ein Diener … öffnete und man trat in ein nicht großes Zimmer, von dem eine Tür in ein noch kleineres Gemach mit Sofa führte. Hell und sonnig waren die Räume, weiß getüncht die Wände, tännen die Dielen, die Fenster gaben ins Gießener Tal, auf Wiesen, Lahn und Gebirg duftige Aussicht, die sich zauberhafter Wirkung näherte. In den Fensterecken hingen eingerahmt Kupferstiche …, an denen ich mich nicht satt sehen konnte, so freute mich deren scharfe und zarte Sauberkeit. Doch noch viel größeren Reiz für mich hatten die im Zimmer aufstrebenden Schränke und in ihnen aufgestellten Bücher, deren ich bisher außer Schulbüchern und des Vaters Hinterlassenschaft nur wenige kannte … Man durfte auf die Leiter steigen und näher treten. Da bekamen meine Augen zu schauen, was sie noch nie erblickt hatten.

JACOB GRIMM ÜBER MARBURGER EINDRÜCKE. IN: »DAS WORT DES BESITZES« (1850, SAVIGNY ZU DESSEN 50JÄHRIGEM DOKTORJUBILÄUM GEWIDMET)

Ich möchte nun auch den waltenden Geist rühmen; er war im ganzen ein frischer, unbefangner … Die Obergewalt des Staats hat seitdem merklich mehr in die Aufsicht der Schulen und Universitäten eingegriffen. Sie will sich ihrer Angestellten fast allzu ängstlich versichern und wähnt dies durch eine Menge von zwängenden Prüfungen zu erreichen. Mir scheint es, als ob man von der Strenge solcher Ansicht in Zukunft wieder nachlassen werde. Zu geschweigen, daß sie der Freiheit des sich aufschwingenden Menschen die Flügel stutzt und einem gewissen, für die übrige Zeit des Lebens wohltätigen, harmlosen Sichgehenlassenkönnen, das hernach doch nicht wiederkehrt, Schranken setzt; so ist es ausgemacht, daß, wenn auch das gewöhnliche Talent meßbar sein mag, das ungewöhnliche nur schwer gemessen werden kann, das Genie vollends gar nicht. Es entspringt also aus den vielen Studienvorschriften, wenn sie durchzusetzen sind, einförmige Regelmäßigkeit, mit welcher der Staat in schwierigen Hauptfällen doch nicht beraten ist. Wahr ist es, das ganz Schlechte wird dadurch aus Schule und Universität abgewehrt, aber vielleicht wird auch das ganz Gute und Ausgezeichnete dadurch gehemmt und zurückgehalten. Im Durchschnitt betreten jetzt die Schüler die Akademie mit gründlicheren Kenntnissen als vormals; aber im Durchschnitt geht dennoch daraus eine gewisse Mittelmäßigkeit der Studien hervor. Es ist alles zu viel vorausgesehn und vorausgeordnet, auch im Kopf der Studierenden.

JACOB GRIMM ÜBER DIE ATMOSPHÄRE AN DER UNIVERSITÄT MARBURG. IN: »SELBSTBIOGRAPHIE« (1830)

Denn es gibt doch nur Eine Poesie, die in sich selbst von den frühesten Zeiten bis in die fernste Zukunft, mit den Werken, die wir besitzen, und mit den verlornen, die unsre Phantasie ergänzen möchte, so wie mit den künftigen, welche sie ahnen will, nur ein unzertrennliches Ganzes ausmacht. Sie ist nichts weiter als das menschliche Gemüt selbst in allen seinen Tiefen, jenes unbekannte Wesen, welches immer ein Geheimnis bleiben wird, das sich aber auf unendliche Weise zu gestalten sucht, ein Verständnis, welches sich immer offenbaren will, immer von neuem versiegt, und nach bestimmten Zeiträumen verjüngt und in neuer Verwandelung wieder hervortritt ... So ist die wahre Geschichte der Poesie die Geschichte eines Geistes, sie wird in diesem Sinne immer ein unerreichbares Ideal bleiben ... So erklärt und ergänzt die alte Zeit die neue, und umgekehrt.

LUDWIG TIECK, VORREDE ZU: »MINNELIEDER AUS DEM SCHWÄBISCHEN ZEITALTER« (1803)

Ich habe hier zwei sehr liebe, liebe altdeutsche vertraute Freunde, Grimm genannt, welche ich früher [in Marburg] für die alte Poesie interessiert hatte, und die ich nun nach zwei Jahre langem fleißigem, sehr konsequentem Studium so gelehrt und so reich an Notizen, Erfahrungen und den vielseitigsten Ansichten der ganzen romantischen Poesie wiedergefunden habe, daß ich bei ihrer Bescheidenheit über den Schatz, den sie besitzen, erschrocken bin ... Ihre Frömmigkeit ist rührend, mit welcher sie sich alle die gedruckten alten Gedichte, die sie aus Armut nicht kaufen konnten, so auch das Heldenbuch und viele Manuskripte, äußerst zierlich abgeschrieben haben ... Sie selbst werden uns alles, was sie besitzen, noch mitteilen, und das ist viel! Du wirst diese trefflichen Menschen, welche ruhig arbeiten, um einst eine tüchtige deutsche poetische Geschichte zu schreiben, sehr lieb gewinnen.

CLEMENS BRENTANO, EMPFEHLUNG DER BRÜDER GRIMM ALS SAMMLER VON VOLKSPOESIE UND LITERATURWISSENSCHAFTLER. BRIEF AN ACHIM VON ARNIM, 19. OKTOBER 1807

Clemens Brentano. Bleistiftzeichnung von Wilhelm Hensel, Berlin 1817

Kaiser Könige zu sehn
etwas Neues zu erlernen
von der Redlichkeit
von Bescheidenheit
wie auch von Manier
· · ·
Leipzig Dresden in Sachsen
allwo schöne Mädchen
auf den Bäumen wachsen
hätt ich dran gedacht
hätt ich mir eine mitgebracht
nach Haus in mein Quartier

JACOB GRIMM, BEITRAG ZU »DES KNABEN WUNDERHORN«: »SEID LUSTIG UND FRÖHLICH IHR HANDWERKSGESELLEN«, STROPHE 5 UND 11

Kaiser, Königinn zu sehn,
Etwas zu erlernen,
Von Bescheidenheit,
Von der Höflichkeit,
Wie auch von Manier!
· · ·
Dresden in Sachsen,
Wo die schönen Mädel
auf den Bäumen wachsen,
Hätt' ich dran gedacht,
Hätt' ich eine mitgebracht,
Für den Altgesellen auf der Post.

DIE VON CLEMENS BRENTANO BEARBEITETE FASSUNG (»KERBHOLZ UND KNOTENSTOCK«)

Kinderlieder

Schlaf Kindchen schlaf
dein Vatter hüt't die Schaf
dein Mutter hüt't die Lämmerchen
die schwarzen u. die weißen
die wollen mein Engelein beißen
schlaf Kindchen schlaf!

Maikäferchen Maikäferchen fliege weg
dein Häuschen brennt,
dein Mütterchen flennt,
dein Vater sitzt auf dem Schawellchen
flieg hoch auf in dein Höhlchen

Troß Troß Trull
der Bauer hat ein Füll
das Füllen will nicht laufen
der Bauer wills verkaufen
verkaufen wills der Bauer
das Leben wird ihm sauer
Sauer wird ihm das Leben
der Weinstock der trägt Reben
Reben trägt der Weinstock
Hörner hat der Ziegenbock
der Ziegenbock hat Hörner
Im Wald da wachsen Dörner
Dörner wachsen im Wald
im Winter ist es kalt
Kalt ist es im Winter
Vor der Stadt wohnt der Schinder
wenn der Schinder gessen hat
so ist er satt.

Es regent
Gott segent
die Sonne scheint
der Mond greint
der Pfaff sitzt auf dem Laden
frißt alle Pallisaden
die Nonne geht ins Wirtshaus
und trinkt die Gläser all all aus.

Storch Storch Steinel
flieg übern Reinel
flieg übers Bäckerhaus
hol mir n' Sack voll Weck heraus.

Zink zink Tellerlein
da sitzt des Königs Töchterlein
in einem hohen tiefen Turm
wers will sehn der muß die Stange brechen

WILHELM GRIMM, SECHS SEINER BEI-
TRÄGE ZU »DES KNABEN WUNDERHORN«

Ich weiß wohl, daß die Idee das erste und höchste ist, aber wer selbst sagt, sie sei unendlich, macht sie endlich, indem er sie mit Worten erfassen will, sie soll in den Äußerungen des Lebens geahnt werden, aber nicht in Worten genannt und wie der Gliedermann hingestellt, um den das übrige angelegt werde. Die Philosophie verhält sich zum Leben oder zur Poesie doch nur wie die Grammatik zur Sprache, wer eine Sprache erlernen muß, wenn ein Mensch das Unglück gehabt, daß ihm die Natur keine Mutter gegeben, die ihn die ihrige gelehrt, so müßte er wohl mit der Grammatik anfangen: aber das ist der Irrtum, daß man glaubt, die Sprache sei aus der Grammatik entstanden. Alle Wahrheiten der Philosophie müssen notwendig in die Poesie übergehen und gleichsam leiblich werden: so ist mir Goethe in den Anmerkungen zu dem zweiten Teil der Farbenlehre der größte Philosoph. Ich muß hier kurz sein, aber ich darf Ihnen wohl einmal ausführlich darüber schreiben, in dieser Ansicht liegt auch zum Teil der Grund, warum ich vom Jacob verschieden denke. Ich meine nämlich, ein Gedicht an sich gibt es nicht, es existiert bloß *durch die Beziehung auf den Menschen* und *durch seine Freude daran*. Man darf es nicht mißdeuten: ein Gleichnis ist, daß wir durch uns, durch unsre Augen sehen, wenn wir sie zutun, ist es Nacht, und ohne unsre Augen würde die Sonne nicht leuchten.

WILHELM GRIMM, ÜBER DAS VERHÄLT-
NIS VON PHILOSOPHIE UND POESIE. BRIEF
AN FRIEDRICH KARL VON SAVIGNY,
5. MAI 1811

Die Poesie ist das, was rein aus dem Gemüt ins Wort kommt, entspringt also immerfort aus natürlichem Trieb und angeborenem Vermögen, diesen zu fassen, – die Volkspoesie tritt aus dem Gemüt des Ganzen hervor; was ich unter Kunstpoesie meine, aus dem des einzelnen. Darum nennt die neue Poesie ihre Dichter, die alte weiß keine zu nennen, sie ist durchaus nicht von einem oder zweien oder dreien gemacht worden, sondern eine Summe des Ganzen; wie sich das zusammengefügt und aufgebracht hat, bleibt unerklärlich, wie ich schon gesagt habe, aber ist doch nicht geheimnisvoller wie das, daß sich

die Wasser in einen Fluß zusammentun, um nun miteinander zu fließen. Mir ist undenkbar, daß es einen Homer oder einen Verfasser der Nibelungen gegeben habe. ... Die alte Poesie ist ganz wie die alte Sprache einfach und nur in sich selber reich. In der alten Sprache sind lauter einfache Wörter, aber diese in sich selbst einer solchen Flexion und Biegung fähig, daß sie damit wahre Wunder tut. Die neue Sprache hat die Unschuld verloren und ist äußerlich reicher geworden, aber durch Zusammensetzung und Zufall, und braucht daher manchmal großer Zurüstung, um einen einfachen Satz auszudrücken. ...

Ferner: die alte Poesie hat eine innerlich hervorgehende Form von ewiger Gültigkeit; die künstliche übergeht das Geheimnis derselben und braucht sie zuletzt gar nicht mehr. In der Naturpoesie ist Prosa unmöglich, in der Kunstpoesie wird Prosa notwendig, da schon die Sprache prosaisch wird. Wie wollte man in Goethes Wilhelm Meister oder Wahlverwandtschaften oder in vielen Büchern Jean Pauls aber nicht eben die wahre Poesie finden, die in Goethes Liedern liegt? Oder beten in ihren ungeschmückten Kirchen die Protestanten nicht ebenso fromm als die Katholiken, welche an ihrer alten Metrik mehr hängengeblieben sind?

Ich sehe also in der Kunstpoesie – oder wie Du nennen willst, was ich meine, obwohl das Wort gut ist und auch an nichts Totes, Mechanisches erinnern soll – eine Zubereitung, in der Naturpoesie ein Sichvonselbstmachen.

JACOB GRIMM ÜBER DEN UNTERSCHIED
VON KUNSTPOESIE UND NATURPOESIE.
BRIEF AN ACHIM VON ARNIM, 20. MAI
1811

Natur- und Kunstpoesie. Nie habe ich den Einfluß der Geschichte auf die Poesie geleugnet, aber eben weil es keinen Moment ohne Geschichte gibt als den absolut ersten der Schöpfung, so ist keine absolute Naturpoesie vorhanden, es ist immer nur ein Unterschied von mehr oder weniger in der Entwicklung beider; wenn auch die Menschen zur Zeit des Homer noch keine Zuckersiedereien hatten, so kochten sie doch schon ihr Fleisch etc. Je weniger ein Volk erlebt hat, desto gleichförmiger ist es in Gesichtszügen und Gedanken; jeder Dichter, der als solcher anerkannt wird, ist dann ein Volksdichter und viele zusammen werden in dem gemeinschaftlichen Sinne des Volkes und in seiner Geschichte *unter gewissen Umständen* etwas Gemeinschaftliches leisten können, was allerdings über das einzelne Bemühen späterer Zeit hinausragt, wo in der verschiedenen Individualisierung durch die Geschichte selten an ein gemeinsames Zusammendichten gedacht werden kann, es sei denn durch Zwang, woraus auch wieder nichts werden kann. Daher das Mißlingen größerer epischer Gedichte, wenngleich in diesen ebensowenig bloße Naturpoesie wie in den späteren bloße Kunstpoesie ist.

Bei mir hatte es noch am besten ausgesehen, das war sehr natürlich und gar nicht meine Schuld, denn meine Geräte waren ein Bett, ein Tisch und ein Sofa davor als Stuhl, weiter nichts. Alle Besuche mußte ich annehmen, mangels an Stühlen halber, mein Sofa mußte Fronte machen und wir nahmen Platz darauf. Freilich beim Arnim war's am schlimmsten und so arg, daß Brentano, der doch eine gute Unordnung verträgt, es nicht mehr aushalten konnte und drei Tage lang an Ordnung der Bibliothek arbeitete. Allein Arnim klagte nun über die entstandene Unordnung, und wie er nichts mehr finden könnte. Die Kommode war mit Röcken, Wäsche, Büchern pyramidenförmig aufgehäuft, alle Schubladen waren herausgezogen, in den Ecken waren Gewehre aller Art aufgepflanzt, die zwei vorhandenen Stühle waren besetzt mit Büchern, Briefschaften, Hausgerät, z.B. Gläsern, Messern, wozwischen rote Tücher als Friedensfahnen heraushingen und Ruhe unter dem verschiednen Zeug hielten. Der einzige Tisch war auf dieselbe Art versorgt, Arnim sitzt nie und schreibt an einem Pult, auf einem Brett, auf dem nichts liegen konnte, aber hier schreibt er mitten in dieser Unordnung die herrlichsten und göttlichsten Dinge.

Das Recht ist wie die Sprache und Sitte *volksmäßig*, dem Ursprung und der organisch lebendigen Fortbewegung nach. Es kann nicht als getrennt von jenen gedacht werden, sondern diese alle durchdringen einander innigst vermöge einer Kraft, die über dem Menschen liegt. So unsinnig es wäre, eine Sprache oder Poesie *erfinden* zu wollen, ebensowenig kann der Mensch mit seiner einseitigen Vernunft ein Recht finden, das sich ausbreite frisch und mild, wie das im Boden gewachsene.

»Brentano als Schmetterling«. Scherenschnitt von Luise Duttenhofer

Gehen die Dichter in eine frühere Zeit zurück, so mangeln die Mittel und sie verstoßen sich an der Geschichte oder Sage, wie ein Blinder wohl Feines heraushfühlt, aber die Farben nicht sieht und nicht aussagen kann. Du sagst beinahe umgekehrt, die Geschichte sei farblos, unvollständig, und die Dichter müssen sie erst zur Erscheinung bringen. Unvollkommen und ungleich ist die Geschichte, wie alles in der Natur, nicht alle Geschöpfe und Pflanzen wachsen vollständig auf und nach allen Keimen entwickelt, so gehen auch viel Erinnerungen des Geschehenen nicht auf oder sterben ab und die inneren Gründe der Handlungen legt die Geschichte auch nicht bar vor, sondern unter dem Schleier einer äußeren Haut, wir sehen in ihr, wie in einer Landschaft, die Rinde, Blätter und Früchte der Bäume, in unendlichem Reichtum von Farben und Licht; wer das Mark inwendig sehen will, muß mit der Axt hauen und das Leben zerstören, den Kern, woraus alles aufgesprossen, bekommt niemand zu schauen. Der Pragmatismus der Historiker ist eine solche Anatomie der Geschichte; die Dichtung in die Geschichte hingegen die Hinstellung von bedeutend aussehenden, automatisch rührsamen Maschinen, denen es nur, man weiß nicht wo, fehlt, um zu leben anzufangen, mitten unter anderen Menschen.

Wie hat sich mein Herz danach gesehnt, lieber Savigny, was ich einmal Gutes und Taugliches hervorzubringen imstande sein würde, Ihnen und keinem andern öffentlich zuzuschreiben. Gott weiß und tut stets das Beste. Als nach dem frühen Tode des Vaters und dem Absterben beinahe aller Verwandten der liebsten seligen Mutter unermüdliche Sorge nicht mehr übersah, was aus uns fünf Brüdern werden sollte, und ich, mir selbst überlassen, in manchem verabsäumt, doch voll guten Willens, redlich mein vorgesetztes Studium zu betreiben, nach Marburg kam, da fügte es sich, daß ich Ihr Zuhörer wurde und in Ihrer Lehre ahnen und begreifen lernte, was es heiße, etwas studieren zu wollen, sei es die Rechtswissenschaft oder eine andere. Auf diese Erweckung folgte bald nähere Bekanntschaft mit Ihnen, deren liebreichen Anfang ich niemals vergesse und woran sich mehr und mehr Fäden knüpften, die von dieser Zeit an bis jetzo auf meine Gesinnung, Belehrung und Arbeitsamkeit unveränderlichen Einfluß behauptet haben.

Meine bisherigen Arbeiten, von denen Sie stets unterrichtet gewesen sind und an welchen Sie immer Anteil genommen haben, schienen mir doch zu gering ausgefallen oder bloße Sammlung roher Stoffe, deren Wichtigkeit künftig einmal gezeigt werden kann, zu wenig mein eigen, als daß ich sie zu einem Maßstab meiner

Friedrich Karl von Savigny. »Dem Apapa von Herman Grimm«. Federzeichnung, dat. 13. Oktober 1842

Lieber Wilhelm! Das ist der reine Adel, der sich selbst ausprägt durch die reine Handlung: damals hatte Euer Herz zugesagt und Euer Geist blieb dem Herzen treu. Schön und gewaltig ist dies, und was wissen andere, die Euch tadeln? Lieber Wilhelm! ich irre mich nicht, wenn ich glaube, daß glückliche Träume Euch durch den süßesten Frieden Alles ersetzen, was andere Euch geraubt wähnen. Ich denke daran, wie wenig die Welt für Euch getan, und wieviel Ihr der Welt gegeben habt, und wie doch der einzige Reichtum ist, der viel gibt, und Ihr habt der Welt gegeben das größte Kleinod der Zukunft, eine Sammelperle frisch und gesund, die nicht umsonst im deutschen Boden ruht. Sie wird keimen und viel Frucht tragen. – Ich wollte den Winter bei Euch sein, aber wo werdet Ihr Eure Heimat aufschlagen? Lassen Sie mich's wissen, vielleicht in Kassel, dann gehe ich mit meinen Kindern auch hin. Wir leben recht nah zusammen, und Sie geben mir guten Rat wegen Arnims Werken.

Ich bin seit Mitte Oktober unterwegs gewesen, die einzigen paar Tage mit den Brüdern Grimm zusammen lohnten der Mühe: Jacob, ein in Blüte stehendes Gewissen, duftet gleichsam die elektrische Wärme der Wahrhaftigkeit aus, und Wilhelm ist so unbefangen und heiter, daß es einem nimmer einfällt, daß diese Menschen mit dem Bettelstab belehnt sind. Wie groß kann der Mensch sein, und doch wie kindlichbewußtlos ist der, welcher groß ist. Und wie sehr besteht alle Größe in der Unbefangenheit der Handlung.

Dankbarkeit und Anhänglichkeit hätte brauchen dürfen. Ich schlage auch gegenwärtiges Buch, dessen Mängel nicht verborgen bleiben werden, nur etwas höher an, weil es mich größeren Fleiß gekostet hat und weil ihm ein gewisses Verdienst nicht entgehen kann, insofern in einem ungebauten Feld es zugleich leichter und schwerer ist, Entdeckungen zu machen. Man nimmt mit der ersten, halbwilden Frucht vorlieb, da sie an der Stätte, woher sie kommt, nicht erwartet wurde, aber ihr wohl die Mühseligkeit des unbefahrenen Weges anzusehen ist, auf dem ich sie einbringe. Sollte es hiermit auch anders stehen, so versehe ich mich doch zum voraus, daß Sie meinem Versuch, von dieser Seite her in unser deutsches Altertum Bahn zu brechen, sein Recht geschehen lassen und den Gedanken billigen werden: einmal

aufzustellen, wie auch in der Grammatik die Unverletzlichkeit und Notwendigkeit der Geschichte anerkannt werden müsse.

Mein liebster Freund! Schon allein die Ehre, die Sie mir antun mit der Zueignung eines Buchs, das mit so rühmlichem Ernst die neue und große Bahn bricht, hätte mir große Freude gemacht, aber weit mehr tut dieses noch die herzliche Liebe, die aus der innigen und sinnvollen Zueignung redet. Wenn aber auch der eigene innige Anteil einen Anspruch auf gegenseitige Zuneigung gibt, so darf ich wohl sagen, daß ich Ihre Liebe verdiene. Denn ich weiß gerade unter Gelehrten

Liebe Bettine, dieses Buch kehrt abermals bei Ihnen ein, wie eine ausgeflogene Taube die Heimat wieder sucht und sich da friedlich sonnt. Vor fünfundzwanzig Jahren hat es Ihnen Arnim zuerst, grün eingebunden mit goldenem Schnitt, unter die Weihnachtsgeschenke gelegt. Uns freute, daß er es so wert hielt, und er konnte uns einen schönern Dank nicht sagen. Er war es, der uns, als er in jener Zeit einige Wochen bei uns in Kassel zubrachte, zur Herausgabe angetrieben hatte. Wie nahm er an allem teil, was eigentümliches Leben zeigte: auch das Kleinste beachtete er, wie er ein grünes Blatt, eine Feldblume mit besonderem Geschick anzufassen und sinnvoll zu betrachten wußte. Von unsern Sammlungen gefielen ihm diese Märchen am besten. Er meinte, wir sollten nicht zu lange damit zurückhalten, weil bei dem Streben nach Vollständigkeit die Sache am Ende liegen bliebe. »Es ist alles schon so reinlich und sauber geschrieben«, fügte er mit gutmütiger Ironie hinzu, denn bei den kühnen, nicht sehr lesbaren Zügen seiner Hand schien er selbst nicht viel auf deutliche Schrift zu halten. Im Zimmer auf und ab gehend las er die einzelnen Blätter, während ein zahmer Kanarienvogel, in zierlicher Bewegung mit den Flügeln sich im Gleichgewicht haltend, auf seinem Kopfe saß, in dessen vollen Locken es ihm sehr behaglich zu sein schien. Dies edle Haupt ruht nun schon seit Jahren im Grab, aber noch heute bewegt mich die Erinnerung daran, als hätte ich ihn erst gestern zum letztenmal gesehen, als stände er noch auf grüner Erde wie ein Baum, der seine Krone in der Morgensonne schüttelt.

Ihre Kinder sind groß geworden und bedürfen der Märchen nicht mehr: Sie selbst haben schwerlich Veranlassung, sie wieder zu lesen, aber die unversiegbare Jugend Ihres Herzens nimmt doch das Geschenk treuer Freundschaft und Liebe gerne von uns an.

WILHELM GRIMM, WIDMUNG DER 3. AUFLAGE DER KINDER- UND HAUSMÄRCHEN AN BETTINE VON ARNIM, 15. MAI 1837

Aus Arnims Dichtungen quillt uns eine Fülle von Leben entgegen: aus tiefem unkünsteltem Gefühl, wie aus ernster Betrachtung der Welt hervorgegangen,

Bettine von Arnim vor dem Modell des von ihr entworfenen Goethe-Denkmals. Radierung von Ludwig Emil Grimm, dat. 29. November 1838

sind sie zugleich von liebevoller Hingebung an sein Volk und Vaterland, das er in Preußen nicht allein erblickte, durchdrungen. Sein Urteil war fest, aber seine Gesinnung mild: auch dem Geringsten gönnte er Sonnenschein und Wachstum. Allem Parteiwesen fremd, hat er den Spaltungen der Zeit gegenüber die edelste Unabhängigkeit bewährt. Er war kein Dichter der Verzweiflung, der an der Pein innerer Zerrissenheit sich ergötzt: über Verwirrung und Dunkel erhob er sich, wie die Lerche, zur Abendröte, um die letzten Sonnenstrahlen mit Gesang zu grüßen und auf den kommenden Tag zu hoffen …

Wenn der freigewordene Geist den Gegenstand völlig durchdrungen hat, so entspringt die wahre Form von selbst, und insoweit haben diejenigen nicht unrecht, welche das Wesen der Poesie in die volle Einigung des Gedankens mit dem Worte setzen: aber nur in Zeiten, wo einfache, gesicherte, naturgemäße Zustände eine sorglose Entfaltung gestatten, haben Dichter ohne Mühe das Rechte getroffen: in unserer, der glücklichen Beschränkung entwachsenen, von tausend Fragen gequälten Welt ist es dem einzelnen selten vergönnt, die von allen Seiten aufdringenden Erscheinungen gleichmäßig zu erfüllen. Auch dem sonst gelungenen Gusse bleiben einzelne Teile aus, und wie geschickt sie von dem Verstande ergänzt werden, sie ermangeln der innigen Verbindung mit dem, was unmittelbar aus der Seele entsprungen ist. Arnim, dem aller Schein zuwider war, hat niemals besondere Mühe darauf verwendet, dieses Verhältnis zu verstecken. Die kühnsten Übergänge waren ihm in dieser Lage die liebsten, und er stellte ohne Bedenken das Seltsamste und Überraschendste mit dem allgemein Gültigen, die einfachsten, jedes menschliche Herz ansprechenden Lieder mit den geheimnisvollsten, deren Zusammenhang ihm vielleicht allein vollständig bekannt war, nahe zusammen. Er war wie jemand, der plötzlich die Gesellschaft verläßt, um in Waldeseinsamkeit bloß mit den eigenen Gedanken zu verkehren. Fast in allen seinen Dichtungen, selbst in seiner Sprache, während sie sich mit der frischesten Lebendigkeit bewegt, wird man Spuren dieser Einsamkeit entdecken.

WILHELM GRIMM, AUS DEM VORWORT ZU: LUDWIG ACHIM VON ARNIM. SÄMTLICHE WERKE, HRSG. VON WILHELM GRIMM (1839–56)

In der Vorrede ist recht schön gesprochen, es sind auch da viele Märchen zusammen, aber das Ganze macht mir weniger Freude, als ich gedacht. Ich finde die Erzählung aus Treue äußerst liederlich und versudelt und in manchen dadurch sehr langweilig, wenngleich die Geschichten sehr kurz sind. Warum die Sachen nicht so gut erzählen, als die Rungeschen (›Fischer‹ und ›Machandelboom‹) erzählt sind? sie sind in ihrer Gattung vollkommen. Will man ein Kinderkleid zeigen, so kann man es mit aller Treue, ohne eines vorzuzeigen, an dem alle Knöpfe heruntergerissen, das mit Dreck beschmiert ist, und wo das Hemd den Hosen heraushängt. Wollten die frommen Herausgeber sich selbst genug tun, so müßten sie bei jeder Geschichte eine psychologische Biographie des Kinds oder des alten Weibs, das die Geschichte so oder so schlecht erzählte, voransetzen. Ich könnte z. B. wohl zwanzig der besten aus diesen Geschichten auch getreu und zwar viel besser oder auf ganz andere Art schlecht erzählen, wie ich sie hier in Böhmen gehört. Die gelehrten Noten sind zu abgebrochen, und es ist in dem Leser zuviel vorausgesetzt, was er weder wissen noch aus diesen Noten lernen kann. Eine Abhandlung über das Märchen überhaupt, eine Physiologie des Märchens wäre, sollte Gelehrsamkeit dabei sein, weit nützlicher gewesen. So wie es jetzt ist, hat die Gelehrsamkeit das Aussehen, als sei sie ein aus dem Nachlaß verstorbener Gelehrter abgedrucktes Sammelsurium. Ich habe bei diesem Buch recht empfunden, wie durchaus richtig wir beim Wunderhorn verfahren, und daß man uns höchstens größeres Talent hätte zumuten können. Denn dergleichen Treue, wie hier in den Kindermärchen, macht sich sehr lumpicht, und der dort so sehr gepriesene Basile in seinem Pentamerone oder Cunto deli cunti, der als Muster aufgestellt wird, zeigt sich nichts weniger als also treu, da er die Märchen nicht allein in einen erzählenden Rahmen gefaßt, sondern sie auch mit allerlei eleganten Reminiszenzen und sogar mit Petrarchischen Versen bespickt.

CLEMENS BRENTANO ÜBER DEN I. BAND DER »KINDER- UND HAUSMÄRCHEN«. BRIEF AN ACHIM VON ARNIM, DEZEMBER 1812

Achim von Arnim. Zeitgenössische Radierung nach einem Aquarell von Ströhling, um 1804

Die Bettine war, wie von harten Eltern eingesperrt, und saß in einem dunklen Zimmer, altmodisch möbliert, doch reich, und hatte nichts zu essen; ich wollte durchaus etwas für sie herbeischaffen und kroch durch niedrige Gewölbe in dicken Mauern, wobei ich immer Levkojen, die darin gewachsen waren, niederdrücken mußte.

WILHELM GRIMM, BETTINE BRENTANO ALS DORNRÖSCHEN. TRAUMAUFZEICHNUNG, 22. JUNI 1810

Einfache Poesie und belehrende Wahrheit

DIE MÄRCHEN UND IHRE ZUTRÄGER

Alle Märchen sind nur Träume von jener heimatlichen Welt, die überall und nirgend ist«, meint Novalis, für den Märchen den »Kanon der Poesie« darstellen. Das Wunderbare kennzeichnet den Inhalt des Märchens, das sich unabhängig zeigt von Zeit und Raum der Wirklichkeitswelt.

Märchen verdanken wir einerseits einer anonymen, mündlichen Erzähltradition (Volksmärchen), andererseits der individuellen Einbildungskraft einzelner Autoren (Kunstmärchen). Im Gegensatz zum Volksmärchen, dessen Erzählweise und Motive es entlehnt, ist das Kunstmärchen – eine Spätform der Literatur, entstanden im französischen Rokoko – bewußt gestaltet. Das Wunderbare ist dem Kunstmärchen nur Vorwand – Vorwand für ein ästhetisches Spiel, das in einem überwirklichen Raum handelt; die dichterische Idee, die Intention der Aussage, erscheint im Wunderbaren allegorisch verkleidet. Dagegen ist das Volksmärchen eine betont einfache, prägnante, sehr alte Form, ein »Glasperlenspiel vergangener Zeiten« (Max Lüthi). Bei gleichbleibendem Grundgehalt ist es geprägt von Variationen und oft auch vom regionalen Dialekt der Erzähler, die sich jeweils spontan auf ihr Publikum einstellten. »Die Volkspoesie«, schreibt Jacob Grimm 1811 an Arnim, »tritt aus dem Gemüt des Ganzen hervor; was ich unter Kunstpoesie meine, aus dem des Einzelnen.« Vielleicht ist das der Grund für die starke

Frau Ewig, Kinderfrau im Hause Grimm, erzählt Märchen. Zeichnung von Ludwig Emil Grimm, Weihnachten 1829

Anziehungskraft, die Volksmärchen auf ihr Publikum ausüben?

Aber auch Sagen und Legenden sind Volkspoesie. Sie kennen ebenfalls eine diesseitige und eine – allerdings von dieser streng geschiedene – jenseitige Welt. Wirkt die jenseitige Welt in den Alltag herüber, ruft dies einen sonderbaren Schauer hervor. Angst, Übermut oder Neugier erfaßt den Menschen der Sage und Legende, der auf die Spur von Unterirdischen, Kobolden, Dämonen, Berggeistern, Zwergen und Riesen trifft. Sage und

53

»... und sie lebten vergnügt bis an ihr seliges Ende.«

Legende, so Wilhelm Grimm, fügen »meist etwas Ungewöhnliches und Überraschendes, selbst das Übersinnliche geradezu und ernsthaft an das Gewöhnliche, Wohlbekannte und Gegenwärtige, weshalb sie oft eckig, scharf und seltsam erscheinen, das Märchen aber steht abseits der Welt in einem umfriedeten, ungestörten Platz«.

Das Geheimnis des Märchens liegt in seinem bestimmten, abgeschlossenen, zeitlosen Kosmos, in dem das Ungewöhnliche gewöhnlich ist; es liegt in der absoluten Selbstverständlichkeit surrealer Vorgänge; in der Selbstverständlichkeit, mit der z. B. Menschen Tiergestalten annehmen. Hier wird das Phantastische ohne Gefühlsregung der Helden erfahren, die nicht staunen, sondern handeln. Nicht vor dem Unheimlichen haben sie Angst, sondern vor der Gefahr, die durch die Handlungsweise von Jenseitswesen ebenso wie von menschlichen Bösewichtern ausgehen kann. Aber das Bedrohliche hat einen kalkulierbaren Stellenwert, es ist überwindbar durch Klugheit und Tapferkeit. Insofern ist das Märchen auch Wunschdichtung: seine moralischen Wertvorstellungen zeigen eine Welt, die auf ihre Art in Ordnung ist und die die unübersichtliche reale Welt verstehbarer zu machen scheint.

»Jede wahre Poesie«, vermerkt Wilhelm Grimm »Über das Wesen der Märchen«, ist »der mannigfaltigsten Auslegung fähig, denn da sie aus dem Leben aufgestiegen ist, kehrt sie auch immer wieder zu ihm zurück; ... darin ist es gegründet, wenn sich so leicht aus diesen Märchen eine gute Lehre, eine Anwendung für die Gegenwart ergibt«, auch wenn dies ursprünglich nicht ihr »Zweck« war. Die »einfache Poesie« des Märchens »kann einen jeden erfreuen, ihre Wahrheit belehren«.

Gleichwohl sind die Symbole des Volksmärchens allgemein und vieldeutig. Steine, Sterne, Blumen, Tiere, Gewänder, Kästchen und Ringe bedeuten zunächst sich selber, repräsentieren aber darüber hinaus die Außenwelt, wie sie auch Bilder für die Zusammenhänge des Unbewußten sind. So erklärte z. B. Sigmund Freud das Märchen nach den gleichen Grundsätzen wie den Traum, oder sah es Carl Gustav Jung als Ausdruck des ›kollektiven Unterbewußten‹. Volksmärchen widersetzen sich einer einseitigen Deutung, gestatten aber vielfache Interpretationen.

Wann und wo Volksmärchen zuerst entstanden sind, läßt sich nicht feststellen, wenngleich früheste Zeugnisse auf orientalischen Ursprung weisen. So kann keine der zahlreichen Theorien der Märchenforschung bestätigt oder widerlegt werden, weder die W. E. Peuckerts, der vorindogermanische Herkunft aus vorderasiatischer Kultur annimmt, noch Otto Huths Suche der Anfänge in vormythischen Mysterienlegenden der jüngsten Steinzeit, noch Jan de Vries' These vom Märchen als Ausdrucksform aristokratischer Haltung in der griechischen Antike u. a. m. Als schriftliche Aufzeichnungen sind Märchen jedenfalls weder in der Antike (bei Homer, Platon, Vigilius Apuleius) noch im Mittelalter allein für sich stehend, sondern hier als maere (althochdeutsch mari, d. i. »berühmt«, »glänzend«, »herrlich«; mittelhochdeutsch maere, d. i. »Botschaft«, »Kunde«) Bestandteil anderer epischer Dichtungen, wie z. B. in den Gesta Romanorum (1330), oder in der Kaiserchronik (1335/50).

Erste bewußt angelegte Märchensammlungen im europäischen Raum wurden in Italien veröffentlicht: im 16. Jahrhundert von Giovan Francisco Straparola in Venedig (»Tredici

Frontispiz der Märchensammlung von Albert Ludewig Grimm (der mit den Brüdern Grimm nicht verwandt war), erschienen 1809

piacevoli notti«, 1550) und von Giambattista Basile, der die Märchen unmittelbar bei seinen neapolitanischen Landsleuten sammelte und sie mit barockem Schmuck und Übersteigerungen versah (»Lo cunto de li cunti«, besser als »Pentamerone« bekannt, 1637). Beide sind als dem Zeitgeist angepaßte Sammlungen für Erwachsene anzusehen. Die erste für Kinder gedachte Sammlung stammt von dem Franzosen Charles Perrault: »Histoires ou Contes du Temps passé avec des Moralitez« mit dem Untertitel »Contes de ma Mère l'Oye« (Paris 1697), Volksmärchen, ebenfalls dem Geschmack der Zeit angepaßt. Aus Frankreich kamen auch die im Stil des Rokoko gehaltenen »Les illustres fées, contes galans« (1698) der Freundin Perraults, Marie-Catherine d'Aulnoy, und Jean Antoine Gallands Bearbeitung von »Tausendundeine Nacht« nach einem arabischen Originalmanuskript aus dem 15. Jahrhundert (»Les mille et une nuits, con-

Gottfried Herder und Frau beim Frühstück. Silhouette um 1790

tes arabes«, 1704–1717). Die Aufklärung des 18. Jahrhunderts verdammte das Volksmärchen als albernen und überholten Aberglauben, bezeichnete es verächtlich als »Ammenmärchen« (Christoph Martin Wieland). Erst gegen Ende des Jahrhunderts änderte sich die Stimmung. Goethe interessierte sich für Märchen, und Johann Gottfried Herder, dem die Romantiker entscheidende Anregungen verdanken, verwies auf den Wert des Naiven, Ursprünglichen und auf die Notwendigkeit, Volkspoesie zu sammeln. Johann Karl August Musäus in Weimar war es dann, der zum Teil unmittelbar bei den thüringischen Bauern und Handwerkern die »Volksmärchen der Deutschen« (Gotha 1782–1787) zusammentrug, die er allerdings der Novelle annäherte und denen er seinen eigenen, zeitgenössisch-rationalen Stempel aufdrückte. Ähnlich verfuhr die Arzttochter und Romanautorin Benedicte Naubert in Naumburg (»Neue Volksmärchen der

Deutschen«, Leipzig 1789–1793). Zu Kunstmärchen umstilisierte Volksmärchen enthalten die Sammlungen Ludwig Tiecks (»Volksmärchen«, herausgegeben von Peter Leberecht, d. i. Ludwig Tieck, 2 Bände, Berlin 1798) und die des Heidelberger Schullehrers Albert Ludewig Grimm, der in keinerlei verwandtschaftlicher Beziehung zu den Brüdern Grimm steht (»Kindermärchen von Albert Ludewig Grimm«, Heidelberg 1809).

Demgegenüber teilen Jacob und Wilhelm Grimm die Auffassung Herders, der meinte: »Welche reiche Ernte von Weisheit und Lehre in den Dichtungen voriger Zeiten, in denen geglaubte Märchen der verschiedensten Völker zu einer besseren Anwendung für unsre und die Nachzeit in Keimen schlummre, weiß der, der die Felder der menschlichen Einbildungskraft mit forschendem Blick bereiset hat. Es ist, als ob die Vernunft aller Völker und Zeiten die Erde habe durchwandern müssen, eine nach Zeit

und Ort jede mögliche Form ihrer Einkleidung und Darstellung zu finden.«

Achim von Arnim war es, von dem die erste Anregung und – im Fall der Brüder Grimm – entscheidende Ermunterung für ein zielbewußtes, methodisches Sammeln der Märchen ausging. Er hatte am 17. Dezember 1805, nach Erscheinen des ersten Bandes seiner mit Clemens Brentano zusammen herausgegebenen Volksliedsammlung »Des Knaben Wunderhorn« zur Fortsetzung der Sammlung aufgerufen und dabei auch »mündlich überlieferte Sagen und Märchen« erwähnt. Als ein Ergebnis dieses Aufrufs schickte ihm der Heidelberger Verleger Zimmer am 27. Januar 1806 zwei plattdeutsche Märchen zu, die für die Brüder Grimm vorbildlich wurden, »Vom Fischer un siner Fru« und »Von dem Machandelboom«. Der Maler Philipp Otto Runge hatte sie ihm mit einem Begleitschreiben übersandt. »Ich glaube«, meinte hier

Runge, »wenn jemand es übernähme, dergleichen zu sammeln und hätte das Zeug, um das Eigentliche zu packen, daß es schon der Mühe verlohnen würde. Vorzüglich wäre nicht zu vergessen, daß die Sachen nicht gelesen, sondern erzählt werden sollten.« Arnim ließ den »Machandelboom« in seiner und Brentanos »Zeitung für Einsiedler«, dem Organ der Heidelberger Romantik, als Muster abdrukken. Bei seinem zweiten Besuch in Kassel 1807 hat Arnim offenbar die Brüder Grimm für das Sammeln von Märchen in der von Runge vorgeschlagenen Art interessiert; er selbst hatte zu diesem Zeitpunkt den Plan einer solchen Märchensammlung aufgegeben. Clemens Brentano indessen schloß damals noch eine Kindermärchensammlung als Fortsetzung des zweiten und dritten »Wunderhorn«-Bandes nicht aus. Am 9. November 1808 berichtet die Pfarrerstochter Friederike Mannel aus Allendorf an der Landsburg an Wilhelm Grimm, der sie um die Mitteilung von Märchen gebeten hatte, Clemens habe sie schon alle aus ihrem Gedächtnis hervorgesucht.

Vermutlich planten die Brüder Grimm zu diesem Zeitpunkt noch keine eigene Publikation, sondern unterstützten Brentanos Absichten. Fest steht jedenfalls, daß sie von keinerlei Konkurrenzdenken beschwert waren. Am 2. Juli 1809 bat Brentano Wilhelm Grimm, ihm einige Kindermärchen zu überlassen, damit er sie abdrucken könne. »Da ich sie ganz frei nach meiner Art behandle«, versicherte Brentano treuherzig, »so entgeht Euch nichts dadurch, und Ihr kommt mir dadurch zu Hilfe.« Darauf schrieb ihm Wilhelm aus Halle: »Alles, was wir haben, ist Ihnen so gut eigen als uns selbst.« Auch Jacob meinte, der Clemens könne die Sammlung »herzensgern« haben und

es sei schlecht, »wenn wir seine Güte durch solche Kleinigkeiten nicht erkennen wollten, wenn er auch anders damit verfährt, als wir es im Sinne hatten«, denn es war anzunehmen, daß Brentano sie stark umarbeiten würde. Brentano hat seine Märchensammlung nicht vollendet; die vorhandenen Teile sind erst aus dem Nachlaß 1846 von Guido Görres veröffentlicht worden. Vorsorglich aber, mit dem unbeständigen Temperament Brentanos rechnend, fertigten sich die Brüder eine (heute verschollene) Abschrift ihrer bisherigen Sammlung an – und in der Tat schickte dieser das Originalmanuskript, das er am 1. November 1810 erhalten hatte, nie zurück. Erst über 100 Jahre später wurde es in der Bibliothek des Trappistenklosters Ölenberg im Elsaß wiederentdeckt. Die Urhandschrift war aus dem Nachlaß Brentanos über den Abt Ephrem von der Meulen nach Ölenberg gelangt, von dort kam sie 1953 zu einer New Yorker Versteigerung, auf der sie der Genfer Sammler Dr. Martin Bodmer erwarb. Es handelt sich um 108 beschriebene Seiten, die nicht nur wertvolle Aufschlüsse über die Quellen dieser ersten Stücke der »Kinder- und Hausmärchen« und ihre Zuträger vermitteln, sondern auch der vergleichenden Textforschung als Grundlage dienen. So ist aus dieser Ölenberger Handschrift ersichtlich, daß die Brüder Grimm 42 von 49 Beiträgen selbst aufgezeichnet haben (Jacob 27, Wilhelm 15), davon 5 nach literarischen Quellen. 7 Aufzeichnungen stammen von Gewährsleuten. Insgesamt umfaßt die Urhandschrift des Jahres 1810 ein Drittel der Beiträge zur ersten Ausgabe der »Kinder- und Hausmärchen« (1. Band 1812, 2. Band 1815), darunter eine ganze Reihe jener Märchen, die später die beliebtesten wurden.

Ausdrückliches Ziel der Brüder Grimm war es, direkt aus mündlicher Überlieferung zu sammeln; nur dort übernahmen oder ergänzten sie aus literarischen Quellen, wo die Märchen ihnen getreu überliefert schienen. Durch die historische Methode Savignys an strenge Wissenschaftlichkeit gewöhnt, sahen sie in den Volksmärchen Relikte alter Gesetze, Reste uralter Nationalpoesie, die sich über viele Jahrhunderte tradiert hatte und die es zu retten galt, ehe es zu spät war, »da diejenigen, die es bewahren sollen, immer seltener werden«.

Man muß sich vergegenwärtigen, daß die Unternehmung der Brüder Grimm in einer Zeit, in der Napoleon Europa beherrschte und ein deutscher Nationalstaat nicht existierte, auch Ausdruck der romantischen Hinwendung zur Identität der Deutschen, ihrer Geschichte und Kultur war. Nicht zufällig begeisterten sich die noch jungen, Anfang zwanzigjährigen Brüder für Fichtes 1806/07 in Berlin gehaltene, flammend patriotische Vorträge mit dem programmatischen Titel »Reden an die deutsche Nation« – nach ihrer Drucklegung 1809 für Jacob Grimm »eines der köstlichsten Bücher, die je geschrieben worden« sind. Auch die Brüder waren angesichts der politischen Machtlosigkeit der deutschen Kleinstaaten gegenüber Napoleon für die Idee einer einheitlichen deutschen Kultur- und Staatsnation eingenommen. Wenn deren Verwirklichung aktuell auch utopisch schien, so wollten sie doch mit dem Hinweis auf die geistige nationale Herkunft, mit dem Rückgriff auf eine Zeit, in der nach ihrer Ansicht Geschichte und Poesie noch nicht getrennt waren, ihren Beitrag zur Stärkung des nationalen Bewußtseins leisten.

Dazu gehörte die schriftliche Fixierung und damit Erhaltung bisher nur mündlich tradierter deutscher Volkspoesie, die andernfalls verlorenzugehen drohte. »Alles aber«, schreibt Wilhelm in der Vorrede zum 1. Band der »Kinder- und Hausmärchen«, »was aus mündlicher Überlieferung hier gesammelt worden, ist sowohl nach seiner Entstehung als Ausbildung (vielleicht darin den gestiefelten Kater allein ausgenommen) rein deutsch und nirgends her erborgt, wie sich, wo man es in einzelnen Fällen bestreiten wollte, leicht auch äußerlich beweisen ließe.« Die Intention der Brüder Grimm war, »diese Märchen so rein als möglich war aufzufassen ... Kein Umstand ist hin-

zugedichtet oder verschönert und abgeändert worden ... In diesem Sinne existiert noch keine Sammlung in Deutschland, man hat sie [die Märchen] fast immer nur als Stoff genutzt, um größere Erzählungen daraus zu machen, die willkürlich erweitert, verändert, was sie auch sonst wert sein konnten, doch immer den Kindern das Ihrige aus den Händen rissen und ihnen nichts dafür gaben. Selbst wer an sie gedacht, konnte es doch nicht lassen, Manieren, welche die Zeitpoesie gab, hineinzumischen. Fast immer hat es auch an Fleiß beim Sammeln gefehlt.«

Die 86 Märchen der Erstausgabe von 1812 waren sowohl als patriotische Gebärde gedacht, als auch als wissenschaftlich authentische Dokumente der deutschen Volkspoesie, als deren Rezipienten ausdrücklich und im Hinblick auf die »einfache Poesie« und »belehrende Wahrheit« der Sammlung Kinder angesprochen werden sollten. »Ein Erziehungsbuch« möge es werden, schreibt Jacob Grimm am 19. November 1812 an Savigny, das war »recht eigentlich der Wunsch« der Brüder.

Dieser Wunsch wurde für die dem ersten Band der »Kinder- und Hausmärchen« von 1812 folgenden Ausgaben bestimmend. Während Jacob Grimm ganz puristisch der wissenschaftlichen Treue der Überlieferung gegenüber einer Bearbeitung der Märchen für Kinder unbedingten Vorzug gab und meinte, »traditionelle Lehren« ertrügen »Alte und Junge«, nahm sein Bruder Wilhelm die frühesten Kritiken über das Märchenbuch offenbar ernst. So meinte z. B. der schon erwähnte Namensvetter Albert Ludewig Grimm, er habe »es immer nur mit dem größten Mißfallen in Kinderhänden gesehen«; als ein Beispiel führte er das Märchen von »Rapunzel« an, das er in der dargebotenen Fassung als obszön empfand. Daß Wilhelm Grimm kritischen Einwänden nachgab, läßt bereits der zweite Band der Erstausgabe der Märchen von 1815 erkennen. Ganz deutlich aber weist die zweite Auflage der Märchen (1819), die wie auch alle folgenden Ausgaben von Wilhelm Grimm allein redigiert wurde, Veränderungen von seiner Hand auf. Die

Entwurf zu einem Titelblatt der »Kinder- und Hausmärchen« von Ludwig Emil Grimm. Die Märchenerzählerin in der Mitte trägt Züge Dorothea Viehmanns; in das Rankenwerk sind Märchengestalten eingezeichnet

größte Textdifferenz – wie auch die unten zitierten Beispiele zeigen – besteht zwischen den in der Urfassung von 1810 bzw. in der Erstausgabe von 1812/15 und den in der Ausgabe letzter Hand von 1857 enthaltenen Märchenfassungen.

Als wichtigste Stilmerkmale der Bearbeitungen sind zu nennen: Ersatz indirekter durch direkte Rede, Einführung von Verkleinerungsformen, archaisierenden Wendungen, volkstümlichen Doppelausdrücken, Redensarten und Vergleichen, Stabreimverbindungen, Sprichwörtern und Klangmalereien. Ferner bemühte sich Wilhelm um deutlichere und reichere Motivierung des Handlungsablaufs und eine bewegtere, stimmungsvolle Situationsdarstellung. Aber auch inhaltliche Veränderungen nahm er vor, so eliminierte bzw. schrieb er Stellen um, die als sexuell anstößig empfunden werden konnten, oder baute von christlichen Wertvorstellungen bestimmte Zusätze ein.

Zweifellos aber schuf Wilhelm Grimm den einheitlichen Stil der »Kinder- und Hausmärchen«, ohne ihren Ursprung zu verleugnen. Ihm ist ein Kunstwerk von hohem ästhetischen Wert zu verdanken, kurz: das Märchen der Gattung Grimm.

Es stellt sich nun die Frage, welche Basis den Märchen der Gattung Grimm zugrunde liegt. Wie haben sich die Brüder Grimm das Märchenmaterial beschafft? Wer waren ihre Zuträger und Vermittler? Nach eigener Aussage begannen die Brüder 1806 mit ihrer Sammeltätigkeit, nachweislich begann Wilhelm Grimm 1807 bei der befreundeten Familie des Apothekers Rudolf Wild in Kassel mit den ersten Aufzeichnungen: die Tochter Gretchen, seine spätere Schwägerin, erzählte ihm »Marienkind« und »Prinz Schwan«; ein Jahr darauf hörte er in der Sonnenapotheke in der

Die Märchensammlerin Jeanette Hassenpflug. Zeitgenössisches Gemälde

Marktgasse von ihr und ihrer Mutter »Katze und Maus in Gesellschaft«, »Die weiße Taube«, »Von dem Dummling« und »Strohhalm, Kohle und Bohne«. Seit 1809 lebte im Dienst der Wildschen Apotheke die 1747 bei Kirchhain als Tochter eines Schmieds geborene Marie Müller, genannt »die alte Marie«, deren Mann im Nordamerikanischen Unabhängigkeitskrieg gefallen war. Sie wurde eine der Märchenerzählerinnen für die Brüder. Von ihr stammen einige der schönsten Märchen der Erstausgabe von 1812, wie »Rotkäppchen«, »Dornröschen«, »Des Schneiders Daumerling Wander-

schaft«, »Die Drei Raben« oder »Brüderchen und Schwesterchen«. Die jüngere Schwester Gretchens, Dortchen Wild, war 1793 als fünfte von sechs Töchtern geboren; sie war besonders befreundet mit Lotte Grimm, und die Mutter der Brüder liebte sie wie ihr eigenes Kind. Die spätere Frau Wilhelms lieferte speziell in den Jahren 1811 bis 1813 wesentliche Beiträge zu den »Kinder- und Hausmärchen«, die sie, wie im Handexemplar Wilhelms notiert ist, »im Garten« »oder im Gartenhaus am Ofen« erzählte, so z. B. »Tischlein deck dich« und »Frau Holle«; zum ersten Band der Erstaus-

Sonabend ≠ 6 Junÿ 1830

gabe hat sie etwa ein Dutzend Märchen beigesteuert.

Mit Dorothea Wild befreundet war auch Marie Hassenpflug, eine der vier Töchter des Regierungspräsidenten in Kassel, Johannes Hassenpflug. Hans Daniel Ludwig Hassenpflug, ihr Bruder, wurde später kurhessischer Minister und heiratete am 22. Juli 1822 Lotte Grimm. Marie (die auch den Roman »Gretchen Verflassen« schrieb) und ihre Schwestern Jeanette und Amalie zählten ebenfalls zu den hessischen Märchenlieferantinnen der Brüder Grimm und wurden von ihnen sehr geschätzt; so berichtet Jacob, dem vor allem »Malchen« nahestand, im September 1809 an Wilhelm, Hassenpflugs, »die mir auch sonst gefallen«, hätten ihm »einige ganz neue« Märchen erzählt, »und es soll noch mehr sich besonnen und zusammen-

gebracht werden«. Überliefert ist, daß z.B. »Herr Korbes«, »König Drosselbart«, »Der gestiefelte Kater«, »Hurleburlebutz«, aber auch eine Fassung von »Schneewittchen« von ihnen erzählt wurden. Da die Mutter Maria Magdalena Hassenpflug aus einer Hugenottenfamilie stammte, die aus der Dauphiné nach Hessen gekommen war, und in der Familie Hassenpflug französisch gesprochen wurde, ergaben sich etwa bei »Blaubart« und »Der gestiefelte Kater« Übereinstimmungen mit den bei Perrault erfaßten Versionen dieser Märchen, d.h. sie wurden so durch die Schwestern Hassenpflug vermittelt. Dennoch kann man nicht sagen, daß die von Hassenpflugs erzählten Märchen ursprünglich aus Frankreich stammten. Vielmehr läßt sich aus solchen Übereinstimmungen auf einen

Marie Böttner und die Märchensammlerinnen Amalie Hassenpflug und Anna von Arnswaldt (geb. von Haxthausen) im Kahn an der neuen Mühle bei Kassel. Zeichnung von Ludwig Emil Grimm, dat. 6. Juni 1830

europäischen Überlieferungsstrang schließen. So machen die Brüder Grimm in ihren wissenschaftlichen »Anmerkungen zu den einzelnen Märchen« – mit denen sie die Märchenforschung begründeten – etwa für das Beispiel »Dornröschen«, das ebenfalls bei Perrault erfaßt ist, auf Parallelen zur Heldendichtung aufmerksam: »Die Jungfrau, die in dem von einem Dornenwall umgebenen Schloß schläft, bis sie der rechte Königssohn erlöst, vor dem die Dornen weichen, ist die schlafende Brünhilde nach der altnordischen Sage, die ein Flammenwall umgibt, den auch nur Sigurd allein durchdringen kann, der

60

sie aufweckt. Die Spindel, woran sie sich sticht und wovon sie entschläft, ist der Schlafdorn, womit Othin die Brünhild sticht; vgl. Edda Sämundar 2, 186.«

Zu den frühesten Mitarbeitern der Brüder Grimm gehört die Pfarrerstochter Friederike Mannel aus dem hessischen Allendorf an der Landsburg, deren Bekanntschaft durch Clemens Brentano vermittelt worden war, dessen Frau Auguste, geborene Bußmann, sich angesichts der Ehemisere öfters in der Familie des Pfarrers zur Erholung aufhielt. Ihre fünf Beiträge stammen aus den Jahren 1808 und 1809, darunter »Fündling« (d. i. »Fundevogel«) und »Von Johannes Wassersprung und Caspar Wassersprung« (d. i. »Die zwei Brüder«). In diese Zeit fallen auch die Recherchen bei der sogenannten »Marburger Märchenfrau« im Elisabeth-Hospital, die Brentano ausfindig gemacht hatte, der aber schließlich, unter erheblichen Mühen, nur zwei Märchen abgerungen werden konnten. Ähnlich schwierig, trotz unterstützender Bemühungen Achim von Arnims und Bettine Brentanos, verhielt es sich mit der Kinderfrau bei Savigny, Marie Lenhardt; ihre beiden Märchen »Der Königssohn« und »Hans ohne Bart« wurden nicht in die »Kinder- und Hausmärchen« aufgenommen.

Als unschätzbare Fundgrube erwies sich dagegen eine Frau namens Dorothea Viehmann aus dem bei Kassel gelegenen Dorf Niederzwehren, im Vorwort zur zweiten Auflage der Märchen von 1819 als »Bäuerin« bezeichnet, »die uns die meisten und schönsten Märchen des zweiten Bandes (1815) erzählte. Die Frau Vieh-

männin war noch rüstig und nicht viel über fünfzig Jahre alt. Ihre Gesichtszüge hatten etwas Festes, Verständiges und Angenehmes, und aus großen Augen blickte sie hell und scharf. Sie bewahrte die alten Sagen fest im Gedächtnis und sagte wohl selbst, daß diese Gabe nicht jedem verliehen sei und mancher gar nichts im Zusammenhange behalten könne. Dabei erzählte sie bedächtig, sicher und ungemein lebendig, mit eigenem Wohlgefallen daran, erst ganz frei, dann, wenn man es wollte, noch einmal langsam, so daß man ihr mit einiger Übung nachschreiben konnte. Manches ist auf diese Weise wörtlich beibehalten und wird in seiner Wahrheit nicht zu verkennen sein. Wer an leichte Verfälschung der Überlieferung, Nachlässigkeit bei Aufbewahrung und daher an Unmöglichkeit langer Dauer als Regel glaubt, der hätte hören müssen, wie genau sie immer bei der Erzählung blieb und auf ihre Richtigkeit eifrig war; sie änderte niemals bei einer Wiederholung etwas in der Sache ab und besserte ein Versehen, sobald sie es bemerkte, mitten in der Rede gleich selber.« Dorothea Viehmann war keine Bäuerin, son-

dern sie war als Tochter des Gastwirts Johann Isaak Pierson, der einer alten Hugenottenfamilie entstammte, am 8. November 1755 im Gasthof Knallhütte zwischen Niederzwehren und Kirchbauna geboren und heiratete zweiundzwanzigjährig den Schneider Nikolaus Viehmann, der sich zu einem Trinker entwickelte. Durch die kriegerischen Unruhen der napoleonischen Zeit geriet die Familie mit ihren sechs Kindern in Not, so daß Frau Viehmann, mit der Kiepe auf dem Rücken, als Marktfrau in Kassel den Lebensunterhalt zu verdienen suchte. Die weitverbreitete Annahme, nach der die Viehmännin in ihrer idyllisch-bäuerlichen Stube in Niederzwehren, umgeben von ihren Kindern, Kindeskindern und gackernden Hühnern, den Brüdern Grimm Märchen erzählt hat, ist falsch. Wie wir aus den Lebenserinnerungen Sigismund Rahls, eines Freundes von Ludwig Emil Grimm, wissen, haben die Brüder Grimm Dorothea Viehmann nie besucht. Die Viehmännin trug ihnen vielmehr nicht nur Lebensmittel ins Haus an der Marktgasse in Kassel, sondern sie erzählte ihnen eben auch bei dieser Gelegenheit 37 Märchen. Die Brüder

Titel und Frontispiz der 2. Ausgabe der »Kinder- und Hausmärchen« (1819), Band II mit Bildnis von Dorothea Viehmann. Radierung von Ludwig Emil Grimm

Grimm, die ihr dankbar verbunden waren, ließen ihr manche Unterstützung zuteil werden – so versuchten sie zwei ihrer Kinder im Waisenhaus unterzubringen –, bedauerten aber, ihr kein Geld geben zu können – sie hatten selbst keines. Diese wesentliche Märchenzuträgerin starb nach halbjähriger Krankheit und in großer Armut schon am 17. November 1816, sonst hätte sie die Märchensammlung der Brüder Grimm möglicherweise noch um weitere Beiträge bereichert.

Zu den hessischen Gewährsleuten gehört ebenfalls der alte Dragonerwachtmeister Friedrich Krause, mit

dem die Brüder Grimm Märchen gegen von ihnen abgelegte Hosen tauschten. Vielleicht wurden sie durch seinen Sohn Johann Adam Krause, der als Forstläufer bei Herrn von Dalwigk in Ziegenhain angestellt war (dem späteren Ehemann Marie Hassenpflugs), auf ihn aufmerksam. Der Dragonerwachtmeister, offenbar ein Original, wohnte in Hoof bei Kassel. Von ihm kamen z. B. »Die drei Schlangenblätter« und »Der alte Sultan«.

Auf die Vermittlung Friederike Mannels ist die Bekanntschaft der Brüder Grimm mit Ferdinand Siebert zurückzuführen, einem Theologen, der

Jacob und Wilhelm Grimm bei der Märchenfrau Dorothea Viehmann in Niederzwehren. Holzschnitt nach einem Gemälde von L. Katzenstein. Diese Darstellung ist sachlich falsch: die Brüder Grimm haben Frau Viehmann nie besucht; sie kam als Marktfrau in ihre Kasseler Wohnung, wo sie ihnen Märchen erzählte

aus einer alten hessischen Pfarrersfamilie stammte und seit 1814 Rektor der Stadtschule in Treysa war. Er war ein begeisterter Anhänger der Volkspoesie und versuchte, sie systematisch in seinem Schwälmer Gebiet zu sammeln, indem er sich »in allerlei Gestalten unter hiesigem Landvolk herumtrieb«. In seinem Brief vom 16. Dezember 1811 schreibt er: »Mit dem Bauer war ich Bauer und tat so manchen Blick in die Eigenheiten dieses Standes.« Am 20. Januar 1812 sandte er zwei Märchen an die Brüder, doch dann ließ er aus persönlichen Gründen geraume Zeit verstreichen. Wilhelm Grimm brachte sich bei ihm in Erinnerung, indem er ihm den zweiten Band der »Kinder- und Hausmärchen« und eine Kopie der von Jacob in Wien entworfenen unten zitierten Skizze des Märchenbriefs zuschickte, der möglichst viele Interessenten in ganz Deutschland zum Sammeln aufrufen sollte.

Siebert reagierte am 23. Juni 1816 mit der Übersendung einiger Märchen (darunter »Schneewittchen«) und dem Hinweis auf die Widerborstigkeit der Schwälmer, einem im übrigen »fleißigen Volke«, dem man »nur an Sonntagen mit so etwas kommen« dürfe.

Für die Märchensammlung der Brüder Grimm entscheidend waren nicht nur die hessischen Zubringer, sondern vor allem auch der westfälische Kreis um die Familie von Haxthausen, deren Stammsitz Bökerhof bei Bökendorf, zwischen Höxter und Paderborn gelegen, zu einem wichtigen Treffpunkt wurde. Jacob Grimm kannte Werner von Haxthausen, der Sammlungen neugriechischer sowie – zusammen mit seinem Bruder August – westfälischer Volkslieder plante, schon seit 1808; Wilhelm kam während seines Kuraufenthaltes in Halle oft mit ihm zusammen, da Werner von Haxthausen an der dortigen Universität studierte. Man pflegte den Meinungsaustausch über volkskundliche Arbeiten und wollte sich gegenseitig bei der Spurensicherung helfen. Als Wilhelm im August 1811 seinen Jugend- und Studienfreund Paul Wigand besuchte, der nun Friedensrich-

ter in Höxter war, nutzte er die Gelegenheit, in Bökerhof einzukehren. Werner von Haxthausen, seiner antifranzösischen Haltung wegen bedroht, war zwar auf dem Weg nach Schweden, hatte inzwischen aber Wilhelm Grimm seiner Familie empfohlen. Von den acht Söhnen des Freiherrn Werner Adolf von Haxthausen traf Wilhelm nur Fritz an, aber die jüngste der acht Schwestern, die damals zehnjährige Anna, erzählte ihm bereits die ersten Märchen, während er das erste Mal durch die Lindenallee auf das kleine Landschloß zuging. Sie wurde neben der zweitjüngsten Schwester Ludowine (geboren 1795) zur fleißigsten Sammlerin des Bökendorfer Kreises. »Ein rechtes Glückskind« sei Anna, schreibt Ludowine im Frühjahr 1814 an Wilhelm Grimm, »sie fischt uns alles vor dem Munde weg, das mag wohl so in ihrem zutraulichen Gesicht liegen, denn wo sie sich nur hinwendet, erzählen ihr die Leute viel lieber wie uns.« Die Familie Haxthausen hat die meisten Märchen und

August Freiherr von Haxthausen, Freund und Märchenzuträger der Brüder Grimm. Federzeichnung von Ludwig Emil Grimm

Die Märchenerzählerin Anna von Arnswaldt, geb. von Haxthausen

Märchenversionen überhaupt zur Sammlung der Brüder Grimm beigesteuert. Heinz Rölleke nennt die Familie von Haxthausen über fünfzigmal als Zuträger von Beiträgen, darunter »Der gute Handel«, »Aschenputtel«, »Frau Holle«, »Die goldene Gans«, »Ferdinand getrü und Ferdinand ungetrü«, »Dat Erdmäneken«, »Die beiden Königskinder« und »Die Bremer Stadtmusikanten« – letzteres Märchen z. B. hörte August von Haxthausen auf einer Geschäftsreise in einer Schneesturmnacht im Gasthof »Schwanenkrug« bei Dellbrück. Anna von Haxthausen, später mit dem Freiherrn von Arnswaldt in Hannover verheiratet, strebte noch 1825, den Brüdern Grimm neue Märchen zu vermitteln; sie bedauerte, auf einer Reise nach Köln keine Beiträge ausfindig gemacht zu haben, da das in der Stadt schwer sei, »die Leute sehen einen gar verwundert an«.

Im selben Jahr wie ihre Tante Ludowine von Haxthausen geboren ist Maria Anna, genannt Jenny von Droste-Hülshoff, die zusammen mit ihrer zwei Jahre jüngeren Schwester Annette alljährlich im Sommer nach Bökendorf zu Besuch kam. Wilhelm Grimm lernte die achtzehn- und sechzehnjährigen Schwestern bei seinem zweiten Besuch 1813 dort kennen. Die beiden »Fräulein aus dem Münsterland« lieferten im Laufe der folgenden Jahre ebenfalls wertvolle Märchenbeiträge, darunter »De Gaudeif un sien Meester«, »Die zertanzten Schuhe« und »Die drei schwatten Prinzessinnen«. Jenny, die schließlich 1834 den Germanisten Joseph Freiherr von Laßberg auf Schloß Eppishausen am Bodensee heiratete (mit ihm war Jacob Grimm befreundet), stand Wilhelm Grimm besonders nahe. Der im Grimmschen Nachlaß in Berlin befindliche Briefwechsel zwischen beiden, der bis zu Jennys Ehe fortdauerte, legt Zeugnis ab für eine innig-sanfte, verständnisvolle Freundschaft.

Die meisten der »Kinder- und Hausmärchen« stammen also aus Hessen und Westfalen, auch aus dem Münsterland, d.h. aus dem engeren Lebensumkreis der Brüder Grimm. Einzelne Märchen, deren Quellen oft nicht näher bekannt sind, kamen aus Mecklenburg, Bayern, Österreich, Böhmen oder aus der Schweiz hinzu. Im Lauf der Jahre – die Zahl der Märchen wuchs von 155 (Erstausgabe) auf 238

(alle zu Lebzeiten der Brüder Grimm im Textteil ihrer Ausgaben erschienenen Stücke) – lieferten einzelne Beiträge bzw. Märchenversionen etwa ein Lumpensammler, ein Buchhändler, ein Richter, eine Arztfrau, eine Schauspielerin, Germanisten u.a.m. Ein Charakteristikum der Sammlung ist es, daß die Brüder Grimm ein Märchen oft aus mehreren überlieferten Versionen zusammensetzten. So berichten die Grimmschen »Anmerkungen zu den einzelnen Märchen« z.B. für »Schneewittchen«: »nach vielfachen Erzählungen aus Hessen«, wobei zusätzlich »eine Erzählung aus Wien« ins Feld geführt sowie auf eine Parallele in einer nordischen Sage verwiesen wird. Andererseits enthält auch die oben zitierte Märchensammlung Basiles (»Pentamerone«) eine Fassung von »Schneewittchen«. In seinem kleinen wissenschaftlichen Aufsatz über eben dieses Buch gibt Wilhelm Grimm eine »Übersicht der Märchen, die im Pentamerone und in der deutschen Sammlung im Ganzen übereinstimmen«. Dazu gehört neben »Schneewittchen« u.a. »Das Mädchen ohne Hände«, »Marienkind«, »Rapunzel«, »Tischchen deck dich«, »Allerleirauh« und »Aschenputtel«. »Aschenputtel« wiederum ist auch in der ebenfalls schon zitierten, 12 Märchen umfassenden Sammlung von Perrault zu finden, neben »Rotkäppchen«, »Der gestiefelte

Kater« und »Der kleine Däumling«. Bei Wilhelm Grimm heißt es dazu in seinen knappen Bemerkungen über »Carl Perrault«: »Großenteils das deutsche Märchen von Hänsel ... Der Däumling selbst ist hier nicht so eigentümlich wie in den beiden Märchen Nr. 37 und 45« [d.i. »Daumesdick« und »Däumerlings Wanderschaft«]. Auch andere literarische Parallelen und Quellen, die teils für Ergänzungen, teils für Übernahmen dienen, ließen sich anführen, so etwa von Georg Philipp Harsdörffer (in: »Der große Schauplatz jämmerlicher Mordgeschichten«, 1633, für: »Der Tod und der Gänsehirt«), Martin Luther (in: »Auslegung des 101. Psalms«, 1534, für: »Der kluge Knecht«), Jean Paul (in: »Die unsichtbare Loge«, 1793, für: »Die Sterntaler«), Jörg Wickram (in: »Das Rollwagenbüchlein«, 1555, für: »Der Schneider im Himmel« und »Lieb und Leid teilen«), Martinus Montanus (in: »Der Wegkürtzer«, ca. 1557, für »Das tapfere Schneiderlein«), Hans Sachs (in verschiedenen Dichtungen für fünf Märchen, z.B. in »Der Teufel hat die Geiß erschaffen«, 1556, für »Des Herrn und des Teufels Getier«), Hans Wilhelm Kirchhoff (in: »Wendunmut«, 1563, für: sieben Märchen, z.B. »Die Boten des To-

Stickarbeit einer Märchenleserin als Geschenk für die Brüder Grimm

Titelblatt und Illustration zu »Der Froschkönig oder der eiserne Heinrich« von Hermann Vogel. »Kinder- und Hausmärchen«, München 1894

des«) oder in einer Straßburger Handschrift des 14. Jahrhunderts (für »Das Eselein« und »Die Rübe«). Trotzdem basieren doch die weitaus meisten der Grimmschen Märchen auf mündlicher Überlieferung. Die Versionsklitterungen, die die Brüder aus den einzelnen Überlieferungssträngen vorgenommen haben, können allerdings nur – obwohl hier Heinz Rölleke schon wertvolle Aufbauarbeit geleistet hat – in einer umfassenden historisch-kritischen Ausgabe der »Kinder- und Hausmärchen« aufgedeckt werden: ein

kompliziertes Unternehmen, das auf mutige Forscher wartet.

Die entscheidende Initiative für die Drucklegung des ersten Bandes der »Kinder- und Hausmärchen« ging von Achim von Arnim aus. Während eines Besuches vom 22. bis 26. Januar 1812 mit seiner Frau Bettine in Kassel bei deren Schwester Lulu, die mit dem Hofbankier des Königs Jérôme, Jordis, verheiratet war, las er die stattlich angewachsene Sammlung der Brüder Grimm und riet ihnen, »nicht zu lange damit zurück[zu]halten, weil bei dem Streben nach Vollständigkeit die Sache am Ende liegen bliebe«. Er erbot sich, die Verhandlung mit dem Verleger Reimer in Berlin zu führen und meldete am 13. Juni nach Kassel,

»Reimer will Eure Kindermärchen drucken und sich so mit Euch setzen, daß er Euch ein gewisses Honorar gibt, wenn eine bestimmte Zahl Exemplare abgesetzt sind.« Wilhelm antwortete am 21. Juni: »Das Anerbieten Reimers wegen unserer Märchensammlung ist uns recht angenehm, und diese Bedingungen sind uns gut. Da das Ganze eng und ordinär gedruckt werden soll, wird er auf keinen Fall etwas riskieren und einiger Vorteil wär uns, wenn er sich ergibt, auch gelegen. Sobald wir ein wenig freie Hand haben, wollen wir das Manuskript ausarbeiten.« Dieses ging Ende September 1812 an Reimer ab, der es in einer Auflage von ca. 900 Exemplaren druckte. Der zweite

Illustrationen zu »Schneewittchen«, »Aschenputtel« und »Dornröschen« von Ludwig Emil Grimm. Drei der sieben Kupferstiche zur kleinen Ausgabe der »Kinder- und Hausmärchen« (1825)

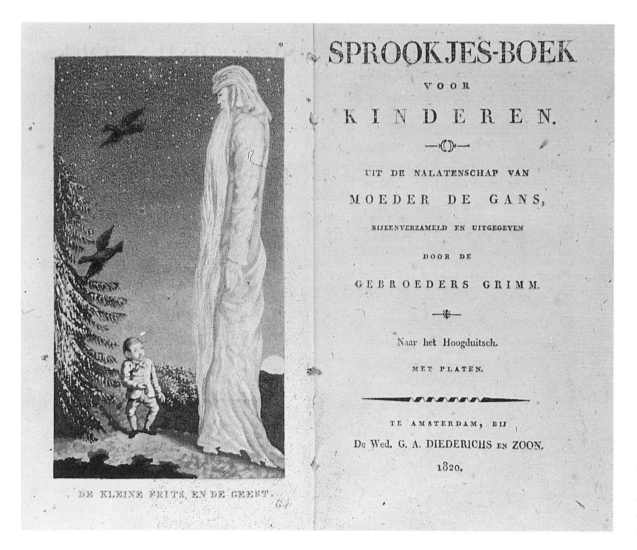

Titel und Frontispiz der ersten holländischen Übersetzung der »Kinder- und Hausmärchen« (1820)

Band erschien Ende Dezember 1814, datiert 1815, in einer Auflage von 1100 Exemplaren. Beide Bände waren nicht illustriert. Arnim monierte dies und riet, den Bruder Ludwig Emil Grimm, der an der Münchener Kunstakademie in Ausbildung stand, mit einigen Radierungen zu betrauen, aber dieser Plan wurde zunächst nicht in die Tat umgesetzt. Außerdem riet Arnim, die wissenschaftlichen Anmerkungen gänzlich abzutrennen, was dann geschah: sie erschienen 1822 und 1856 in separaten Bänden.

Erst die 1819 veröffentlichte, erweiterte und veränderte Ausgabe der beiden »Kinder- und Hausmärchen«-Bände in heute nicht mehr bekannter Auflagenhöhe erhielt je eine Radierung Ludwig Emil Grimms, »Brüderchen und Schwesterchen« und – bezeichnenderweise – das Porträt der Märchenerzählerin Dorothea Viehmann. Den ersten großen Erfolg aber brachte die von Wilhelm Grimm geschickt vorgenommene, den Publikumsgeschmack erkennende Auswahl von 50 Märchen*, die mit sieben Kupfern Ludwig Emil Grimms zu »Marienkind«, »Hänsel und Gretel«, »Aschenputtel«, »Rotkäppchen«, »Schneewittchen« und »Die Gänsemagd« erschien.

Während im Wien des Kongresses 1814 der Nachdruck der Märchen verboten worden war – sie wurden als zu abergläubisch empfunden –, datiert die erste Übersetzung von 1816 – eine sehr knappe dänische Auswahl der Kinder- und Hausmärchen von Adam Gottlob Oehlenschläger, der 1821 Johan Frederik Hegemann Liliencrones Übersetzung »Folke-En-

*KHM 1, 3–7, 9–11, 13–15, 19, 21, 24–27, 34, 37, 45–47, 50–53, 55, 58, 59, 65, 69, 80, 83, 87, 94, 98, 102, Anh. 18, 105, 106, 110, 114, 124, 129, 130, 135, 151 und 153 (Nach der Ausgabe letzter Hand 1857)

Titel der ersten englischen Übersetzung der »Kinder- und Hausmärchen«

tyr« folgte. 19 Grimmsche Märchen und ein Märchen von Albert Ludewig Grimm umfaßt die erste Ausgabe in niederländischer Sprache: »Sprookjes-Boek voor Kinderen«, Amsterdam 1820.

Als sehr erfolgreich ist die erste englische Übersetzung durch Edgar Taylor einzuschätzen: ihr erster Band von 1823 war schon dreimal aufgelegt worden, ehe 1826 der zweite, wieder mit den Illustrationen von

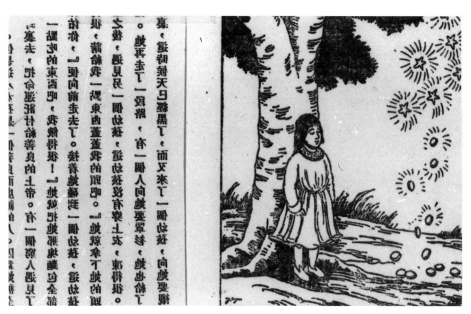

Illustration von George Cruikshank zu »Der wunderliche Spielmann«, aus: »German popular stories«. Erste englische Übersetzung der »Kinder- und Hausmärchen«, London 1823

Illustration zu »Die Sterntaler«, Chinesisch

»Hänsel und Gretel«, Thailändisch

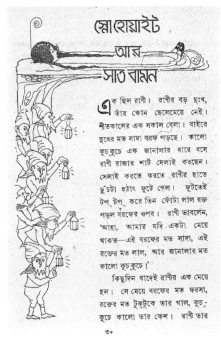

Illustration zu »Schneewittchen«, Bengali

George Cruikshank, veröffentlicht wurde. Zwei französischen Ausgaben (»Vieux contes pour l'amusement des grands et des petits enfants«, Paris 1830 und »Contes choisis à l'usage des enfants«, Paris 1836) und einer schwedischen Übersetzung (»Julläsning för barn«, Lund 1837) folgten weitere englische von Edward Taylor und Mathilda Louisa Davis sowie Edgar Taylor, illustriert von Richard Doyle (1846) und Edward Henry Wehnert (1857), die oft Grundlagen für Übersetzungen in Sprachen entlegener Regionen wie Asien und Südamerika wurden.

Die Brüder Grimm, die sich durchaus über Raubdrucke und über anderweitige Veröffentlichungen veränderter Märchenbeiträge (so etwa durch Bechstein) ärgern mußten, erlebten sieben Auflagen der großen Ausgabe und zehn Auflagen der kleinen Ausgabe. Heute läßt sich weder die Zahl der Auflagen, die besonders in Deutschland nach dem Freiwerden der Urhebernutzungsrechte (dem entsprechenden preußischen Gesetz von 1837 zufolge 30 Jahre nach dem Tod eines Autors) stark anstieg, noch die Gesamtzahl der Übersetzungen erfassen. Greifbar sind Übersetzungen in 70 Weltsprachen. Es steht aber fest, daß die »Kinder- und Hausmärchen« zum meistverbreiteten und bekanntesten aller deutschen Bücher geworden sind.

Hiermit fange ich auch mein Versprechen mit den Kindermärchen zu erfüllen an. Nächstens sollen mehrere folgen. Die aus dem Perrault bekannten werde ich nicht nötig haben Ihnen zu schicken. Ich habe sie sehr ungleich gesammelt und aufgeschrieben, alle sollten so umständlich sein, wie etwa Schneeweißchen zu Anfang. Sie werden übrigens leicht finden, daß die Anfänge gewöhnlich am schönsten sind, dies kommt aber daher, weil sie am meisten erzählt und am meisten behalten werden. Der Schluß vieler der schönsten Märchen ist so zugrund gegangen.

WILHELM GRIMM ÜBER ERSTE MÄRCHENAUFZEICHNUNGEN. BRIEF AN FRIEDRICH KARL VON SAVIGNY, 10. APRIL 1808

Kindermärchen. Sie haben mir viele in Allendorf versprochen, mehrere geschickt, die mir alle sehr lieb waren, und nun bilde ich mir ein, Sie hätten dort [bei dem Schwager Pfarrer Theobald in Rodenbach] mehr Lust und Zeit, die alten aufzuschreiben und sich nach neuen zu erkundigen, die es dort gewiß gibt. Es brauchen gerade keine Kindermärchen zu sein, auch was man sonst erzählt von allen Weltdingen, ist mir angenehm. Ich will mich, der Tebel hole mer, recht dankbar dafür auch beweisen und die Geschichte von der Ratte oder den 31 Pumpelmeisen, die in Butter gebraten so vortrefflich wohl schmecken, erzählen, wobei jeder ein paar Augen aufsperren soll, daß es nicht zu sagen ist, oder ich will dem Herrn Pfarrer ein Fäßchen Klebebier zuschicken, worauf man, wenn man einen Nößel getrunken, flugs predigen kann.

WILHELM GRIMM AN DIE PFARRERSTOCHTER FRIEDERIKE MANNEL, FRÜHJAHR 1808

Nach Kindermärchen habe ich mich hier längst erkundigt, man hat mich aber mit der 1001 Nacht befriedigen wollen und Echtes nichts gewußt.

WILHELM GRIMM AN JACOB GRIMM AUS HALLE, 21. APRIL 1809

Daß die Lotte keine Märchen mitgebracht, ist bloß ihre Schuld, sie ist nicht recht und vertraulich mit der Frau [der alten Frau im Elisabeth-Hospital in Mar-

burg] umgegangen. An Brentano hat sie sechs bis acht erzählt, der einzelne Worte aufgeschrieben und vermeint, sie nicht zu vergessen, wie es nun geschehen.

JACOB GRIMM ÜBER SEINE SCHWESTER LOTTE ALS MÄRCHENSAMMLERIN. BRIEF AN WILHELM GRIMM, 11. SEPTEMBER 1809

Mit den Märchen geht es mir exemplarisch schlecht. Gestern bin ich zum dritten Mal bei der ehemaligen Zimmermännin, nunmehr Frau Creuzer, gewesen, ich habe ihr gesagt, ich tue es auch um Brentanos willen, und sie hat mir immer versprochen, aber bis jetzt ist noch niemand gekommen: einmal traf ich auch den Mann, und der sah sehr seltsam und zweifelhaftig aus, wie ich ihm mein Vorhaben entdeckte. Die Flemming hat nichts hervorgebracht als das Schneewittchen, worüber man sich freuen könnte, wenn es ein neues wäre.

WILHELM GRIMM AN JACOB GRIMM, SEPTEMBER 1810

Ich wollte mir in Marburg von der alten Frau alles erzählen lassen, was sie wüßte, aber es ist mir schlecht ergangen. Das Orakel wollte nicht sprechen, weil die Schwestern im Hospital es übel auslegten, wenn es herumging und erzählte, und so wäre nicht allein meine Mühe verloren gewesen, hätte ich nicht jemand gefunden, der eine Schwester des Hospitalvogtes zur Frau hat und den ich endlich dahingebracht, daß er seine Frau dahingebracht, ihre Schwägerin dahinzubringen, von der Frau ihren Kindern die Märchen sich erzählen zu lassen und aufzuschreiben. Durch so viel Schachte und Kreuzgänge wird das Gold erst ans Licht gebracht. Der Mann ist ein Mathematicus und hat einen früheren Brief, der deshalb an ihn geschrieben war, wie er endlich gestand, für einen beliebigen Scherz an ihn gehalten. Ich habe ihm gesagt, daß diese Volkstraditionen tief in die Mythologie und Geschichte eingingen, und davon überzeugt, und weil er gern seinen früheren Fehler verbessern will, hat er mir seinen ganzen Eifer versprochen.

WILHELM GRIMM AN CLEMENS BRENTANO, 25. OKTOBER 1810

1) Volkslieder und Reime, die bei unterschiedlichem Jahresanlaß, an Festen, in Spinnstuben, auf Tanzböden und während der verschiedenen Feldarbeit gesungen werden; zunächst solche, die epischen Inhalts sind, d. h. worin eine Begebenheit vorgeht; wo möglich mit ihren Worten, Weisen und Tönen selbst.

2) Sagen in ungebundener Rede, ganz besonders sowohl die vielfachen Ammen- und Kindermärchen von Riesen, Zwergen, Ungeheuern, verwünschten und erlösten Königskindern, Teufeln, Schätzen und Wünscheldingen, als auch Lokalsagen, die zur Erklärung gewisser Örtlichkeiten (wie Berge, Flüsse, Seen, Sümpfe, zertrümmerte Schlösser, Türme, Steine und alle Denkmäler der Vorzeit sind) erzählt und gewußt werden. Auf Tierfabeln, worin zumeist Fuchs und Wolf, Hahn, Hund, Katze, Frosch, Maus, Sperling usw. auftreten, ist sonderlich zu achten.

3) Lustige Schalksknechtsstreiche und Schwänke; Puppenspiele von altem Schrot, mit Hanswurst und Teufel.

4) Volksfeste, Sitten, Brauche und Spiele; Feierlichkeiten bei Geburt, Hochzeit und Begräbnis; alte Rechtsgewohnheiten, sonderbare Zinsen, Abgaben, Landeserwerb, Grenzberichtigung usw.

5) Aberglaube von Geistern, Gespenstern, Hexen, guter und böser Vorbedeutung; Erscheinungen und Träume.

6) Sprichwörter, auffallende Redensarten, Gleichnisse, Wortzusammensetzungen.

JACOB GRIMM, SKIZZE EINES ZIRKULARBRIEFS AN DIE SAMMLER VON VOLKSPOESIE: »AUFFORDERUNG, AN DIE GESAMTEN FREUNDE DEUTSCHER POESIE UND GESCHICHTE ERLASSEN«, 22. JANUAR 1811

Ihren Auftrag wegen der zu sammelnden Volkssagen und Volkslieder begünstigt meine Lage ungewöhnlich. Unter der großen Zahl von Schülern, welche der Ruf meines Vaters als eines braven Schulmannes anlockt, befinden sich viele Knaben vom Lande, besonders aus dem Schwalmgrunde, die ich schon lange, weil ich vom Wert der Geschichte wie des Erzählens überzeugt bin, letzteres habe treiben lassen. Bei dieser Gelegenheit kam manches köstliche Märchen zum Vorschein, welche ich nun alle mit Fleiß sammeln werde. Von dem Drange, alte ehrwürdige Sagen ihres eigentümlichen Gewandes zu berauben, bin ich weit entfernt. Ich werde hier immer meinem Gefühle folgen müssen, da ich der Kriterien des echten Altertums unkundig bin. Um so mehr können Sie aber auch davon, kündigt sich etwas als alt, von seiner Echtheit überzeugt sein.

FERDINAND SIEBERT AN WILHELM GRIMM, 12. JANUAR 1812

Mein Bruder und ich sind eben im Begriff, eine Sammlung von Volks- und Kindermärchen drucken zu lassen ... Unsere einzige Quelle dabei ist die mündliche Überlieferung gewesen, die uns nicht ganz arm geflossen, da wir an sechzig etwa, recht schöne Stücke zusammengebracht haben; wir werden auf diese Weise manches Unbekannte geben.

WILHELM GRIMM AN DEN DÄNISCHEN LITERATURHISTORIKER RASMUS NYERUP, 12. JULI 1812

Was das Märchen betrifft, so erhältst Du diesen Brief mit dem Manuskript, das an Reimer geht, er übernimmt sie unter den bekannten Bedingungen: wir haben noch allerlei erhalten und Du wirst noch manches neue finden, ein paar ganz eigentümlich soldatische von einem alten Dragonerwachtmeister, gegen alte Kleider eingetauscht, werden Dir Vergnügen machen.

WILHELM GRIMM AN ACHIM VON ARNIM, 26. SEPTEMBER 1812

Da schicke ich Dir endlich das Märchenbuch; hätte ich es nicht längst versprochen, könnte es wie eine Neujahrsgabe angesehen werden. Ich hoffe, daß es Dir wohlgefällt ...; kannst Du etwas beitragen zur Vervollkommnung desselben, so tu's ja; denn es wird hoffentlich ein zweiter Teil oder neue Auflage einmal erscheinen ... Deine Kinder sollen, wie ich hoffe, viel aus dem Buch lernen, es ist unsere bestimmte Absicht, daß man es als ein Erziehungsbuch betrachte; Du mußt nur erst warten, bis sie es verstehen können, und dann nur nicht zuviel auf einmal, sondern nach und nach immer einen Brocken dieser süßen Speise geben.

JACOB GRIMM AN PAUL WIGAND, 1. JANUAR 1813

Erlauben Sie mir, gnädiges Fräulein, daß ich mein Andenken bei Ihnen und Ihren Schwestern durch dies kleine Märchenbuch zu erneuern suche, welches Sie, wie ich hoffe, mit Vergnügen lesen werden, entweder der Erzählungen selbst wegen, oder weil Sie sich der Zeit erinnern, wo Sie diese mit Vergnügen anhörten; meinem Bruder, der sich Ihnen unbekannterweise empfehlen läßt, und mir ist diese Sammlung sehr lieb, wir wünschen sie so vollständig als möglich zu machen, und darum bin ich auch gleich so frei, Sie um Beiträge: ganz neue Stücke, die uns noch fehlen, oder Ergänzungen und Berichtigungen des Alten zu bitten ... Bei der eignen schönen Art, womit Volksdichtung noch bei Ihnen lebt, bin ich auch sicher, daß sie gerade so aufgefaßt werden, wie mir am liebsten ist, nämlich treu und genau mit aller Eigentümlichkeit.

WILHELM GRIMM AN LUDOWINE VON HAXTHAUSEN, 21. JANUAR 1813

Ihren Brief vom 21. Januar mit der reichen Einlage von Märchen und Liedern habe ich richtig erhalten und mit großer Freude. Es war mir alles gar lieb und recht ... An der Art, wie Sie aufschreiben, weiß ich nichts auszusetzen, es ist treu und einfach, wie ich es wünsche, und wenn Sie so fortfahren, wie Sie mir versprochen haben, so werden Sie keinen kleinen Teil an der Fortsetzung des Buchs haben.

WILHELM GRIMM AN AUGUST VON HAXTHAUSEN, 23. MÄRZ 1813

Als August mit seinem Freunde Grimm kam, war es schon recht spät. Ich freute mich sehr, ihn wiederzusehen. Grimm konnte ich den ersten Abend nicht recht sehen, und seine hessische Aussprache gefiel mir nicht recht. 23. Juli kam ich sehr spät zum Kaffee herunter; alle waren dort, auch Grimm. Ich konnte ihn jetzt ganz nahe sehen und saß ihm nicht umsonst gegenüber. Er ist ziemlich groß, hat schwarzes, wenigstens dunkelbraunes Haar, die schönsten, sprechendsten braunen Augen, die ich je sah, eine schöne Stirn, hübsche Nase, Mund und ist nach meinem Geschmack einer der hübschesten, interessantesten Menschen, die ich kenne, bei dem die kleinste Bewegung seiner Seele in den Augen und auf dem gan-

zen Gesichte sichtbar wird. Morgens waren wir im Belvedere, wo August und Grimm uns amüsierten, bis Kannes kamen und wir nach Hause mußten. Nachmittags, als Kannes weg waren, gingen Onkel Fritz mit der Gitarre, August, Grimm, Caroline, Ludowine, Nette und ich in den Lämmerkamp, wo wir am Häuschen sangen und dann ins Sengertal gingen. Hier setzten wir uns ins Gras, und Grimm, der seiner Kränklichkeit wegen nicht auf dem Boden sitzen durfte, sang uns stehend mehrere Lieder, und auch das von Sevilla, bis ich endlich den armen Menschen nicht mehr stehen sehen konnte und ans Weggehn erinnerte. Nach dem Essen sangen wir noch recht lange auf der Entrée im Dunkeln. Den 24. Juli war es unfreundliches Wetter, Grimm schrieb den ganzen Morgen Märchen auf, auch für mich 2 Lieder, die mir viel Freude machten. Nach dem Essen gingen August, Grimm, Caroline, Ludowine, Nette und ich in der Wiese spazieren, wo wir unter den Bäumen »Kämmerchen vermieten« spielten; wir mußten aber bald aufhören, weil Grimm nicht laufen durfte, und gingen stattdessen ins Boskett, wo Grimm uns bei der Blutbuche vorlas. Hernach schrieb er noch Märchen und malte Karikaturen. Onkel Karl schnitt einige Silhouetten, unter denen aber nur das von Grimm glich, welche ich mir zueignete. Nach Tische wurde, wie gewöhnlich, noch lange gesungen. 25. Juli waren wir alle in Hinnenburg. Großmama, Mama und Grimm fuhren, wir andern gingen alle zu Fuß hin. Grimm (der mich den andern äußerlich etwas vorzog, welches mir wohl gefiel, da doch die Freundschaft interessanter Menschen keinem gleichgültig sein kann, und weiter war's nichts) und ich amüsierten uns bei den Kupferstichen, die im Zimmer hingen. Hernach gingen wir alle zum Tempel, wo es sehr windig war; Grimm und ich gerieten in einen Streit über die gelbe Farbe, die seine Lieblingsfarbe war, doch konnte ich sie trotz seiner Brillen, die ich aufsetzte, nicht schön finden, und keiner von uns wollte weichen. Als wir herab gingen, neckten mich Ludowine und Caroline mit Grimm, welches mir sehr unangenehm war und mich bewog, auf dem Rückwege nicht mit in den Wagen zu gehen, was ich sonst gewiß getan hätte. Nach dem

Böckendorf.

A.S. pinx. 1820.

Abendessen sangen wir noch lange im großen Zimmer. Es war der letzte Abend in Bökendorf, und wir waren alle stiller als sonst. Ehe wir zu Bett gingen, las uns Grimm noch die letzte Szene aus dem »Standhaften Prinzen« vor. Sie war sehr angreifend und Grimm so sehr aus der Fassung, daß er nur mit Mühe bis zu Ende lesen konnte. Ich fand dies tiefe Mitgefühl bei dem Leiden des armen Prinzen sehr schön an ihm und fühlte auch, wenigstens einen Teil mit; dann gab uns Grimm ein Blatt, worauf er uns alle einen Vers zu schreiben bat. Wir sangen noch ein Lied und kamen spät zu Bette, wo ich August und Grimm noch lange über mir poltern hörte und spät einschlief.

d. 26. Juli. Dieser Tag war für uns alle sehr traurig, auch ich stand mit schwerem Herzen auf und packte mit dem größten Widerwillen unsere Koffer ein. Auf Caroline ihrem Zimmer schrieben wir alle einen Vers für Grimm auf, der meinige von Stolberg lautete ungefähr so: »Denn Göttliches ward jedem zugetan vor der Geburt, es waltet in der Brust und ruft ihm zu: Dein ist die Ewigkeit! O Ewigkeit, so blendend anzuschauen, O Seligkeit gemischt mit heißem Grauen!« August und Grimm waren viel auf ihrem Zimmer unter dem Vorwande, Lieder füreinander abzuschreiben. Ludowine, Caroline und

ich gingen kurz vor unserer Abreise noch ins Boskett. Grimm fand uns dort, wollte erst wieder gehen, weil er uns zu stören glaubte, blieb aber doch und war den ganzen Morgen sehr stille. Um 12 Uhr speisten wir, nahmen von der guten Großmama Abschied und gingen, von Onkel Fritz, August, Caroline (die ganz mit uns gehen wollte), Ludowine, Nette und Grimm begleitet, zu Fuß bis ins Feld, wo am Kreuze der Wagen wartete. Wir waren alle sehr traurig, auch Onkel Fritz weinte sehr; Grimm ging schweigend hinter uns her, ich sah mich nicht nach ihm um, weil ich mich meines unaufhörlichen Weinens schämte. Doch als ich beim Abschiede einen flüchtigen Blick auf ihn warf, sah er sehr düster aus; der Wagen rollte fort, und bald waren alle aus unsern Augen; ich weinte noch lange und war recht von Herzen betrübt … doch kamen wir gegen 8 Uhr in Paderborn an; die Sonne ging sehr schön unter …

d. 27. Juli fand ich unter unsern Päckereien ein kleines unbekanntes Kästchen und erinnerte mich auch an ein Schlüsselchen, das mir Ludowine bei unserer Trennung in die Hand gedrückt und ich unwillkürlich festgehalten. Ich schloß auf und fand Blumen und Schreibereien in Menge; doch ich wollte die erste Freude mit den andern teilen und lief wie unsin-

Bokerhof bei Bokendorf, Sitz der Familie von Haxthausen. Aquarell von Annette von Droste-Hülshoff, 1820

nig zu Caroline und Nette. Jetzt ward ausgepackt, und da fand sich für jede von uns dreien ein Kränzlein von Ludowine mit einem Gedichte, ein Gedicht von August und von Grimm. Caroline und ich waren außer uns vor Freude, ganz unsinnig; Nette freute sich wenig, weil ihr Zettel von Grimm sehr einfältig, ja wenn man's genau nimmt, etwas unartig war. Doch muß ihm dieses der großen Gleichgültigkeit wegen, die er für sie fühlte, verziehen werden. Die Gedichte an Caroline und mich waren sehr schön; ihren Wert und Rang sahen wir bald ein, und mir machten sie große Freude. Das Gedicht bei meinem Kränzchen, das Grimm dazu gemacht hatte, ist sehr hübsch und verdient nicht vergessen zu werden, ich will's deswegen hier aufschreiben:

1. Im Moose wächst ein Blümlein treu,
Das hat so blaue Augen.
Es ist so stumm, ist gar nicht frei,
Will für die Welt nicht taugen.

2. Doch wer es sieht im rechten Licht,
Ja sprichts aus seinem Herzen:
Vergißmeinnicht, Vergiß mein nicht,
Sonst muß es mich ja schmerzen.

Die Märchensammlerin Jenny von Droste-Hülshoff, Schwester der Dichterin. Zeitgenössisches Gemälde

d. 23. August … Ich schrieb wieder ein plattdeutsches Märchen auf, dessen Inhalt viel Ähnlichkeit mit der Dichtung von Amor und Psyche hat und hoffentlich viel Beifall findet.

JENNY VON DROSTE-HÜLSHOFF ÜBER DEN UMGANG MIT WILHELM GRIMM IN BÖKENDORF. TAGEBUCHEINTRAGUNG, JULI 1813

Daß uns das abscheuliche Wetter am Donnerstag, also gerade heut vor acht Tagen sehr geplagt, wirst Du selbst gedacht haben, es hörte nicht auf herabzugießen, und die ohnehin schlechten Landwege waren so gefährlich, daß wir ein paarmal mitten im Regen aussteigen mußten, vor Eberschütz hinter Geismar begegnete uns unser Schuldner, der mit dem gelben Kamisol, und zeigte uns den Weg, den der Haxthausen auch nicht recht wußte. Dabei fing nun der Kutscher einen ungezognen Lärm an, wir ließen ihn ganz ruhig bis Bühne oder wie's geschrieben wird noch 8 Stunden von Bökendorf fahren, und als er da erklärte, daß er keinen Schritt weiterwolle, so gab ich ihm 3 Kronentaler und hieß ihn heimfahren; sollte er noch etwas verlangen bei Dir, darfst Du ihm durchaus nichts geben. Zum Glück hatte Haxthausen dort einen Bekannten, der uns, aber spät, weiterfuhr, so daß wir erst etwas nach 8 Uhr ankamen. –

Sie haben mich alle freundschaftlich empfangen und die ganze Zeit behandelt. Es war da eine große Gesellschaft, eine verheiratete Droste-Hülshoff aus Münster mit zwei Mädchen, wovon die älteste, Jenny, was recht Angenehmes und Liebes hatte und dem Riekchen Reichardt außerordentlich ähnlich war. Dann zwei Jungen. Der älteste von etwa 14 Jahren hatte fast ganz dem Riebeling sein Gesicht; dann die Metternich, Frau des hiesigen Präfekten mit 3 Kindern und noch drei Fräulein Haxthausen, wovon ich eine, Caroline noch nicht gekannt hatte. Ich habe die Zeit angenehm zugebracht, Märchen, Lieder und Sagen, Sprüche usw. wissen sie die Menge; ich habe eine ganz gute Partie aufgeschrieben, eine andere der August (noch zwei andere Brüder waren da, der bekannte Fritz und einer namens Carl, der ihnen nicht gleicht, in der Natur und Ferne dem Clemens ähn-

3. Und weil ich hoff, du denkst an mich,
Steh ich im grünen Moose.
Schaust du mich an recht freundich-
So fehlt auch nicht die Rose. [lich,

4. Und glaub mir auch, ich welke nicht,
Die Wurzeln stehn im Herzen.
Vergißmeinnicht, Vergiß mein nicht,
Sonst muß es mich ja schmerzen!

Gleich nach Entdeckung unserer Geschenke schrieben wir an Ludowine, die wir auch mit dem Dank an August und Grimm beluden. Nach langem Suchen fanden wir in dem Garten der Tante einige einfältige Blümchen, die wir ihnen zurücksendeten. Doch erhielten die beiden Herren unsern Dank nicht, weil sie schon, wie Ludowine schrieb, von Bökendorf abgereist waren …

d. 22. August … Ich habe den ganzen Nachmittag Märchen für Grimm abgeschrieben und mich so damit geplagt, daß ich jetzt Kopfweh für meine Artigkeit habe.

lich, in der Nähe aber nicht schön), die er ins reine erst noch schreiben will; selbst die kleinen Metternich haben mir erzählt, auch wieder die Lokalsage vom Kaiser Rotbart. Sodann ist ein Schneider und ein Dienstmädchen abgehört worden. Ich müßte etwa 4–6 Wochen da sein, um alles ruhig und genau aufschreiben zu können, eins stört das andere mit Besserwissen, Gespräch dazwischen usw. Die Fräulein aus dem Münsterland wußten am meisten, besonders die jüngste [Annette von Droste-Hülshoff]. Es ist schade, daß sie etwas Vordringliches und Unangenehmes in ihrem Wesen hat. Es war nicht gut mit ihr fertigwerden. Sie ist mit sieben Monat auf die Welt kommen und hat so durchaus etwas Frühreifes bei vielen Anlagen. Sie wollte beständig brillieren und kam von einem ins andere; doch hat sie mir fest versprochen, alles aufzuschreiben, was sie noch wisse, und mir nachzuschicken. Die andere ist ganz das Gegenteil, sanft und still; die hat mir versprochen zu sorgen, daß sie Wort hält. Morgen und nachmittag ward sooft es anging geschrieben, abends gingen wir in den kleinen Park und einen naheliegenden schönen Wald, nach Tisch aber abends ward gesungen bis in die Nacht, die Brüder bliesen Waldhörner und August die Flöte, und die Mädchen sangen; einige Volkslieder haben außerordentlich schöne Melodien.

WILHELM GRIMM ÜBER EINEN SEINER ZAHLREICHEN BESUCHE IN BÖKENDORF. BRIEF AN JACOB GRIMM, HÖXTER 28. JULI 1813.

Ein paar sehr heitere Tage wären uns in B[ökendorf] besser gewesen, indessen war ich am Montag auf dem Köterberg; da wir ziemlich hoch hinauffuhren, war das Steigen leidlich, die Aussicht ist weit genug und hat deshalb ihr eigentümlich Angenehmes, um mir aber recht zu gefallen, müßte sie von irgendeiner Seite mehr begrenzt sein; und die vom Brunsberg, auf dem ich noch Dienstag abend war, ist mir eigentlich lieber. Auf der kahlen Kuppel weidete ein Schäfer, den wir um alte Erzählungen angingen, er hat auch einiges ganz Gute mitgeteilt, unter andern mit Varianten, was die kleine M. vom Willberg erzählte. Den Schäfer auf dem Brunsberg hatte schon die Aufklärung

»Die Droste« mit August von Arnswaldt und Heinrich Straube. Karikatur von Ludwig Emil Grimm, 1820. Text: »einen Kus aus eurem Munde meine Seele gäb ich drum«

durchfiltriert, er versicherte, daß er an kein Spuken glaube, und wußte nichts.

WILHELM GRIMM AN AUGUST VON HAXTHAUSEN, 8. AUGUST 1813

Ein Brief [kam] von [August v.] Haxthausen aus dem schwedischen Hauptquartier. Sehr herzlich und treu; auf einer Vorpostenwacht in der Nacht hat er sich ein Märchen von seinem Kameraden erzählen lassen, der am andern Tag hinter ihm totgeschossen wurde; er hat es mitgeschickt, es ist eins von den besten, von den Vögeln, die ein Blinder reden hört und die ihm Heilungsmittel verraten (in der Braunschweiger Sammlung ist etwas da-

von). Ich habe diesen Haxthausen recht lieb.

WILHELM GRIMM AN JACOB GRIMM, 18. JANUAR 1814 [DAS HAUPTQUARTIER BEFAND SICH BEI RENDSBURG/HOLSTEIN. ANGESPROCHEN IST DER FELDZUG GEGEN NAPOLEON]

Sie haben mir, gnädiges Fräulein, durch Ihr schönes Geschenk eine recht überraschende Freude gemacht. Für die Märchen, die mir gleich in die Hand fielen, danke ich zuerst. Sie sind mir doppelt wert, teils wegen der Mühe, die Sie selbst daran gewandt, teils wegen ihres schönen, recht märchenhaften Inhalts; sie werden eine Zierde des zweiten Bandes ausmachen … Sie glauben nicht, welche Freude ich an der Sammlung des zweiten Bandes habe, eben durch diese Teilnahme und Beförderung von andern. Den ersten haben wir beide [Jacob und Wilhelm] allein, ganz einsam und daher auch sehr langsam in sechs Jahren gesammelt: jetzt geht es viel besser und schneller.

WILHELM GRIMM AN LUDOWINE VON HAXTHAUSEN, FRÜHJAHR 1814

Deine Kindermärchen sind in Wien nachzudrucken verboten worden, als zu abergläubisch, solch ein Verbot gibt mir keine sonderliche Hoffnung für die Friedensblätter, es wird mir immer deutlicher, daß die meisten Literaturen an Kritik und Zensur zugrunde gegangen sind; endet sich dieser Krieg recht glücklich, dann hoffe ich überall ein Lüften der Kräfte, sonst wird überall nur Stickluft bleiben, nachdem die Lebenslust in den abgeschlossenen Räumen verzehrt ist.

ACHIM VON ARNIM AN WILHELM GRIMM, 20. APRIL 1814

Mit den Märchen ist zufälligerweise eine Verzögerung entstanden, nämlich ich warte, eh ich weiter Manuskript sende, auf die Korrektur der plattdeutschen; wie sie aber gar nicht kommt, schreibe ich hin und erhalte umgehend die Aushängebogen bis O., worin alles abgedruckt ist, was wir zuletzt sendeten, mit der Bemerkung, daß der Druck habe aufhören müssen, weil das Manuskript all gewesen, und man nichts davon gewußt, daß ich auch die übrigen plattdeutschen habe sehen wollen; zugleich bitten sie inständig nur um etwas zur Fortsetzung. Ich habe das sämtliche Manuskript, das ganz fertig war, gleich abgeschickt, und in etwa vier Wochen kann das Buch vollendet sein; die Korrektur des Anhangs habe ich auch verlangt, ich werde nun sehen, was sie tun, dann kann ich Deine Bemerkungen noch einfügen.

WILHELM GRIMM AN JACOB GRIMM, 3. NOVEMBER 1814, 4 UHR MORGENS

Ein Deutsch-Ungar (aus dem an Steiermark grenzenden Teil) erzählte mir, wie dort alles voll von Märchen stecke, und wußte fast ganz übereinstimmig die Ge

schichte vom Prinz Igel, der auf dem Baum sitzt und seinen Hahn spornstreichs reitet. Da kann man die große Ausbreitung sehn. Ich stelle jedermann zu Beiträgen für den dritten Band an, zu dem es doch auch noch kommen wird. Märchenreich soll auch Deutschböhmen sein; einer besann sich einer wunderbaren Lokalsage von Seelen, die einer in Töpfen hielt und zudeckte.

JACOB GRIMM AN WILHELM GRIMM AUS WIEN, 23. NOVEMBER 1814

Die Märchen hab ich endlich erhalten. Papier und Druck sind viel schlechter, das Buch dünner und doch der dem Absatz hier sehr hinderliche hohe Preis von 1 Tlr. 18 Gr. (hier über 7 Gulden Papier). Die plattdeutschen freuen mich; im ganzen steht der Band auch der Unneuheit wegen doch unterm ersten. In den Noten hast Du nicht ganz alles angebracht, was Du dem Raum nach aus meinen letzten Bemerkungen hättest einschalten können.

JACOB GRIMM AN WILHELM GRIMM AUS WIEN ÜBER DEN SOEBEN ERSCHIENENEN 2. BAND DER »KINDER- UND HAUSMÄRCHEN«, 18. JANUAR 1815

Wegen der neuen Auflage des ersten Teils der Kindermärchen ist sich erst miteinander, vielfach zu besprechen. Ich denke nicht, daß er ebenso darf wieder gedruckt werden, sondern vieles ist zu bessern und zu vermehren; welches auch dem Absatz günstig sein muß, indem wenigstens viele Besitzer die zweite Auflage nochmals kaufen werden. Ich bringe allerhand gute Sammlung mit dazu von hier aus.

JACOB GRIMM AN WILHELM GRIMM AUS WIEN, 11. MAI 1815

Nicht bloß die letzten Märchen, sondern auch die früher an Wilhelm abgesandten sind richtig erhalten worden und zu großem Dank. Ihr seid aber auch recht reichlich und fleißig: einiges darin war sehr ausgezeichnet und merkwürdig, zumal in den Tiermärchen, wie Du selber schon gesehen. Das nächste, was wir in den Druck geben wollen, ist nicht der dritte Märchenteil, sondern der erste Teil der Land- und Ortssagen, damit auch damit der Anfang gemacht wird. Sie haben auch

ihr Schönes, wiewohl sie im ganzen poetisch nicht so reich sind; ich möchte sagen: die Märchen gleichen den Blumen, diese Volkssagen frischen Kräutern und Sträuchern, oft von eigentümlichem Geruch und Hauch. Wenn Du zunächst auch dafür noch botanisieren wolltest, wär es uns erwünscht.

JACOB GRIMM AN AUGUST VON HAXTHAUSEN, 4. SEPTEMBER 1815

Weißt Du z. B., daß das Märchen von dem blühenden Flachsfeld, das Fliehende für Wasser ansehen und die Arme zum Schwimmen ausbreiten, in der lombardischen Sage vorkommt. Paulus erzählt's und Aimoin, der in hier fast trocken aussieht, hat das poetische Gewicht eben dieses Zugs so gefühlt, daß er gerade ihn ausführlich abschreibt. Beweist aber nicht das merkwürdige, ungeahnte und durch die *Wahrheit* der Volkspoesie erfreuende Wiederfinden der kleinsten Züge für meinen alten Satz: daß man in den Volkssagen und Märchen von heute gar nichts zusetzen müsse? Die Lüge ist stets unrecht, selbst im Dichten, darum gibt's nur zweierlei Poesie: die alte, epische, deren Stoff unvertilglich im Glauben des Volkes herumzieht; sodann: wenn neue Dichter, was sie wahrhaft gelebt und gefühlt haben, aufschreiben. Die Erdichtung des Stoffes in Romanen und Liedern ist immer sündlich und führt zu nichts. Es tut mir leid, wenn ich z. B. an Clemens' Märchen denken muß, worin er aus den unschuldigen, einfachen, vorgefundenen Sätzen der Volkssage unerlaubte Progressionen und Potenzierungen ziehen wird, die noch so geistreich und gewandt sein mögen.

JACOB GRIMM AN WILHELM GRIMM AUS PARIS, 29. OKTOBER 1815

In den Haus-Märchen haben wir versucht, die noch jetzt dieser Art gangbaren Überlieferungen zu sammeln. Sie bezeichnen einmal ohne fremden Zusatz die ei-

Illustration zu »Hänsel und Gretel« von Ludwig Emil Grimm, erste Fassung, April 1824. Darunter eine siebenzeilige Korrekturanweisung Wilhelm Grimms: »Müßte viel phantastischer und märchenhafter seyn …«. Links neben der Federzeichnung eine Aufzählung der weiteren Illustrationsmotive

gentümliche poetische Ansicht und Gesinnung des Volks, da nur ein gefühltes Bedürfnis jedesmal zur ihrer Dichtung antrieb, sodann aber auch den Zusammenhang mit dem früheren, aus welchem deutlich wird, wie eine Zeit der andern die Hand gereicht, und manches Reine und Tüchtige, wie ein von einem guten Geist bei der Geburt gegebenes Geschenk, immer weiter überliefert und dem begabten Geschlecht erhalten worden. Wir haben sie aus beiden Gründen so rein als möglich aufgefaßt und nichts aus eignen Mitteln hinzugefügt, was sie abgerundet oder auch nur ausgeschmückt hätte; obgleich es unser Wunsch und Bestreben war, das Buch zugleich als ein an sich poetisches erfreulich und eindringlich zu erhalten.

WILHELM GRIMM AN JOHANN WOLFGANG VON GOETHE, 1. AUGUST 1816

Wir kamen endlich auf die Bibliothek, wo Wilhelm war und wo wir auch Jacob Grimm kennenlernten. Ich fand, daß er dem alten Sprickmann ähnlich sieht, und im Wesen hat er viel von Onkel Werner. Er gefiel mir gut, aber wie August denken konnte, er würde bei mir den Wilhelm ausstechen, das ist mir unbegreiflich. Wilhelm ging gleich mit uns zu Hause. Wir setzten uns ein und fuhren nach Wilhelmshöhe. August fuhr bis an das Grimmsche Haus mit. Unterwegs gab ich meine Schokolade her. Als wir näher beim Schlosse kamen, machte uns Grimm darauf aufmerksam, daß man hier keine Blumen pflücken dürfe. Zu meiner Freude war es schon über Mittagszeit und wir bekamen allein zu essen. Währenddem erzählte Grimm von der Art, wie er mit der Hendel-Schütz bekannt geworden. Er sprach davon, wie unrecht es sei, der äußeren Bildung wegen ein Vorurteil gegen Menschen zu fassen, und wie er sich immer bemühe, solchen Widerwillen zu besiegen. Nette aß viel, und er neckte sie damit … Grimm zeigte uns die Gegend, wo Bökendorf läge, und gab mir ein Brombeerblatt zum Andenken an die Löwenburg. Wir schrieben alle unsern Namen in ein Buch, und Grimm setzte sich davor und besah das Geschriebene. Von dem Springbrunnen holte er noch Blumen, die ich mit Caroline teilte; es war ihr aber gar

nicht recht, daß er ihr nicht auch welche gegeben hatte … Dann fuhren wir bergauf zum Herkules. In dem Wirtshaus trank Nette Milch, und es standen Blumen vor dem Fenster. Wir schickten den Wagen zurück nach dem ersten Hause, Papa blieb auf der steinernen Bank sitzen, als wir den Neptunsteich besehen hatten. Caroline, Nette, Wilhelm und ich stiegen höher und immer höher, und Nette lief ganz oben bis in die Keule. Ich schickte ihr den Mann nach, der uns alles zeigte; weil uns aber dünkte, es würde Grimm zu schwer werden, so stiegen wir nur 200 Treppen. Ich bat ihn, bei Caroline zu bleiben; ich wollte nur ein wenig höhersteigen, als er mir aber doch folgte. Da blieben wir etwas in der Neptunsgrotte und stiegen dann herab zu Caroline, wo wir Blumen pflückten und warteten, bis Nette zurückkam. Ich ließ von Grimm Blumen pflücken zu einem Kranze, den ich mit nach Bökendorf nehmen wollte. Als wir unten waren, wurde es schon dunkel …

Anderntags gingen wir in die Oper; Papa, August, Caroline, Nette und ich bekamen die Nachbarloge von Grimms; in der Grimmschen saßen Lotte, Karl, Ludwig Grimm, Hassenpflugs und noch ein paar andere, die ich nicht kannte … [Wilhelm] war recht fröhlich und sprach viel mit mir; er sagte: »Haben sich die Schauspieler nicht recht schön gemacht! Das ist alles Ihnen zu Ehren; das habe ich so bestellt.« Ich hatte früher starkes Kopfweh gehabt, aber es war nun ganz vergangen. Es war mir recht leid, als die Oper aus war. An der Tür versammelten wir uns. Wilhelm führte Nette und mich, ich glaube uns beide, doch mich gewiß, das weiß ich. Wir setzten uns noch bei Grimms hin an den runden Tisch; erst Papa auf dem Kanapee, dann Caroline, dann ich, Wilhelm, Jacob; Nette, August, Lotte, Ludwig gingen im Haus umher und plauderten und sangen mitunter. Jacob schenkte uns allen ein Bild, mir die »Märchenfrau«, Caroline »Kinderspiel in K. Hessen«, Netten den »Carlutschi« und die Mäuslein. Wilhelm war so lieb, daß ich einzig auf ihn achtete und nicht weiß, was die andern angefangen haben. Wilhelm sprach von 1813 und von dem Kreuze, wo wir damals Abschied genommen … Da schlug die bittere Abschiedsstunde; an der Treppe bot Wilhelm Caro-

line den Arm … Karl leuchtete uns; er rief: »Ich bilde mir ein, ich wäre der Page der Königin und leuchtete den Prinzessinnen.« Jacob führte Nette und mich, Wilhelm Caroline. Jacob sprach viel. Er fragte mich: »Nicht wahr, Sie sind recht gesund, Sie sind wohl noch nie krank gewesen?« Er sprach von den Sagen und Märchen und bat, wir möchten ihm doch die Hochzeitsgebräuche und dergleichen aufschreiben … Papa lud beide (Jacob und Wilhelm) ein und nahm sehr zärtlichen Abschied. Wilhelm küßte Nette die Hand; sie machte einen langen Schmier, und ich war ihr recht böse, daß sie ihm so viele Worte abzwang, da er doch wohl wußte, daß ihr diese Herzlichkeit nicht natürlich war und sie ihn nicht leiden konnte. Dann mir, wobei wir aber nichts sagten; ich hatte auch in dem Augenblick keine Gedanken und, wenn er etwas sagte, so habe ich es nicht verstehen können.

JENNY VON DROSTE-HÜLSHOFF ÜBER EINEN BESUCH IN KASSEL MIT IHREM VATER, IHRER SCHWESTER ANNETTE UND IHREN VERWANDTEN AUGUST UND CAROLINE VON HAXTHAUSEN. TAGEBUCHEINTRAGUNG, AUGUST 1818 [JOHANNA HENRIETTE ROSINE HENDEL-SCHÜTZ WAR EINE SCHAUSPIELERIN, VON DER EINE VERSION VON »DER WOLF UND DIE SIEBEN JUNGEN GEISSLEIN« STAMMT]

Meine Libe-Herren-Wohldäter Herr Jacob und Hr. Wilhelm. – Ich denke däglich an Ihnen, Morgen, und abents. Wenn ich mich aus- und annzihe: aber die aldages Beinkleider sein zerrißen: Ich armer Tropf ich bin diesen ganzen Winter krank gewesen, und noch immer, schwach. Haben sie die Gewogenheit, Meine Hr. Biblicats, wenn Einer von Ihnen Ein paar Bein Kleider abgelecht hat, und begaben sie mich Noch eins mahl, Ich werte Ihnen meinen unterthänichen Danck dagegen abstatten. Wäre es möglich daß es meine schwachheit Kräfte zu gäben, so wolde ich daß Caßell doch noch Ein mahl gerne sähen; Vergangenen Herpst, wahr ich zuletzt nach Caßell und wolde die Hr. in Ihrem Neuen Logies besuchen, aber es wahr niemand zu hause. Eine sehr freundliche Frau, dieselbe kaam die Treppe herrunder, bey derselbe, habe ich Meine Entpfälung ann meine Hr. hinterlaßen, übrigens, Wünsche ich Ihnen Gottes Segen, und verbleibe Därer Hr. unterdänicher! – F. Krause, Hoff am 26te julii 1823.

DRAGONERWACHTMEISTER FRIEDRICH KRAUSE AN DIE BRÜDER GRIMM, DIE MIT IHM IHRE ABGELEGTE KLEIDUNG GEGEN MÄRCHEN TAUSCHTEN, 26.JULI 1823

Aber das schöne, freundliche Verhältnis, das zwischen uns besteht, möcht ich ja nicht aufgeben, sondern will es immer zu erhalten suchen, so viel von mir abhängt. Mit Ihren Brüdern sind wir zuerst bekannt geworden; die haben aber, nach und nach, an dem, was uns zusammenbrachte, die rechte Lust verloren und sich anderen Neigungen hingegeben; Sie aber halten Farbe und freuen sich noch wie immer an Märchen, Liedern und Sprüchen und teilen uns mit, was Ihnen zukommt, weil Sie wissen, daß wir's noch ebenso gern wie sonst haben und ordentlich brauchen können.

JACOB GRIMM AN LUDOWINE UND ANNA VON HAXTHAUSEN, 23.MÄRZ 1824

Ich danke Ihnen für die beiden Briefe und für die freundschaftliche wohlwollende Gesinnung, die daraus spricht, ich habe sie von Herzen gefühlt und erkannt, und könnte das vielleicht noch besser und schöner ausdrücken, aber warum sollten Sie die Wahrheit davon nicht in den wenigen Worten empfinden. Es ist nun schon lange, seit ich Sie zuerst gesehen habe, und viele Jahre sind jedesmal verflossen, ehe wir uns Ihrer Gegenwart wieder erfreuten, und doch ist mir's jedesmal gleich vertraulich in Ihrer Nähe vorgekommen, darum stelle ich mir auch nicht vor, daß Sie uns vergessen würden oder Ihr Andenken an uns in der Zeit verblassen könnte.

WILHELM GRIMM AN JENNY VON DROSTE-HÜLSHOFF, JANUAR 1825

Ich habe Ihnen ja schon früher erzählt, wie wir sämtlichen Kusinen haxthausischer Branche durch die bittere Not gezwungen wurden, uns um den Beifall der Löwen zu bemühn, die die Onkels von Zeit zu Zeit mitbrachten, um ihr Urteil danach zu regulieren; wo wir dann nachher einen Himmel oder eine Hölle im Hause hatten, nachdem diese uns hoch- oder niedriggestellt. Glauben Sie mir, wir

Titelblatt zu »Hänsel und Gretel« von Franz Graf Pocci, München 1839

waren arme Tiere, die ums liebe Leben kämpften, und namentlich Wilhelm Grimm hat mir durch sein Mißfallen jahrelang den bittersten Hohn und jede Art von Zurücksetzung bereitet, so daß ich mir tausendmal den Tod gewünscht habe. Ich war damals sehr jung, sehr trotzig und sehr unglücklich, und tat, was ich konnte, um mich durchzuschlagen. Das sind (den nächsten Zeitpunkt angenommen) 25 Jahre hin.

ANNETTE VON DROSTE-HÜLSHOFF AN IHRE FREUNDIN ELISE RÜDIGER, 2.JANUAR 1844

Vorstudie Ludwig Emil Grimms für eine Illustration zu »Brüderchen und Schwesterchen«: »Ursula Weis vom Brunnenhaus bei Grünewald. gez. den 12t Aug. 1817 an der Isar ad. vivum«

Sie haben wohl von dem Märchengroschen gelesen, den uns ein kleines Mädchen brachte; die Geschichte hat die Runde in den Zeitungen gemacht. Man glaubt, sie sei erfunden, sie ist aber wahr. Es war ein feines Kind mit schönen Augen. Es war erst bei dem Jacob, dann brachte es Dortchen zu mir. Es hatte das Märchenbuch unter dem Arm und fragte: »Darf ich Ihnen etwas vorlesen?« und las dann das Märchen, an dessen Schluß steht: »Wer's nicht glaubt, bezahlt einen Taler«, gut und mit natürlichem Ausdruck. »Da ich es nun nicht glaube, so muß ich Ihnen einen Taler bezahlen, ich erhalte aber nicht viel Taschengeld und kann es nicht auf einmal abtragen.« Es holte aus seinem Rosageldtäschchen einen Groschen und reichte mir ihn. Ich sagte, »Ich will dir den Groschen wiederschenken.« »Nein«, antwortete es; »die Mama sagt, Geld dürfe man nicht geschenkt nehmen.« Dann nahm es artig den Abschied.

WILHELM GRIMM AN ANNA VON ARNSWALDT, 2. MÄRZ 1859

Anfangs glaubten wir auch hier schon vieles zugrund gegangen und nur die Märchen noch allein übrig, die uns etwa selbst bewußt, und die nur abweichend, wie es immer geschieht, von andern erzählt würden. Aber aufmerksam auf alles, was von der Poesie wirklich noch da ist, wollten wir auch dieses Abweichende kennen, und da zeigte sich dennoch manches Neue und, ohne eben imstand zu sein, sehr weit herumzufragen, wuchs unsere Sammlung von Jahr zu Jahr, daß sie uns jetzt, nachdem etwa sechse verflossen, reich erscheint; dabei begreifen wir, daß uns noch manches fehlen mag, doch freut uns auch der Gedanke, das meiste und beste zu besitzen. Alles ist mit wenigen bemerkten Ausnahmen fast nur in Hessen und den Main- und Kinziggegenden in der Grafschaft Hanau, wo wir her sind, nach mündlicher Überlieferung gesammelt; darum knüpft sich uns an jedes einzelne noch eine angenehme Erinnerung. Wenige Bücher sind mit solcher Lust entstanden, und wir sagen gern hier noch einmal öffentlich allen Dank, die teil daran haben.

Es war vielleicht gerade Zeit, diese Märchen festzuhalten, da diejenigen, die sie bewahren sollen, immer seltner werden (freilich, die sie noch wissen, wissen auch recht viel, weil die Menschen ihnen absterben, sie nicht den Menschen), denn die Sitte darin nimmt selber immer mehr ab, wie alle heimlichen Plätze in Wohnungen und Gärten einer leeren Prächtigkeit weichen, die dem Lächeln gleicht, womit man von ihnen spricht, welches vornehm aussieht und doch so wenig kostet … Innerlich geht durch diese Dichtungen dieselbe Reinheit, um derentwillen uns Kinder so wunderbar und selig erscheinen …

Der ganze Umkreis dieser Welt ist bestimmt abgeschlossen: Könige, Prinzen, treue Diener und ehrliche Handwerker, vor allem Fischer, Müller, Köhler und Hirten, die der Natur am nächsten geblieben, erscheinen darin; das andere ist ihr fremd und unbekannt. Auch, wie in den Mythen, die von der goldenen Zeit reden, ist die ganze Natur belebt, Sonne, Mond und Sterne sind zugänglich, geben Geschenke oder lassen sich wohl gar in Kleider weben, in den Bergen arbeiten die Zwerge nach dem Metall, in dem Wasser schlafen die Nixen, die Vögel (Tauben sind die geliebtesten und hilfreichsten), Pflanzen, Steine reden und wissen ihr Mitgefühl auszudrücken, das Blut selber ruft und spricht und so übt diese Poesie schon Rechte, wonach die spätere nur in Gleichnissen strebt. Diese unschuldige Vertraulichkeit des Größten und Kleinsten hat eine unbeschreibliche Lieblichkeit in sich, und wir möchten lieber dem Gespräch der Sterne mit einem armen verlassenen Kind im Wald, als dem Klang der Sphären zuhören …

Vieles trägt auch eine eigene Bedeutung in sich … So ist eine Viertelstunde täglich über der Macht des Zaubers, wo die menschliche Gestalt frei hervortritt, als könne uns keine Gewalt ganz einhüllen und es gewähre jeder Tag Minuten, wo der Mensch alles Falsche abschüttele und aus sich selbst herausblicke; dagegen aber wird der Zauber auch nicht ganz gelöst, und ein Schwanenflügel bleibt statt des Arms, und weil eine Träne gefallen, ist ein Auge mit ihr verloren, oder die weltliche Klugheit wird gedemütigt und der Dummling, von allen verlacht und hintangesetzt, aber reines Herzens, gewinnt allein das Glück. In diesen Eigenschaften aber ist es gegründet, wenn sich so leicht

Titelblatt der Kleinen Ausgabe von 1833

aus diesen Märchen eine gute Lehre, eine Anwendung für die Gegenwart ergibt; es war weder ihr Zweck, noch sind sie darum erfunden, aber es erwächst daraus wie eine gute Frucht aus einer gesunden Blüte, ohne Zutun der Menschen. Darin bewährt sich jede echte Poesie, daß sie niemals ohne Beziehung auf das Leben sein kann, denn sie ist aus ihm aufgestiegen und kehrt zu ihm zurück, wie die Wolken zu ihrer Geburtsstätte, nachdem sie die Erde getränkt haben.

Hei! wie singt's und pfeift's im Walde von allen Bäumen herab, wo die Böglein auf den Zweigen sitzen. Eines aber von ihnen singt und pfeift nicht. Dies ist ein Kind, das auf einer Buche oben im Geäste liegt. Die Sache ist nämlich so: Im Walde schlief ein Weib mit ihrem Büblein. Da kam ein großer Geier geflogen, nahm den kleinen Knaben beim Hemdlein, hob ihn empor und legte ihn hoch auf den Baum. Also fand ihn — da die arme Mutter verzweifelnd ihr Kind zu suchen fort-

Fundevogel.

gelaufen war — ein Waidmann, der im Forst seines Weges kam. Der holt' ihn vom Baum herab, trug ihn heim zu seinem Lenchen, das beiläufig gleichen Alters war und nannte ihn „Fundevogel", weil er ihn unter den Böglein im Walde gefunden. Die Kinder wuchsen zusammen auf und hatten sich herzinnig lieb, als seien sie wirklich Brüderlein und Schwesterlein. Die alte Sanne, des Jägers Haushälterin — denn sein Weib war ihm früh gestorben — war aber dem Fundevogel gram und dachte sich:

ich hab' an dem Lenchen Schaffens genug; den Buben will ich im Fleischkessel sieden. Da holt sie denn eines Abends das Wasser am Brunnen und spricht dabei vor sich hin: „Grad genug für den Fundevogel." Des Jägers alter Uhu hört's und brummt: „Das gibt ein Fressen für mich." Der Brunnen aber rauscht: „Schade, daß ich für das liebe Büblein mein klar Wasser hergeben muß." Die Kinder schauen zum Fenster heraus und denken sich: die Geschichte mit der Sanne ist nicht sauber; wir laufen davon. So geschah's. Da schickt ihnen die böse Sanne die drei Knechte nach. Als die Kinder sie kommen sahen, sagten sie sich: „Hast du mich lieb, hab' ich dich lieb, wir bleiben beisammen."

Da wurden sie verwandelt in ein Rosenbäumlein und ein Röslein drauf. Die Knechte fanden's so, kehrten um und sagten's der Sanne. „Fort, fort", sprach die, „ihr findet sie schon wieder." Als aber die Knechte wieder den Kindern nachliefen, sagten diese sich: „Hast du mich lieb, hab' ich dich lieb, wir bleiben beisammen." Da wurden sie verwandelt in ein Kapellchen und ein schön gülden Krönlein drinnen. Dies berichteten die Knechte abermals der bösen Sanne. Die sagte: „Ihr Esel, bleibt zu Hause,

ich laufe den Kindern selber nach." Lenchen aber ward zu einem Weiher und Fundevogel zu einem Entchen drauf. „Hab ich euch?" rief die alte Sanne voll Zorn und schaute in den Weiher hinein, um nach der Ente zu greifen, bekam aber das Übergewicht und stürzte in das Wasser, wobei der Wasservogel sie mit dem Schnabel hinabstieß, damit sie sicherlich ersaufen möge. So war's auch. Die Bosheit fand ihren Lohn. Die lieben Kinder aber kehrten heim, worüber der Jäger eine gewaltige Freude hatte und sie hatten sich lieb wie immer, und als Lenchens Vater gestorben war, heirateten sie sich und wenn sie nicht gestorben sind, leben sie noch.

Illustrationen zu »Fundevogel« von Franz Graf Pocci. Münchener Bilderbogen Nr. 204

So erscheint uns das Wesen dieser Dichtungen; in ihrer äußeren Natur gleichen sie aller volks- und sagenmäßigen; nirgends feststehend, in jeder Gegend, fast in jedem Munde sich umwandelnd, bewahren sie treu denselben Grund. Indessen unterscheiden sie sich sehr bestimmt von den eigentlich *lokalen Volkssagen,* die an leibhafte Örter oder Helden der Geschichte gebunden sind, deren wir hier keine aufgenommen, wiewohl viele gesammelt haben, und die wir ein andermal herauszugeben denken.

WILHELM GRIMM, AUS DER VORREDE ZUM ERSTEN BAND DER »KINDER- UND HAUSMÄRCHEN« (1812)

Kindermärchen werden erzählt, damit in ihrem reinen und milden Lichte die ersten Gedanken und Kräfte des Herzens aufwachen und wachsen; weil aber einen jeden ihre einfache Poesie erfreuen und ihre Wahrheit belehren kann, und weil sie beim Haus bleiben und forterben, werden sie auch Hausmärchen genannt.

… Nicht zu verkennen ist ein gewisser Humor, der durch viele hingeht, wenn er sich manchmal auch nur leise äußert, und den man mit der eingelegten Ironie moderner Erzähler nicht verwechseln muß. In einigen wird er besonders und anmutig ausgebildet, wie in der klugen Else, dem Schneider im Himmel und dem Jungen, der auszog, das Fürchten zu lernen, und der durch nichts Schreckhaftes, zuletzt aber durch ein natürliches Mittel zur Erkenntnis gelangt. Das ungeschlachte Wesen des jungen Riesen erhält eben so durch seinen Humor ein Gleichgewicht, als Siegfried in den Nibelungen durch seine Scherze das strenge Heldenwesen mildert. Der phantastische Igel-Hans erhebt sich dagegen durch den Humor aus dem Wilden und Tierischen, und der Bruder Lustig aus seiner Sünde. Dieser Zug ist eigentümlich deutsch und wird sich auf diese Weise in den Märchen anderer Völker nicht leicht wiederfinden.

So könnte man von dem Wesen der Märchen reden, wenn man sie bloß als etwas in der Gegenwart einmal Vorhandenes betrachten wollte. Fragt man aber nach ihrer Herkunft, so weiß niemand von einem Dichter und Erfinder derselben; sie erscheinen aller Orten als *Überlieferungen,*

Illustration zu »Die Gänsemagd« von Arthur Rackham (1914)

und als solche in mehr als einer Hinsicht merkwürdig. Erstlich ist es unwidersprechlich, daß sie schon seit Jahrhunderten auf diese Weise unter uns fortgelebt, zwar mannigfach im Äußern sich umwandelnd, aber doch bei ihrem eigentlichen Inhalte beharrend. Wollte man annehmen, daß sie von irgendeinem Punkt in Deutschland anfänglich ausgegangen wären, so steht ihre Verbreitung durch so viele ganz voneinander getrennte Gegenden und Landschaften und die fast jedesmal eigentümliche und unabhängige Bildung entgegen; sie müßten an jedem Orte wieder neu umgedichtet worden sein. Eben darum ist auch eine Mitteilung durch Schrift, die ohnehin bei dem Volk kaum vorkommt, nicht denkbar. Aber nicht bloß in den verschiedensten Gegenden, wo Deutsch gesprochen wird, sondern auch bei den stammverwandten

Nordländern und Engländern finden wir sie wieder; noch weiter bei den welschen und selbst bei den slavischen Völkern in verschiedenen, nähern und entferntern Graden der Verwandtschaft. Besonders auffallend ist die Übereinstimmung mit den serbischen Märchen, denn es wird wohl niemand darauf verfallen, daß die Erzählungen in einem einsamen hessischen Dorfe durch Serbier könnten dahin verpflanzt sein, so wenig als auf das Gegenteil. Endlich finden sich sowohl in einzelnen Zügen und Wendungen als im Zusammenhang des Ganzen Übereinstimmungen mit morgenländischen, persischen und indischen Märchen. Die Verwandtschaft also, welche in der Sprache aller dieser Völker durchbricht und welche noch neuerdings Rask scharfsinnig bewiesen hat, offenbart sich gerade so in ihrer überlieferten Poesie, welche ja auch

Eine arme Wittwe hatte außer einem sanftmüthigen Töchterlein noch sieben wilde Buben, die immer guten Appetit hatten und die sie doch kaum satt zu machen wußte.

Den ganzen Tag balgten sie sich im Hause und auf der Straße herum, neckten und ärgerten die Nachbarsleute und verursachten der armen Mutter unsäglichen Aerger.

Diese gerieth eines Tages über die losen Buben in solchen Zorn, daß sie unbedacht den Wunsch aussprach, sie möchten sich in Raben verwandeln, was zu ihrem Schreck auch geschah.

Als nun die in sieben Raben verwandelten Knaben davon geflogen waren, gereute der Mutter ihr Wunsch und sie fing an bitterlich zu weinen und sich heftig anzuklagen.

Da der Schmerz der Mutter mit jedem Tage größer wurde, so erbot sich ihr Töchterchen, nach den Brüdern auszuziehen, um dieselben womöglich zu finden und zurückzubringen.

Das Mädchen wanderte lange Zeit vergeblich umher, bis sie an einen steilen Burgberg gelangte, um dessen Gipfel sieben Raben — sie hoffte ihre Brüder — herumflogen.

Ihr Wunsch, den steilen Berg zu erklimmen, erwies sich als unausführbar, bis ihr eine Gans half, die sich erbot, ihr ihre Flügel zu überlassen, welche sie dem Thiere abnahm.

Nun ging es wie im Fluge die steile Höhe hinauf, die von einem mächtigen Thurme, scheinbar dem Wohnsitze der Raben, die ausgeflogen waren, beherrscht wurde.

Das Mädchen flog, oben angekommen, durch ein Fenster in's Thurmzimmer und fand darin sieben Fenstern mit sieben Leiter, sieben Tische und Stühle und eben so viele Betten.

Da sie müde war, so legte sie sich auf eins der Betten nieder und schlief ein. So fanden sie die sieben Raben bei ihrer Heimkehr und erkannten in ihr ihre liebe Schwester.

Sie weckten dieselbe sogleich auf, gaben sich ihr zu erkennen, und ließen sich von ihrer guten Mutter und von ihr selbst erzählen, wobei sie vor Freude Thränen vergossen.

Hierauf führten sie die Schwester zu einem großen Haufen von Gold und Edelsteinen, die sie nach rechter Rabenart geraubt hatten und sagten, daß Alles nun ihr Eigenthum sei.

Sie mußte die Schätze in sechs Säckchen thun, welche sechs Raben in ihre Schnäbel nahmen, sie selbst setzte sich auf den siebenten, und nun gings im Fluge der Heimat zu.

Wer schildert den freudigen Schrecken der Mutter, als sie ihre Kinder wiedersah? — Als sie die Raben küßte, löste sich der böse Fluch, und alle erhielten ihre rechte Gestalt wieder.

Da fielen sich Alle nochmals der Reihe nach in die Arme, herzten und küßten sich, und die Knaben versprachen recht ordentliche und tüchtige Männer werden zu wollen.

Sie hielten ihr Versprechen treu und gewissenhaft und wurden der Stolz ihrer Mutter, die sie in ihrem Alter pflegten, wofür sie von allen Leuten gerühmt und geachtet wurden.

Neu-Ruppiner Bilderbogen »Die sieben Raben«. Um 1880

nur eine höhere und freiere Sprache des Menschen ist. Nicht anders als dort deutet dieses Verhältnis auf eine den Trennungen der Völker vorangegangene gemeinsame Zeit; sucht man aber nach diesem Ursprunge hin, so weicht er immer wieder in die Ferne zurück und bleibt wie etwas Unerforschliches und darum Geheimnisreiches in der Dunkelheit zurück.

… Beweise für die obigen Sätze sind vielfach in den Anmerkungen, in welchen wir überhaupt, was darauf Bezug hat, so gut wir konnten, zusammengestellt, enthalten, und es wird darnach niemand mehr die Behauptung auffallen, daß hier alte, verloren geglaubte, in dieser Gestalt aber noch fortdauernde deutsche Mythen anzuerkennen sind. Wem die Natur der Mythen nicht fremd ist, der weiß, daß sie bei allen Völkern so häufig als Märchen dargestellt wurden, oft nach dem Geist gewisser Zeitalter nicht anders erfaßt werden konnten.

<small>WILHELM GRIMM, »ÜBER DAS WESEN DER MÄRCHEN« (1819)</small>

Was die Weise betrifft, in der wir hier gesammelt haben, so ist es uns zuerst auf Treue und Wahrheit angekommen. Wir haben nämlich aus eigenen Mitteln nichts hinzugesetzt, keinen Umstand und Zug der Sage selbst verschönert, sondern ihren Inhalt so wiedergegeben, wie wir ihn empfangen hatten; daß der Ausdruck und die Ausführung des einzelnen großenteils von uns herrührt, versteht sich von selbst, doch haben wir jede Eigentümlichkeit, die wir bemerkten, zu erhalten gesucht, um auch in dieser Hinsicht der Sammlung die Mannigfaltigkeit der Natur zu lassen. Jeder, der sich mit ähnlicher Arbeit befaßt, wird es übrigens begreifen, daß dies kein sorgloses und unachtsames Auffassen kann genannt werden, im Gegenteil ist Aufmerksamkeit und ein Takt nötig, der sich erst mit der Zeit erwirbt, um das Einfachere, Reinere und doch in sich Vollkommenere von dem Verfälschten zu unterscheiden. Verschiedene Erzählungen haben wir, sobald sie sich ergänzten und zu ihrer Vereinigung keine Widersprüche wegzuschneiden waren, als eine mitgeteilt, wenn sie aber abwichen, wo dann jede gewöhnliche ihre eigentümlichen Züge hatte, der besten den Vorzug gege-

Umschlag zu einer in London und New York erschienenen Übersetzung der »Kinder- und Hausmärchen«. Illustrationen von Ada Dennis, Stuart Hardy u. a. (1898)

ben und die andern für die Anmerkungen aufbewahrt. Diese Abweichungen nämlich erschienen uns merkwürdiger als denen, welche darin bloß Abänderungen und Entstellungen eines einmal dagewesenen Urbildes sehen, da es im Gegenteil vielleicht nur Versuche sind, einem im Geist bloß vorhandenen, unerschöpflichen auf mannigfachen Wegen sich zu nähern.

<small>WILHELM GRIMM, AUS DER VORREDE ZUR ZWEITEN, VERMEHRTEN UND VERBESSERTEN AUFLAGE DER »KINDER- UND HAUSMÄRCHEN«, 1819.</small>

Die jüngste Tochter des Königs ging hinaus in den Wald und setzte sich an einen kühlen Brunnen. Darauf nahm sie eine goldene Kugel und spielte damit, als diese plötzlich in einen Brunnen hinabrollte...

»DIE KÖNIGSTOCHTER UND DER VERZAUBERTE PRINZ. FROSCHKÖNIG«. PASSAGE AUS DER ›ÖLENBERGER‹ URHANDSCHRIFT, DIE DIE BRÜDER GRIMM IM OKTOBER 1810 AN CLEMENS BRENTANO SCHICKTEN.

Illustration zu »Der Froschkönig« von Otto Speckter, dat. 1856. Detail aus Münchener Bilderbogen Nr. 193

In den alten Zeiten, wo das Wünschen noch geholfen hat, lebte ein König, dessen Töchter waren alle schön, aber die jüngste war so schön, daß die Sonne selber, die doch so vieles gesehen hat, sich verwunderte, sooft sie ihr ins Gesicht schien. Nahe bei dem Schlosse des Königs lag ein großer dunkler Wald, und in dem Walde unter einer alten Linde war ein Brunnen; wenn nun der Tag recht heiß war, so ging das Königskind hinaus in den Wald und setzte sich an den Rand des kühlen Brunnens; und wenn sie Langeweile hatte, so nahm sie eine goldene Kugel, warf sie in die Höhe und fing sie wieder; und das war ihr liebstes Spielwerk.

Nun trug es sich einmal zu, daß die goldene Kugel der Königstochter nicht in ihr Händchen fiel, das sie in die Höhe gehalten hatte, sondern vorbei auf die Erde schlug und geradezu ins Wasser hineinrollte...

DIE ENTSPRECHENDE PASSAGE IN DER AUSGABE DER »KINDER- UND HAUSMÄRCHEN« VON 1857 (AUSGABE LETZTER HAND): »DER FROSCHKÖNIG UND DER EISERNE HEINRICH«

Rapunzel erschrak nun anfangs, bald aber gefiel ihr der junge König so gut, daß sie mit ihm verabredete, er solle alle Tage kommen und hinaufgezogen werden. So lebten sie lustig und in Freuden eine geraume Zeit, und die Fee kam nicht dahinter, bis eines Tages das Rapunzel anfing und zu ihr sagte: »Sag Sie mir doch, Frau Gothel, meine Kleiderchen werden mir so eng und wollen nicht mehr passen.« »Ach du gottloses Kind«, sprach die Fee...

»RAPUNZEL«, PASSAGE AUS DEN »KINDER- UND HAUSMÄRCHEN« IN DER FASSUNG DER ERSTAUSGABE VON 1812

Anfangs erschrak Rapunzel gewaltig, als ein Mann zu ihr hereinkam, wie ihre Augen noch nie einen erblickt hatten, doch der Königssohn fing an, ganz freundlich mit ihr zu reden, und erzählte ihr, daß von ihrem Gesang sein Herz so sehr sei bewegt worden, daß es ihm keine Ruhe gelassen und er sie selbst habe sehen müssen. Da verlor Rapunzel ihre Angst, und als er sie fragte, ob sie ihn zum Manne nehmen wollte, und sie sah, daß er jung und schön war, so dachte sie: »Der wird mich lieber haben als die alte Frau Gotel«, und sagte ja und legte ihre Hand in seine Hand. Sie sprach: »Ich will gerne mit dir gehen, aber ich weiß nicht, wie ich herabkommen kann. Wenn du kommst, so bring jedesmal einen Strang Seide mit, daraus will ich eine Leiter flechten, und wenn die fertig ist, so steige ich herunter, und du nimmst mich auf dein Pferd.« Sie verabredeten, daß er bis dahin alle Abend zu ihr kommen sollte, denn bei Tag kam die Alte.

Die Zauberin merkte auch nichts davon, bis einmal Rapunzel anfing und zu ihr sagte: »Sag Sie mir doch, Frau Gotel, wie kommt es nur, Sie wird mir viel schwerer heraufzuziehen als der junge Königssohn, der ist in einem Augenblick bei mir.« »Ach du gottloses Kind«, rief die Zauberin...

»RAPUNZEL«, ENTSPRECHENDE PASSAGE IN DER FASSUNG DER AUSGABE VON 1819 UND FF. (NACH DER KRITIK VON ALBERT LUDEWIG GRIMM, DER DIE STELLE ALS SEXUELL ANSTÖSSIG EMPFUNDEN HATTE)

*»Rapunzel«. Münchener Bilderbogen mit Holzstichen nach Zeichnungen
von Otto Speckter, 1857*

... Da stach sie sich in die Spindel u. fiel alsbald in einen tiefen Schlaf. Da auch in dem Augenblick der König u. der Hofstaat zurückgekommen war, so fing alles alles im Schloß an zu schlafen, bis auf die Fliegen an den Wänden. Und um das ganze Schloß zog sich eine Dornhecke, daß man nichts davon sah.

Nach langer langer Zeit kam ein Königssohn in das Land ...

JACOB GRIMM, AUS DER ERSTEN HANDSCHRIFTLICHEN AUFZEICHNUNG VON »DORNRÖSCHEN«

Kaum aber hatte sie die Spindel angerührt, so stach sie sich damit, und alsbald fiel sie nieder in einen tiefen Schlaf. In dem Augenblick kam der König mit dem ganzen Hofstaat zurück, und da fing alles an einzuschlafen, die Pferde in den Ställen, die Tauben auf dem Dach, die Hunde im Hof, die Fliegen an den Wänden, ja das Feuer, das auf dem Herde flackerte, ward still und schlief ein, und der Braten hörte auf zu brutzeln, und der Koch ließ den Küchenjungen los, den er an den Haaren ziehen wollte, und die Magd ließ das Huhn fallen, das sie rupfte, und schlief, und um das ganze Schloß zog sich eine Dornhecke hoch und immer höher, so daß man gar nichts mehr davon sah.

Prinzen, die von dem schönen Dornröschen gehört hatten, kamen und wollten es befreien, aber sie konnten durch die Hecke nicht hindurch dringen, es war, als hielten sich die Dornen fest wie an Händen zusammen, und sie blieben darin hängen und kamen jämmerlich um.

»DORNRÖSCHEN«, ENTSPRECHENDE PASSAGE IN DER VON WILHELM GRIMM BEARBEITETEN DRUCKFASSUNG VON 1812

Kaum hatte sie aber die Spindel angerührt, so ging der Zauberspruch in Erfüllung, und sie stach sich damit in den Finger.

In dem Augenblick aber, wo sie den Stich empfand, fiel sie auf das Bett nieder, das da stand, und lag in einem tiefen Schlaf. Und dieser Schlaf verbreitete sich über das ganze Schloß: der König und die Königin, die eben heimgekommen waren und in den Saal getreten waren, fingen an einzuschlafen, und der ganze Hofstaat mit ihnen. Da schliefen auch die Pferde im Stall, die Hunde im Hofe, die Tauben auf dem Dache, die Fliegen an der Wand, ja, das Feuer, das auf dem Herde flackerte, ward still und schlief ein, und der Braten hörte auf zu brutzeln, und der Koch, der den Küchenjungen, weil er etwas versehen hatte, in den Haaren ziehen wollte, ließ ihn los und schlief. Und der Wind legte sich, und auf den Bäumen vor dem Schloß regte sich kein Blättchen mehr.

Rings um das Schloß aber begann eine Dornenhecke zu wachsen, die jedes Jahr höher ward und endlich das ganze Schloß umzog und darüber hinaus wuchs, daß gar nichts mehr davon zu sehen war, selbst nicht die Fahne auf dem Dach. Es ging aber die Sage in dem Land von dem schönen schlafenden Dornröschen, denn so ward die Königstochter genannt, also daß von Zeit zu Zeit Königssöhne kamen und durch die Hecke in das Schloß dringen wollten. Es war ihnen aber nicht möglich, denn die Dornen, als hätten sie Hände, hielten fest zusammen, und die Jünglinge blieben darin hängen, konnten sich nicht wieder losmachen und starben eines jämmerlichen Todes.

»DORNRÖSCHEN«, ENTSPRECHENDE PASSAGE IN DER AUSGABE DER »KINDER UND HAUSMÄRCHEN« VON 1857

»Dornröschen«, gezeichnet von Wilhelm Simmler. Deutscher Bilderbogen, um 1870

DER WOLF.

Es war einmal eine Geis, die hatte 7 junge Geiserchen, u. als sie ausgehen mußte, befahl sie denselben, sich ja vor dem Wolf in acht zu nehmen und ihn nicht ins Haus zu lassen.

Bald kam der Wolf vors Häuschen u. sprach ...

JACOB GRIMM, HANDSCHRIFTLICHE URFASSUNG ZU »DER WOLF UND DIE SIEBEN JUNGEN GEISSLEIN«, ›ÖLENBERGER‹ HANDSCHRIFT VON 1810

DER WOLF UND DIE SIEBEN JUNGEN GEISLEIN.

Eine Geis hatte sieben Junge, die sie gar lieb hatte und sorgfältig vor dem Wolf hütete. Eines Tags, als sie ausgehen mußte, Futter zu holen, rief sie alle zusammen und sagte: »liebe Kinder, ich muß ausgehen und Futter holen, wahrt euch vor dem Wolf und laßt ihn nicht herein, gebt auch acht, denn er verstellt sich oft, aber an seiner rauhen Stimme und an seinen schwarzen Pfoten könnt ihr ihn erkennen; hütet euch, wenn er erst einmal im Haus ist, so frißt er euch alle mit[einander] *Haut und Haar.*« Darauf ging sie fort, [bald aber] *und nicht lang, so* kam der Wolf vor die Haustüre und rief ...

»DER WOLF UND DIE SIEBEN JUNGEN GEISSLEIN« IN DER VON WILHELM GRIMM BEARBEITETEN DRUCKFASSUNG VON 1812 [HANDSCHRIFTLICHE ANMERKUNGEN KURSIV]

DER WOLF UND DIE SIEBEN JUNGEN GEISSLEIN

Es war einmal eine alte Geiß, die hatte sieben junge Geißlein und hatte sie lieb, wie eine Mutter ihre Kinder liebhat. Eines Tages wollte sie in den Wald gehen und Futter holen, da rief sie alle sieben herbei und sprach: »Liebe Kinder, ich will hinaus in den Wald, seid auf eurer Hut vor dem Wolf, wenn er hereinkommt, so frißt er euch alle mit Haut und Haar. Der Bösewicht verstellt sich oft, aber an seiner rauhen Stimme und an seinen schwarzen Füßen werdet ihr ihn gleich erkennen.« Die Geißlein sagten: »Liebe Mutter, wir wollen uns schon in acht nehmen, Ihr könnt ohne Sorge fortgehen.« Da meckerte die Alte und machte sich getrost auf den Weg.

Es dauerte nicht lange, so klopfte jemand an die Haustür und rief ...

»DER WOLF UND DIE SIEBEN JUNGEN GEISSLEIN.« FASSUNG IN DER AUSGABE LETZTER HAND VON 1857

Es ist einmal eine alte Geiß gewesen, die hatte sieben junge Zicklein, und wie sie einmal fort in den Wald wollte, hat sie gesagt: »Ihr lieben Zicklein, nehmt euch in acht vor dem Wolf und laßt ihn nicht herein, sonst seid ihr alle verloren.« Darnach ist sie fortgegangen.

In einer Weile rappelt was wieder an der Haustüre und ruft: »Macht auf, macht auf, liebe Kinder! Euer Mütterlein ist aus dem Wald gekommen!« Aber die sieben Geißlein erkannten's gleich an der groben Stimme, daß das ihr Mütterlein nicht war, und haben gerufen: »Unser Mütterlein hat keine so grobe Stimme!« Und haben nicht aufgemacht.

LUDWIG BECHSTEIN, »DIE SIEBEN GEISSLEIN« (DEUTSCHES MÄRCHENBUCH. AUSGABE LETZTER HAND 1857)

ZUM WOLF UND DEN GEISERCHEN. NO. 5. muß auch, wenigstens sonst, in Frankreich sein bekannt gewesen. Lafontaine hat offenbar die 15te Fabel seines 4ten Buchs daraus gemacht, allein wie mager erzählt er sie; vielleicht hatte er auch bloß die frühere Bearbeitung Corrozets (le loup, la chevre et le chevreau) vor sich, wo sich gleichfalls die junge Ziege hütet und den Wolf gar nicht einläßt. Die Fabel ist aber viel älter, und steht u. a. bei Boner XXXIII., wo jedoch der Umstand mit der weißen Pfote, dessen schon Lafontaine nebenbei gedenkt, fehlt. Dagegen erinnern wir uns eines Bruchstückes aus dem vollständigen französischen Kindermärchen. Der Wolf geht zum Müller, reicht ihm die graue Pfote hin und spricht:

»meunier, meunier trempe moi ma patte dans ta farine blanche!«

non non, non non! – »alors je te mange!«

Da tut es der Müller aus Furcht. – Auch Psamathe, die Nereide, sandte den Wolf auf Peleus' und Telamons Herden, der Wolf fraß sie insgesamt und wurde dann versteinert, wie ihm hier Steine eingenäht werden. Doch liegt die Sage vom versteinerten Wolf tiefer, als sie hier ausgeführt werden kann.

In Pommern ist er der Geist, der die Kinder schreckt, er fällt von den Steinen, die er verschluckt, nieder, und das eine Kind, das er gefressen, springt wieder lebendig aus ihm heraus.

Hendel Schütz.

ANMERKUNG IM HANDEXEMPLAR DER BRÜDER GRIMM: »KINDER- UND HAUS- MÄRCHEN« (ERSTAUSGABE VON 1812)

Aus der Maingegend. In Pommern soll es von einem Kinde erzählt werden, das, als seine Mutter fortgegangen ist, von dem Kindergespenst, ähnlich dem Knecht Ruprecht, verschlungen wird. Aber die Steine, die er mit verschlingt, machen das Gespenst so schwer, daß es zur Erde fällt und das Kind unversehrt wieder heraus- springt. Aus dem Elsaß in Stöbers Volks- büchlein S. 100. Boner (Nr. 33) erzählt das Märchen ganz einfach, die Mutter warnt ihr Geislein vor dem Wolf, den es auch, als er mit verstellter Stimme herankommt, nicht einläßt. Noch kürzer in einem alten Gedicht (Reinhart Fuchs 346), wo aber das Geislein durch einen Ritz den Wolf erkennt. So auch Buckard Waldis (Frank- furt 1565. Fab. 24) und Hulderich Wolge- muth in seinem erneuten Esopus (Frankf. 1623). Eine lebendige Erzählung davon aus dem siebenbürg. Sachsen bei Haltrich Nr. 33. Lafontaine (IV. 1,15) hat die Fa- bel einfach wie Corrozet, doch gedenkt jener des Umstands mit der weißen Pfote, welche das Geislein zu sehen verlangt wie in unserm Märchen, und wir erinnern uns eines Bruchstücks aus einem vollständigen französischen. Der Wolf geht zum Müller, reicht ihm die graue Pfote und spricht

›meunier, meunier, trempe moi ma patte dans ta farine blanche‹.
›non, non! non, non!‹ ›alors je te mange‹.

Da tut es der Müller aus Furcht.

Auch Psamathe, die Nereide, sandte den Wolf auf Peleus' und Telamons Her- den, der Wolf fraß sie insgesamt und wurde dann versteinert, wie ihm hier Steine eingenäht werden. Doch liegt die Sage vom versteinerten Wolf noch tiefer.

JACOB UND WILHELM GRIMM, »AN- MERKUNGEN ZU DEN EINZELNEN MÄR- CHEN« (FASSUNG VON 1856)

Illustrationen von Hermann Vogel zu »Der Wolf und die sieben jungen Geißlein«

Die leibliche Gestalt der Sprache

DIE BRÜDER GRIMM UND IHR WERK

Wilhelm (links) und Jacob Grimm. Lithographie von Franz Hanfstängl nach einer Zeichnung von Ludwig Emil Grimm aus dem Jahre 1829

In Kassel einige Tage mit Grimms sehr vergnügt bei Büchern und Manuskripten. Beide sind scharfsinniger und gelehrter geworden. Ihre Sammlungen haben Riesenschritte gemacht und wachsen bald in ein Dutzend tüchtiger Werke zusammen« – so berichtete Arnim nach seinem Besuch in der Marktgasse im März 1812 an Brentano. Mit den »Sammlungen« meinte Arnim nicht die Märchen, sondern die Vorarbeiten zu anderen Publikationen der Brüder. Tatsächlich stellen die »Kinder- und Hausmärchen«, die Wilhelm Grimm einmal als »angenehme Nebenarbeit« bezeichnete, einen zwar wichtigen, aber relativ kleinen Teil des Gesamtwerks dar.

Die Lebensleistung der Brüder ist allein schon in quantitativer Hinsicht staunenswert. Unter dem Dach der neuen Wissenschaft, der Germanistik, deren ›Erfinder‹ und Namengeber sie waren, forschten sie auf den Gebieten Literatur und Sprachwissenschaft, Volkskunde, Geschichte, Volkssitte, Religion und Recht. Läßt man die Anzahl der Bände einmal außer Betracht, so sind unter Jacobs Namen 21 Titel selbständig erschienen; Wilhelm wiederum zeichnete für 14 Bücher verantwortlich, und als Ergebnis enger brüderlicher Zusammenarbeit entstanden acht Werke von z. T. beträchtlichem Umfang. Allein die sogenannten »Kleineren Schriften« füllen 12 dicke Bände – acht für Jacob, vier für Wilhelm. Darüber hinaus unterhielten beide Brüder einen außerordentlich umfangreichen Briefwechsel mit Freunden, Bekannten und Fachkollegen des In- und Auslands. Er liegt bis heute nicht vollständig im Druck vor, obwohl durch die Grimm-Forschung zahlreiche Briefwechselkompendien und nach Hunderten zählende kleinere Schriftwechsel der Brüder zugänglich gemacht wurden. Nach groben Schätzungen dürfte die Zahl der Briefe, die Jacob und Wilhelm geschrieben haben, nicht unter 40 000 liegen; die Portokosten stellten demnach einen beträchtlichen Posten in der – auf die längsten Zeitabschnitte kargen – Haushaltsführung der Brüder dar. Aber vor allem zeigt – im Gegensatz zu der Fama, die ihnen immer wieder ein introvertiert von der Außenwelt abgeschlossenes, biedermeierliches Gelehrtenidyll zugedacht hat – der rege, international geführte Gedankenaustausch Jacobs und Wilhelms Interesse an Grenz-

Von Goethes Bibliothek war Wilhelm Grimm beeindruckt. Die eigene Privatbibliothek der Brüder umfaßte ca. 12 000 Bände

Wilhelm Grimm, »Altdänische Heldenlieder«. Titelblatt der Erstausgabe von 1811

Grimm, an dem die Edition früher literarischer Texte und Übersetzungen einen wesentlichen Anteil haben. So hoch ihre Wiederentdeckung germanischer Literaturdenkmäler einzuschätzen ist, so wenig beschränkte sich ihre wissenschaftliche Arbeit auf den deutschen Sprachraum. »Die Sprache erscheint als eine fortschreitende Arbeit«, meinte Jacob Grimm, »eine zugleich rasche und langsame Errungenschaft des Menschen, die sie der freien Gestaltung ihres Denkens verdanken, wodurch sie zugleich getrennt und geeint werden können … alle Sprachen sind eine in die Geschichte gegangene Gemeinschaft und knüpfen die Welt aneinander. Ihre Mannigfaltigkeit eben ist bestimmt, den Ideengang zu vervielfachen und zu beleben.« – Die Brüder waren außerordentlich sprachbewandert. Spielend beherrschten sie Latein und Griechisch; Französisch lernten sie bereits in ihren Kinderjahren, Spanisch kam dazu, und Jacob fiel es etwa nicht schwer, eine italienische Abhandlung zu schreiben. Während seines Wiener Aufenthalts eignete er sich die slawischen Sprachen (Tschechisch, Slowenisch, Serbokroatisch und Russisch) an; Wilhelms Übertragungen aus dem Dänischen fanden nicht nur den Beifall Goethes, sondern auch den dänischer Sprachwissenschaftler, und seine deutschen Versionen englischer Vorlagen weisen ihn als Meister der Übersetzung aus. Das Studium der nordischen Sprachen gehörte für die Brüder zum selbstverständlichen Rüstzeug, so seltene Sprachen wie das Isländische oder Provenzalische waren ihnen geläufig. Jacob war in der Lage, einen Text in Sanskrit zu beurteilen.

Über den Bereich ihres eigenen Forschungsgebietes hinaus waren Jacob und Wilhelm Grimm auch große Literaturkenner. Vertraut mit allen

überschreitung; er deutet auf die europäische Weite ihrer wissenschaftlichen und kulturpolitischen Absichten. Das persönliche Verlangen nach Stille und Ungestörtheit zur Arbeit, besonders bei Jacob, dem seine Scheu vor Menschen oft zu schaffen gemacht hat,

steht dazu genausowenig in Widerspruch wie ihre nationalpatriotische Einstellung, die sie mit vielen Intellektuellen ihrer Zeit teilten.

Ebenso weitgespannt wie ihre wissenschaftliche Korrespondenz präsentiert sich das Gesamtwerk der Brüder

wichtigen Autoren und Philosophen der Antike, der spanischen, französischen, italienischen und englischen Literatur, beschäftigten sie sich auch angelegentlich mit der deutschen Moderne, u. a. mit Goethe, Schiller, Jean Paul, Kleist, Tieck, Fouqué, den Brüdern Schlegel, Brentano und Arnim.

Brentano und Arnim widmete Wilhelm Grimm sein erstes Buch. 1811, also noch vor dem ersten Band der »Kinder- und Hausmärchen«, erschien seine Übersetzung »Altdänische Heldenlieder, Balladen und Märchen«, der eine im 16. und 17. Jahrhundert aufgezeichnete Sammlung nordischer Heldendichtung (Kaempeviser) zugrunde liegt. »Ich bin zuerst daraufgekommen, als ich einige davon zur Erklärung der Geschichte des Nibelungenlieds übersetzte, aber nun habe ich gefunden, daß diese echten Volksgedichte eine solche poetische Tiefe, Schönheit und Größe haben, wie wenige anderer Nation.« Er sei sicher, schrieb Wilhelm weiter an Savigny, »daß Goethe die Ideen zu seinen Romanzen, zum Beispiel zum Erlkönig, König in Thule, Fischer, aus solchen dänischen Liedern bekommen hat«. Einen Hinweis auf die »Romanzen des Nordens« hatte schon Tiecks Einleitung zu den »Minneliedern aus dem schwäbischen Zeitalter« enthalten, und vor allem Gottfried Herders Traum vom Norden war nicht ohne Wirkung auf Wilhelm geblieben. Gerade in dem hohen Alter der Heldenlieder, die er in das fünfte und sechste Jahrhundert datierte, sah er, ganz im Sinne Herders, ihre poetische Reinheit und Unverfälschtheit gewährleistet; auch hob er das charakteristisch Nordische hervor – »das Märchenhafte, Wilde, Rätselhafte und Grauenvolle ... voll zauberhafter Steine, Meere und Wolkenbilder, von einzelnen gewaltigen Menschen durchirrt und mit allen mutigen Abenteuern

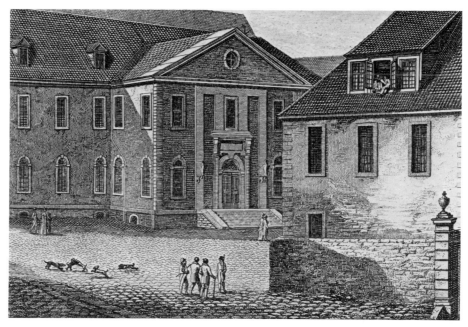

Die Universitätsbibliothek Göttingen. Zeitgenössische Radierung aus dem Besitz der Brüder Grimm

versucht und bestanden«. Das »Geschlecht der Riesen« lebe in ihnen, »welche an dem Eingange jeder Geschichte stehen ...«

An Wilhelms erstem Buch zeigen sich bereits die wesentlichen Bereiche seines wissenschaftlichen Interesses: altnordische Literatur, Heldendichtung, Märchen und Sage, Übersetzung. Schon 1810 erklärte er dem dänischen Literaturhistoriker Nyerup, sein »Studium der nordischen Literatur« erweitere »sich immer mehr, da ich immer deutlicher von dem frühen Zusammenhang derselben mit der deutschen und demnach von ihrer Wichtigkeit für die Erklärung der altdeutschen Poesie überzeugt werde. Außerdem reizt mich auch die treffliche Poesie, die in vielen erscheint.« Auch Jacob meinte, »für den deutschen Forscher ist Skandinavien klassischer Grund und Boden, wie Italien für jeden, der die Spuren der alten Römer verfolgt. Grabhügel und Runsteine ragen aus der Erde, mächtiger zieht noch die Sprache an, die, vom Andrang fremder Wissenschaft später

als unsre deutsche berührt, in vielen ihrer innersten Verhältnisse unangetasteter geblieben ist. Ein kaum begonnenes und noch lange fortzusetzendes Studium des Nordischen, sowohl toten als lebendigen Sprachstandes, wird uns über Tugenden und Mängel unseres eignen aufklären.«

Die altnordische Literatur blieb bis in die Göttinger Jahre hinein ein bevorzugtes Forschungsfeld für Wilhelm. Im Nachwort zu seinem nächsten Buch, Ergebnis seiner Beschäftigung mit schottisch-gälischer Literaturtradition (»Drei altschottische Lieder in Original und Übersetzung«, 1813), stellte er Vergleiche zwischen den altdänischen und schottischen Balladen an, wobei er letztere für sanfter hielt; »sie haben etwas Zartes und eine eigentümliche Mischung von Trauer und Wehmut, die nicht sowohl in dem einzelnen sich zeigt, sondern wie ein von halbdurchsichtigen, wunderbar beleuchteten Wolken dämmernder, gemilderter Himmel auf dem Ganzen liegt«.

Schon 1811 hatte Jacob von einem

Wilhelm Grimm, Entwurf für seine Vorlesung über »Der Nibelungen Not«

alten Edda« 1815 gemeinsam edierten, scheint doch Wilhelm die Hauptarbeit an dieser Veröffentlichung zugefallen zu sein, die aufgrund einer deutschen und skandinavischen Konkurrenzunternehmung Fragment blieb. Die Edda-Lieder, namenlos und in Handschriften isländischer Herkunft überliefert, enthalten Gedichte aus der nordisch-germanischen Götterwelt und Heldenlieder, die ihre Stoffe aus den südgermanischen Sagen von Wieland, Atli, Sigurd, Gudrun und der Nibelungen beziehen. In ihrer Ausgabe des ersten Teils dieser umfangreichsten Sammlung germanischer Götter- und Heldendichtung stellten die Brüder Grimm dem Originaltext eine möglichst wortgetreue Übersetzung gegenüber; darüber hinaus fügte Wilhelm am Ende eine weitere Übertragung in freier Prosa an. Dieses Vorgehen war eine Kompromißlösung in dem vermutlich einzigen längeren Streit, den Jacob und Wilhelm je untereinander geführt haben, dem Streit um die Legitimität von Übersetzungen. Wilhelm nämlich hielt es für richtig, fremd- oder altsprachige Literatur durch Übertragung ins Neuhochdeutsche einem breiteren Publikum mühelos zugänglich zu machen; Arnim und Savigny unterstützten ihn in dieser Ansicht. Jacob dagegen beharrte sachlich konsequent, aber starrköpfig auf der Meinung, ein sprachliches Kunstwerk dürfe in seinem ursprünglichen Zustand nicht durch eine Übersetzung verletzt werden; Sprache und Inhalt seien untrennbar. Er verlangte – obwohl es ihm wie Wilhelm um die Bekanntmachung alter Volkspoesie ging –, man habe sich eben zu bemühen, fremde Sprachen zu lernen, wenn man über die Literatur eines Volkes auch seinem Geist näherkommen wolle. Besonders die alte Volkspoesie müsse im Originaltext aufgenommen

»wunderbar herrlichen Gedicht wie die Nibelungen« an Savigny und Arnim geschrieben und Wilhelm an Goethe berichtet, er sei »durch einen glücklichen Zufall im Besitz herrlicher Schätze der altnordischen Literatur«. Das »Vorzüglichste« sei eine Abschrift der »Sämundischen Edda«, Lieder von »gewaltiger, großartiger Poesie«. Obwohl die Brüder die »Lieder der

werden. Sofern für ihn überhaupt eine Übersetzung in Frage kam, sollte sie in seinen Augen so karg und wortgetreu wie nur denkbar sein und lediglich die Aufgabe haben, zur Originalsprache hinzuführen. Als Ausnahme ließ er nur kultische (etwa Bibel-) und wissenschaftliche Übersetzungen sowie Übertragungen aus nahe verwandten, neueren Sprachen (hier in erster Linie aus dem Englischen) gelten. So schien es ihm nur folgerichtig, die »trefflichen« altspanischen Romanzen, auf die er vor seiner Reise zum Wiener Kongreß gestoßen war, 1815 unter dem Titel »Silva de romances viejos« in Originalsprache herauszugeben. Aber es gibt eben auch Übersetzungen Jacob Grimms. So erschien 1840 seine Übertragung zweier englischer Legenden, die er in einer Handschrift des 10. Jahrhunderts, zum Teil in Runen, überliefert gefunden hatte: »Andreas und Elene«. Hier kam es ihm bezeichnenderweise darauf an, Formen und Formeln vorchristlicher Poesie nachzuweisen. Ein wissenschaftliches Werk wie »Wuks Stephanowitsch kleine serbische Grammatik« (1827) behandelte er – nach dem Urteil Goethes – »mit der Gewandtheit eines Sprachgewaltigen«. Ihr Urheber, Vuk Stephanović Karadžić, Schöpfer der modernen serbischen Schriftsprache und politischer Flüchtling, hatte Jacob Grimm gebeten, eine schlechte Verdeutschung seiner serbischen Grammatik zu korrigieren und zu ergänzen. Dies gelang Jacob so gut, daß Goethe das Buch als »bedeutende Übersetzung« bezeichnete, die »jenes Nationelle« wiedergebe.

Goethe gegenüber brachte Wilhelm seine und Jacobs schließlich zu einem Kompromiß gebrachten Ansichten über die »Lieder der alten Edda« auf eine Formel: es kam »uns darauf an, sowohl die wissenschaftlichen Forde-

Wilhelm Grimm als Professor im Talar der Göttinger philosophischen Fakultät. Aquarellierte Zeichnung von Ludwig Emil Grimm, dat. Herbst 1837

rungen nach unsern Kräften zu befriedigen, als auch die ausgezeichnete und gewaltige Poesie darin so nah als möglich zu rücken«. Und Arnim gegenüber ergänzte er: »In der Prosaübersetzung ist versucht, die Gedichte so nah und klar als möglich unsrer Zeit herbeizurücken, und es kommt mir vor, sie läsen sich da wie schöne, großartige Märchen.« – Wilhelm blieb, wie gesagt, noch einige Jahre den altnordischen Forschungen treu.

Wie wir bei den Märchen gesehen haben, verfügten die Brüder Grimm über eine ausgesprochene Begabung, mündliche Überlieferung gezielt zu aktivieren und zu nutzen. Die meisten der schriftlichen Quellen aber, auf die sie ihre umfassenden Werke gründeten, bezogen sie, dank intensiver Suche, aus Bibliotheken, wobei ihnen ihre langjährige Bibliothekarstätigkeit an den reich bestückten Institutionen in Kassel und Göttingen sehr hilfreich war. Außerdem suchten sie, sobald sie in andere Städte kamen, umgehend die dortigen Bibliotheken auf, um nach brauchbaren Handschriften zu fahnden. So war es etwa für Jacob, der als Legationssekretär den verbündeten Heeren gegen Napoleon über die französischen Schlachtfelder folgte, selbstverständlich, in den Orten, in denen sich die Alliierten einquartierten, sogleich und ungeachtet der Kriegswirren die jeweiligen Bibliotheken zu inspizieren. Andererseits erhielten die Brüder durch ihren weitgestreuten in- und ausländischen Wissenschaftsaustausch auch auf privater Ebene Zugang zu Quellenmaterial. Auch ganz reale Anlässe konnten den Anstoß zur Forschungsarbeit geben, wie folgendes Beispiel zeigt. Wilhelm Grimm war seit der Marburger Studentenzeit mit Fritz von Schwertzell und seiner Schwester Wilhelmine befreundet. So war es nicht erstaunlich, daß die

Schwertzells von einem Fund auf einem bewaldeten Hügel, der innerhalb ihrer Willingshauser Besitzung lag, Wilhelm gleich in Kassel verständigten; es handelte sich um uralte Gräber und eine Anzahl von Steinen mit scheinbar runischen Inschriften. Wilhelm untersuchte die Steine und befand, daß nicht gotische Runen, die geheimnisvollen Schriftzeichen der germanischen Stämme, inskribiert waren, sondern nur Kritzelwerk vorlag (das sich viel später als die Arbeit von Steinwürmern erwies). Doch sein tieferes Interesse an der Runenkunde war geweckt: 1821 veröffentlichte er sein erstes Buch »Über deutsche Runen«, das als »Beitrag zu der Geschichte der Entwicklung des Alphabets« gedacht war und den Beginn wissenschaftlicher Runenforschung in

Deutschland darstellt. 1828 ließ Wilhelm dann seine Arbeit »Zur Literatur der Runen« folgen.

Als Hauptwerk Wilhelm Grimms gilt allgemein »Die deutsche Heldensage« (1829) – ein wissenschaftliches Werk, das bis heute einen der bedeutendsten Beiträge zur deutschen Sagenforschung bildet und von dem Jacob bemerkte, es sei »darin so vieles genau und fein angesponnen und gewoben«. Schon 1813 hatte Wilhelm in der mit Jacob gemeinsam herausgegebenen Zeitschrift »Altdeutsche Wälder« Nachweise über das Fortle-

Lesesaal der Göttinger Universitätsbibliothek (ehem. Hauptschiff der Paulinerkirche des Dominikanerklosters), in der die Brüder Grimm als Bibliothekare arbeiteten. Aquarellierte Federzeichnung von F. Besemann

ben der Heldensagen vorgelegt, deren Gestalten dem Kreis des Nibelungen- und Gudrunliedes sowie der Dietrich- und Wielandsage angehören. In 15 Jahren aber war das Material beträchtlich angewachsen, und er veröffentlichte es nun in einer umfassenden Studie. Wichtig an ihr ist der moderne literatursoziologische Gesichtspunkt, unter dem Wilhelm die Zeugnisse aus dem 6. bis 16. Jahrhundert durchforschte. Ihn interessierte, »was die Dichtungen des Fabelkreises selbst über ihre Quellen aussagen«; entsprechend versuchte er, das Publikum der Sagen sowie deren geschichtliche Entwicklung zu erfassen. Er untersuchte Genealogie und Heimat der Helden, sammelte zum Beispiel Aussagen über ihre Waffen und Pferde. In der Frage nach dem Ursprung der Sagen vertrat Wilhelm die Ansicht, sie seien nicht historischen, sondern mythischen Ursprungs. Damit erklärte er die – später hinzugekommenen – historischen Ungenauigkeiten, die sie aufweisen. Die Helden der Lieder waren für ihn ursprünglich Götter. Im Laufe der Zeit aber habe das Verständnis des Publikums für die durch die Götter verkörperten »Ideen über Erschaffung und Fortdauer der Welt« abgenommen. Sie seien dadurch »zu menschlichen Helden herabgesunken«, deren »Taten zu geschichtlichen Begebenheiten« wurden.

Am Ende der Kasseler Jahre gab Wilhelm noch einmal das Hildebrandslied, das älteste deutsche Zeugnis der Heldensage (»De Hildebrando antiquissimi carminis teutonici fragmentum«, 1830) heraus mit der Widmung an den »fratri carissimo« Jacob. Mit ihm zusammen hatte Wilhelm schon 1812 »die beiden ältesten deutschen Gedichte aus dem achten Jahrhundert«, das Hildebrandslied und das Wessobrunner Gebet kommentiert und »zum ersten Mal in ihrem

Kassel, der Friedrichsplatz. Zeitgenössischer Stich

Metrum dargestellt« im Druck veröffentlicht. Es war – neben dem ersten Band der »Kinder- und Hausmärchen« – die erste gemeinsame Edition der Brüder, in der sie Inhalt und Form dieser »großartigen« und »merkwürdigen« vorliterarischen Volksdichtung aufzeigen wollten. Um ihren Nachweis zu verdeutlichen, daß es sich nicht um Prosa, sondern um Dichtungen in Stabreimen handelt, hatten sie in allen Exemplaren »die Alliterationen mit Zinnober hinzumalen« lassen. Nun aber legte Wilhelm eine Faksimile-Ausgabe der einzigen Handschrift des »Hildebrandsliedes« vor, die zu den Beständen des Kurfürsten gehörte – und zwar nicht aus ästhetischen, sondern, was damals ein moderner Gesichtspunkt war, aus Sicherheitsgründen. Wilhelm erinnerte an den Einschlag einer russischen Granate in den Bibliothekssaal des Kasseler Museums Fridericianum zur Zeit der Befreiungskriege und fertigte eigenhändig, mit »Hilfe des trefflichen Pariser Pflanzenpapiers«, eine

Durchzeichnung an, die »imstande sei, das Original völlig zu vertreten«.

Eine Domäne Wilhelms waren auch die Ausgaben mittelhochdeutscher epischer und lyrischer Dichtungen, wobei er eine romantische Vorliebe für Fragmente zeigte. Als erste Edition auf diesem Gebiet ist die Ausgabe des »Armen Heinrich« von Hartmann von Aue zu nennen, für die die Brüder Grimm zwar gemeinsam verantwortlich zeichneten, an der aber Wilhelm, der auch eine ausgezeichnete Übersetzung beisteuerte, den Hauptanteil hatte. »Der arme Heinrich«, um 1195 entstanden und von den Brüdern nach der – 1870 verbrannten – Straßburger Handschrift 1815 veröffentlicht, zählt heute zu den berühmtesten Dichtungen der mittelhochdeutschen Klassik. Im Zentrum dieser höfischen Legende steht das Motiv der Bekehrung und der von Gott belohnten Opferbereitschaft. Wohl aus diesem Grund legten die Herausgeber gerade dieses Werk 1813 zur Subskription auf, um den Erlös

Jacob Grimm in Kassel, 1814. Bleistiftzeichnung von Ludwig Emil Grimm

Heiden unter dem Ideal ritterlich-höfischer Tugenden zu einer neuen Einheit finden; die geistliche Moral popularisierende, um 1230 entstandene Spruchsammlung »Freidanks Bescheidenheit« (1834); das »Rolandslied« des Pfaffen Konrad (1838), das in über 9000 Reimpaarversen den französischen Nationalhelden Roland zum Streiter gegen die Heiden und zum Märtyrer werden läßt; eine zahlenmystische Dichtung Werners vom Niederrhein (1839) und Konrad von Würzburgs »Silvester« (1841), ein Zeugnis des im späten 13.Jahrhundert anwachsenden Heiligenkults, sowie die »Sage vom Ursprung der Christusbilder« (1843). Mit den genannten Werken Wilhelm Grimms sind nur seine bedeutendsten Arbeiten erfaßt. Darüber hinaus schrieb er nicht nur etwa acht Dutzend Rezensionen von literarischen und wissenschaftlichen Neuerscheinungen des In- und Auslandes, sondern auch um die 100 Abhandlungen, Reden, zeitgeschichtliche Betrachtungen und Berichte, biographische Mitteilungen und kleinere Veröffentlichungen von literarischen Quellen. Allein die breite Palette seiner eigenständig herausgebrachten Schriften weist Wilhelm nicht nur als vorbildlichen Übersetzer und gewandten Erzähler, sondern auch als hervorragenden Philologen aus.

Schon zu Lebzeiten der Brüder fanden allerdings die eigenständig veröffentlichten Werke Jacob Grimms eine wesentlich stärkere Resonanz als die von Wilhelm edierten Arbeiten. Beide Brüder aber hatten – ob sie einzeln oder gemeinsam als Autoren bzw. Herausgeber zeichneten – besonders in den Anfangsjahren große Schwierigkeiten, Verleger für ihre Bücher zu finden. Auch im Fall der Märchen bedurfte es der intensiven Fürsprache Arnims bei dem Berliner Verleger

für die Ausrüstung der Freiwilligen in den Befreiungskriegen gegen Napoleon, bzw. für deren Hinterbliebene zu stiften. Das Ergebnis von 194 Talern läßt auf den Erfolg schließen – es stellte das Doppelte von Wilhelms anfänglichem Jahresgehalt als Bibliothekar dar.

In die Reihe der mittelhochdeutschen Editionen Wilhelms gehört ferner u.a. die »Goldene Schmiede« (1816), ein nach 1240 verfaßtes Marienleben und Musterbeispiel der geblümten Rede und seltenen Reime; das hessische Fragment »Graf Rudolf« (1828), in dem Christen und

Reimer, an den die Herausgeber keinerlei Ansprüche stellten. Auch blieb
die Wirkung ihrer Arbeiten zunächst
gering, mußte jeder Erfolg erst erkämpft werden. Selbst die »Kinder-
und Hausmärchen«, die einen so hohen Popularitätsgrad erreichen sollten, fanden zwar einerseits freundliche Zustimmung, aber andererseits
auch herbe Ablehnung bei Moralisten
wie literarischen Ästhetikern (etwa
Brentano) und, davon abgesehen, zunächst einen nur sehr zögernden Absatz. Es spricht für die Beharrlichkeit
und wissenschaftliche Ernsthaftigkeit
Jacob und Wilhelm Grimms, daß sie
sich dadurch nicht in den Grundzie-
len ihrer Forschung beirren ließen.

Schiffbruch erlitten die Brüder
auch mit der zwischen 1813 und 1816
erschienenen, gemeinsam herausgegebenen Zeitschrift »Altdeutsche
Wälder«, deren Titel mit einem programmatischen Seitenblick auf Gottfried Herder (»Kritische Wälder«)
gewählt war. Sie mußten die Edition
nicht nur – kriegsbedingt – immer
wieder unterbrechen, sondern sie
nach ständigen Querelen mit ihrem
Verleger Körner in Frankfurt nach
dem dritten Band aufgrund mangeln-
den Absatzes einstellen. Die fast alle
von den Herausgebern stammenden
Beiträge in den »Altdeutschen Wäl-
dern« zeugen von der Vielfalt ihrer
Interessen; sie betraten mit nahezu allen Themen Neuland. In ihrer An-
kündigung der Zeitschrift hieß es:
»Sie hat den Zweck, das Studium und
den Geist des deutschen Altertums ...
beleben zu helfen.« Nur »Quellen, bedeutend in ihrem Verhältnis zur Geschichte der Poesie« und »Untersuchungen über den Zusammenhang
jener Dichtungen untereinander«, sowie »Erläuterungen über den deutschen und nordischen Heldenmythos
der Nibelungen, Mitteilungen aus
nicht armen Sammlungen noch le-

Wilhelm Grimm am Tisch schreibend. Bleistiftzeichnung von Ludwig Emil Grimm, dat. 4. Dezember 1814

bendiger Volkssage sollten den Inhalt
dieses Werkes ausmachen«. Obwohl
die Brüder »nicht Lappen und Schnit-
zelwerk« in ihrer Zeitschrift veröffentlichen wollten, »sondern Dinge, worauf wir Wert legen«, schrieb August
Wilhelm Schlegel bereits zum ersten
Band eine sarkastische Rezension:
»Die Etymologie ist für beide Hrn.
Grimm eine Klippe, die sie niemals
berühren, ohne zu scheitern.« Schlegel verspottete ihre »Ehrfurcht vor
dem Trödel« – eine Formulierung, die
der berühmte Kunstsammler und
-wissenschaftler Sulpiz Boisserée in ei-

nem Brief an Goethe aufgriff und zu
ihrer »Andacht zum Unbedeutenden« umprägte; ursprünglich abwer-
tend gemeint, wurde dieses Wort später zu einer der bekanntesten Huldigungen für die Brüder Grimm.

Gering blieb auch die Wirkung eines von Jacob 1815 in Wien an die
Öffentlichkeit gebrachten »Zircular
wegen Aufsammlung der Volkspoesie«, ein Dokument, das heute gerne
als Geburtsurkunde der volkskundlichen Forschung bezeichnet wird. Es
enthält ein Programm und – was als
Zeichen für die kulturpolitischen In-

Materialien heraus. Etwa 100 der 600 »Deutschen Sagen« stützen sich auf mündliche Überlieferung durch Freunde und Bekannte (besonders durch den westfälischen Kreis der Familie von Haxthausen), 500 Sagen gehen auf literarische Quellen zurück. Angefangen bei Tacitus und Plinius, suchten Jacob und Wilhelm Grimm gotische Sagen bei Jornandes, langobardische bei Paulus Diaconus, fränkische bei Gregor von Tours. Sie durchforschten Kaiserchroniken, Memoiren, Anekdoten- und Volksbücher und lasen systematisch Werke des 16. und 17. Jahrhunderts, wo sie bei Luther, Fischart, Grimmelshausen und Abraham a Sancta Clara Sagen fanden. Als ergiebige Quellen erwiesen sich Johannes Prätorius' »Anthropodomus Plutonicus« (1667/68) und Johann Christoph Nachtigals 1800 unter dem Pseudonym Otmar erschienene Volkssagen aus dem Harz. Sagen seien, meinte Jacob, »wenngleich ganz unwahr, doch das Wahrste, was ein Volk zur Darstellung seiner liebsten Gedanken hervorbringt«.

Auch hier bemühten sich die Brüder um »Treue und Wahrheit« gegenüber den Quellen. Der erste Band umfaßte lokale Sagen, also solche, die an bestimmte Orte gebunden sind, der zweite enthielt historische Sagen aus einem Zeitraum von etwa 1000 Jahren von der Völkerwanderungs- bis zur Lutherzeit. Über den zweiten Band meinte Wilhelm: »Niemand wird solchen Sagen buchstäblich glauben, ihr Grund ist nichtsdestoweniger historisch.« Obwohl gerade die Sammlung der geschichtlichen Sagen eine Pioniertat der Brüder darstellte und zur Volkstümlichkeit von Sagen wie dem schlafenden Barbarossa im

tentionen der Brüder anzusehen ist – die Einladung zur Mitarbeit, Sagen (unter denen sie damals auch noch Märchen und Fabeln subsumierten) zu sammeln. Jedoch erhielten die Brü-

der auf den Zirkularbrief hin nur wenige Einsendungen, und schon 1816–1818 gaben sie zielbewußt ihre zuvor bereits in einem Zeitraum von fast einem Jahrzehnt gesammelten, reichen

Blick aus der Kasseler Wohnung an der Schönen Aussicht Nr. 7 auf die Orangerie. Aquarell von Ludwig Emil Grimm, 1846

Kyffhäuser oder dem Sängerkrieg auf der Wartburg beitrug, erschien ein geplanter dritter Teil, ein Anmerkungskompendium und die vorgesehene Sagenkonkordanz nicht. Das Publikum verweigerte den »Deutschen Sagen« zunächst das Interesse, die Ausgabe brachte einen geschäftlichen Mißerfolg. Später jedoch regte diese gemeinsame Edition, wie auch Wilhelm Grimms »Deutsche Heldensagen«, zu einer Fülle von regionalen Sagensammlungen in Deutschland an und fand starke Nachwirkung in Literatur (z. B. Heine, Rückert, Mörike, Grillparzer), Kunst (Historienmalerei, z. B. Schwind, Piloty, Kaulbach, Böcklin) und Musik (Wagner). Schließlich erfüllte sich doch noch Jacobs Anliegen: »Mit der Zeit müssen auch diese Sachen zu Ehren kommen.«

Die letzte gemeinsame, in sich abgeschlossene Veröffentlichung der Brüder Grimm fällt in die Kasseler Zeit, in das Jahr 1826. Mit der Übersetzung der 1825 in London von dem Iren Thomas Crofton Croker herausgebrachten »Fairy legends and traditions of the South of Ireland«, die wie die kundige Einleitung in erster Linie Wilhelm zuzuschreiben ist, wandten sie sich der Märchen- und Sagentradition eines Landes zu, in dem Götter und Geister schon immer das wesentliche Personal der Literatur gebildet hatten. Die Brüder waren nicht nur beeindruckt von der Poesie der 27 »Irischen Elfenmärchen«, sondern auch davon überzeugt, daß sie auf keltische Quellen zurückgingen. Im

Kommentarband zu den »Kinder- und Hausmärchen« schrieb Wilhelm über die irischen Märchen: »Auf eine geschickte Weise sind in die Erzählungen seltsame, kühne, aber lebendige Anschauung verratende Lebensart, Bilder und Gleichnisse des Volkes ein-gewebt … Immer tritt der Inhalt der irischen Märchen mit scharfer und si-cherer Bestimmung hervor, und sie unterscheiden sich darin zu ihrem Vorteil von den deutschen, wo die vielfach gestörte oder durch fremde Einflüsse geschwächte Überlieferung oft Lücken und einen Mangel an Zu-sammenhang verrät; dagegen fehlt ih-nen das Zutrauliche und Heitere, das diesen eigen ist, die gerne mit der Aus-sicht auf lange und dauernde Glücksee-ligkeit schließen. Aber die Elten sind auch bei den Iren seltener geneigt, sich als gütige und wohltätige Wesen zu beweisen, und ihre Gaben müssen ihnen mit List abgenommen werden.«

Die »Irischen Elfenmärchen« tru-gen zum letzten Mal die berühmte Verfasserangabe auf einer Erstaus-gabe: »Brüder Grimm«, die zum er-sten Mal auf dem Titel der »Kinder- und Hausmärchen« erschienen war. Das »Deutsche Wörterbuch«, an dem die Brüder bis zu ihrem Tod gemein-sam arbeiteten, vermerkte: »Von Ja-cob Grimm und Wilhelm Grimm« und verwies damit auf das sich ergän-zende Wirken zweier selbständiger Wissenschaftler.

Wie schon erwähnt, schlugen die Verleger Karl Reimer und Salomon Hirzel, Eigentümer der Weidemann-schen Verlagsbuchhandlung in Leip-zig, auf Anregung des Literaturhisto-rikers Moriz Haupt den Brüdern Grimm vor, ein großes deutsches Wörterbuch zu erarbeiten. Goethes Verleger Cotta war 1823 noch vergeb-lich mit demselben Ansinnen an sie herangetreten. Nach den Göttinger Ereignissen zwar nicht arbeits-, aber

stellungslos, gingen sie nach einer Be-denkzeit im Sommer 1838 auf den Vorschlag ein. Es war das erste Mal, daß sie ein von außen an sie herange-tragenes Thema annahmen – die Ar-beit, nach Anzahl der Bogen hono-riert, sicherte ihnen ein »mäßiges Aus-kommen«.

Bis dahin gab es in Deutschland nur die Wörterbücher von Johann Chri-stoph Adelung und Johann Heinrich Campe aus der zweiten Hälfte des 18. Jahrhunderts, die aber nur den damals aktuellen Wortbestand auf-führten; »der Vorrat und Reichtum unsrer Zunge [ist] noch gar nicht überschaut und erkannt worden«, konstatierte Jacob Grimm, und »wir gehn also drauf aus, nicht bloß den genauen Umfang der lebenden hoch-deutschen Sprache zu sammeln, son-dern auch alle Wörter des 16., 17. und 18. Jahrhunderts aufzunehmen, die mit Recht oder Unrecht veraltet sind. Wer lauter unveraltete und heute gül-tige Wörter geben wollte, würde sich ein zu enges Ziel stecken und fast nach einem Lexikon der Mode oder des fei-nen Tons streben. Aber, ich meine, alle Wörter von Schönheit und Kraft seit Luthers Zeiten dürfen zur rechten Stunde wieder hervorgeholt und neu angewandt werden; das soll als Erfolg und Wirkung des Wörterbuchs be-dacht werden, daß alle Schriftsteller daraus den Reichtum der vollkom-men anwendbaren Sprache ersehen und lernen … Das Werk soll in sich begreifen alles, was die hochdeutsche Sprache vermag, nach der Ausprä-gung, die ihr in drei Jahrhunderten durch Dichter und tüchtige Schrift-steller widerfahren ist.«

Es kam den Brüdern also darauf an, die Geschichte der neuhochdeutschen Sprache anhand der Erfassung ihres gesamten Wortschatzes von Luther bis Goethe (unter Berücksichtigung von Lehn- und eingedeutschten

Fremdwörtern, der Mundarten und der Umgangssprache) als Geschichte des deutschen Geistes darzustellen. Gleichwohl war das »Deutsche Wör-terbuch« eindeutig gegenwartsbezo-gen und auch für eine breite Öffent-lichkeit bestimmt. Doch beschrieb Wilhelm die Ausgangssituation skep-tisch: »Es könnten leicht vier bis fünf Folianten daraus werden, und mir schaudert ein wenig, wenn ich an die Vorarbeit gedenke, welche allein we-nigstens sechs Jahre hinwegnimmt. Der Erfolg bleibt insofern ungewiß, als es sich fragt, ob dem Publikum ein in diesem Sinne ausgearbeitetes, auf den bloß praktischen Gebrauch nicht berechnetes Werk behagen wird.« Um einem breiteren Publikum den Umgang mit dem Wörterbuch zu er-leichtern, wurde die alphabetische Anordnung gewählt, während für rein wissenschaftliche Zwecke sich eine Gliederung nach Wortstämmen ange-boten hätte. Außerdem entschieden sich die Brüder – damals ein moderner Gesichtspunkt – für die Antiquaschrift und die durchgehende Kleinschrei-bung, ein Entschluß, der auf Jacobs Ansichten »Über das Pedantische in der deutschen Sprache« beruhte.

Als private Arbeit gedacht, stützte sich das »Deutsche Wörterbuch« von Beginn an auf die glänzende Organi-sation der Brüder. Zunächst legten sie die literarischen, wissenschaftlichen, fach- und berufssprachlichen Quellen fest, aus denen der Wortbestand zu exzerpieren war – eine Arbeit, für die sie durch ihre langjährige Bibliotheks-tätigkeit und ihre hohe Allgemeinbil-dung gut gerüstet waren. »Es kommt bei den Auszügen für das Wörterbuch … darauf an, daß aus den gewählten Schriftstellern alle unhäufigen, unge-wöhnlichen oder in abweichender Be-deutung gebrauchten gewöhnlichen Wörter ausgehoben werden … Die äußere Einrichtung ist einfach. Auf einzelne Duodezblättchen, alle von gleicher Größe, kommt das Wort oben hin, dann wird die ganze Phrase darunter gesetzt, damit der Sinn vollständig erhellt … Teil und Pagina des Werkes werden zitiert.« Da Jacob und Wilhelm Grimm diese Arbeit freilich nicht allein schaffen konnten, bemühten sie sich darum, Mitarbeiter zu gewinnen. Schon Ende November 1838 konnte Jacob melden, er habe »einige dreißig Mitarbeiter gewonnen«. In seiner in 24 Kapitel gegliederten Vorrede zum ersten Band des Wörterbuchs (1854) nannte Jacob 80 Helfer, die etwa 600 000 Belege geliefert hatten, Belege, die wiederum von den Brüdern überprüft, geordnet und verarbeitet werden mußten. Im Kreis der Zulieferer fanden sich ehemalige Schüler, Verleger, Professoren verschiedener Fachrichtungen, Pfarrer, Freunde und Bekannte, unter ihnen auch Frauen, wie die Märchensammlerin Amalie Hassenpflug und die Schwestern Hedwig und Eleonore Wallot. Wilhelm beschrieb seine Arbeit an dem epochalen Werk gegenüber Dahlmann im März 1839 so: »Ich hacke täglich ein paar Stunden Holz, das heißt, ich arbeite an den Sammlungen für das Wörterbuch und gewinne wenigstens das Gefühl, daß wenn es fertig ist, es nichts Schlechtes sein wird, und auch etwas ganz Neues.« Allmählich sammelte sich ein riesiger Bestand von Wörtern an, wie – so Jacob – »wenn tagelang feine, dichte Flocken vom Himmel niederfallen«. Jacob hatte, da Wilhelm das B nicht übernehmen wollte (»denn das kommt mir zu bald«), die Bearbeitung der Buchstaben A–C übernommen, und Wilhelm das D, mit dem er bis zu seinem Tod beschäftigt war; Jacob wandte sich dann allein dem E und dem F zu und beschloß über der Redaktion des Wortes »Frucht« sein Leben.

Wilhelm (links) und Jacob Grimm. Vorzeichnung zu der Radierung Ludwig Emil Grimms, dat. August 1843

Um das finanzielle Risiko zu senken, legten Reimer und Hirzel das »Deutsche Wörterbuch« zur Subskription auf. Daraus ergab sich die Notwendigkeit, in verhältnismäßig kurzer Zeit und möglichst geringen Abständen Teile des Werkes der Öffentlichkeit zu präsentieren. Für Jacob und Wilhelm Grimm bedeutete das eine zusätzliche Belastung. Immer wieder mußten sie viele ihrer Mitarbeiter, mit denen sie einen ausgedehnten Briefwechsel führten, an Versprochenes erinnern, sie in geschickten Redewendungen zur Eile antreiben und um vergessene Details bitten: »… ich frage, lieber Herr Schulze, einmal an, wie es mit den Arbeiten zum Wörterbuch, die Sie zu übernehmen so gütig

waren, steht. Könnten Sie damit vor andern Berufsgeschäften nicht fertig werden, so sagen Sie mir es nur ganz offenherzig, ich gebe dann an einen anderen Mitarbeiter …« – Oder: »… Ew. Wohlgeboren haben vor länger als zehn Jahren für das ›Deutsche Wb‹ den ›Agricola‹ ausgezogen, nun fehlt aber die Angabe der Edition, deren Sie sich dabei bedienten …«

Darüber hinaus könne man sich nicht vorstellen, so Jacob, »was für eine Tyrannei die Druckerei ausübt: wenn der Korrekturbogen kommt, so muß korrigiert werden, und darüber vergehen drei bis vier Stunden … Vor zwölf Uhr komme ich selten zu Bett, und es dauert oft stundenlang, bis ich einschlafe. Um sieben Uhr morgens

Wilhelm und Jacob Grimm. Stahlstich nach einer Daguerrotypie von Hermann Biow (um 1850)

zehnte einer wechselvollen Editionsgeschichte, an der Heerscharen von Germanisten beteiligt waren und in die sich sogar Bismarck einschaltete. 1960 war es mit 32 Teilbänden, 67 744 Spalten enthaltend, abgeschlossen – vorläufig, denn inzwischen ist von den Akademien in Berlin (Ost) und Göttingen in Zusammenarbeit die Erneuerung der ersten Bände des »Deutschen Wörterbuchs« in Angriff genommen worden. Doch wird wohl Jacob Grimms Ziel, gefaßt in der Ära der deutschen Kleinstaaterei, nämlich seine »deutschen, geliebten Landsleute« unter dem Dach ihrer Sprache zusammenzuführen, weiter unerreicht bleiben.

Der Wunsch Jacob Grimms nach der Einheit der Deutschen basiert auf seiner ausgesprochen idealistischen Auffassung, ein Volk – das deutsche oder ein anderes – sei durch seine Sprache definiert und nicht durch geographische, wirtschaftliche, ethnische oder politische Gegebenheiten: »ein Volk ist der Inbegriff von Menschen, welche dieselbe Sprache reden.« Das »mächtige Sprachgefühl«, meinte er weiter in seinem Vortrag, den er als einstimmig gewählter, akklamierter Präsident eines liberal gesinnten Gremiums, der ersten Germanistenversammlung in Frankfurt von 1846 hielt, rüste den Menschen »zu jeder Eigentümlichkeit aus«. Der Begriff ›Volk‹ ist ihm nicht – wie noch den meisten seiner Zeitgenossen – ein Synonym für den »Ausdruck pöbelhaft (plebeium)«, sondern, wobei er die Bezeichnung für die freien Römer, populus, ins Spiel bringt, das »Merkmal des Freien«. Nach Jacob Grimm sollten im Volk ethische Ideale verwirklicht werden und daraus eine entsprechende Politik hervorgehen, und nicht umgekehrt politische Ziele durch den Volksbegriff eine moralische Rechtfertigung erhalten.

bin ich wieder am Arbeitstisch.« Nach vierzehnjährigen Vorarbeiten erschien im Mai 1852, rechtzeitig zur Leipziger Buchmesse, die erste Lieferung: »A – Allverein«. »Das Wörterbuch«, schrieb der Verleger Salomon Hirzel an Jacob Grimm, »war das allgemeine Meßgespräch unter den

Buchhändlern, die, höchstens mit Ausnahme einiger Neidhammel, alle die günstigste Meinung davon hatten. Es gilt mit Recht für das größte literarische Unternehmen des Jahrhunderts.«

Bis zum Erscheinen der letzten, 380. Lieferung vergingen fast 11 Jahr-

Einer der ersten, die der sozialen Geringschätzung widersprochen hatten, mit der das Wort Volk als Gegensatz zur Oberschicht der Gebildeten verwendet wurde, war Gottfried Herder. Er »entdeckte den Reiz der Naturnähe und der ungebrochenen Kräfte primitiver Völker und ihrer künstlerischen Schöpfungen« und »sah auch die, meist Unterschicht genannte, Hauptschicht der sog. Kulturvölker in neuem Lichte als ›den großen ehrwürdigen Teil des Publikums, der Volk heißt‹, der kräftigere Sinne, reichere Phantasie und ursprünglicheres Empfinden habe als die gelehrte Oberschicht. Die Hervorbringungen des so gesehenen Volkes, Volksglauben, Volkssagen, Volkslieder usw. und alle Kunst, die volksmäßig oder volksartig sei, erhalten damit eine hohe Wertung« (Kluckhohn). Herders Ansichten wirkten nicht nur stark auf die Romantiker, sondern, wie wir schon gesehen haben, ganz besonders auch auf die Brüder Grimm. Jacob folgte Herders Gedanken sowie seinem eigenen Glauben an den Volksgeist, in dem er den Ausdruck einer ursprünglichen, schöpferischen Gemeinschaft und unbewußten Kollektivkraft sah, sehr konsequent. Diese Konsequenz mündete oft in Einseitigkeit, wie die Diskussion um Natur- und Kunstpoesie zeigte. Aber es ist sein Verdienst, daß er das Wesen und die Geschichte des Volkes in der »leiblichen Gestalt« der sich organisch entwickelnden Sprache reflektiert sah. Dabei war er von der Verwandtschaft der Sprachen (und damit der Völker) überzeugt. Er beschränkte seine intensiven Sprachstudien nicht auf die deutsche Sprache, wie vergleichsweise die Mitglieder der »Berlinischen Gesellschaft für deutsche Sprache und Altertumskunde« (1815) und des Frankfurter »Gelehrtenvereins für deutsche Sprache«

(1817), sondern zog, wie gesagt, schon früh die verschiedensten Sprachen in seinen Blickkreis.

Wenn er den Bau der Sprache in der »Deutschen Grammatik« untersuchte, ging es ihm um die Erhellung »der Sachen durch die Wörter«, und damit schlug er einen eigenen, neuen Weg ein. Schon 1816 hatte Jacob Grimm seine »grammatischen Sammlungen« neu durchgearbeitet, sich im Jahr darauf mit der »Grammatik der ältesten deutschen Sprachdenkmäler« befaßt und dabei »manches Überraschende gefunden«. Seiner Ansicht nach erforderten die »Ähnlichkeiten zwischen allen verschwisterten Mundarten« die ausgedehnte Beschäftigung mit den Quellen: alt-, mittel- und neuhochdeutsch, altniederdeutsch, mittel-niederdeutsch, niederdeutsch, friesisch, alt- und mittelenglisch, englisch, altnordisch, nordisch und gotisch; außerdem sei der Zusammenhang »beinahe aller europäischen Zungen untereinander und mit einigen asiatischen« zu berücksichtigen. Insofern mag die Bezeichnung »deutsch« für eine so umfassend angelegte Grammatik irreführend sein. Jacob Grimm bediente sich »des Ausdrucks deutsch allgemein, so daß er auch die nordischen Sprachen einbegreift, viele würden das Wort germanisch vorgezogen haben ... Da indessen nordische Gelehrte neuerdings förmliche Einsprache dawider tun, daß ihr Volksstamm ein germanischer sei, so soll ihnen die Teilnahme an diesem seit der Römerzeit ehrenvollen Namen ... so wenig aufgedrungen werden, als der von ihnen vorgeschlagene allgemeine: gotisch gebilligt werden kann. Die Goten bilden einen sehr bestimmten Stamm, nach dem man unmöglich andere Stämme benennen darf. Deutsch bleibt dann die einzig allgemeine, kein einzelnes Volk bezeichnende Benennung.«

Die »Deutsche Grammatik«, deren vier Bände 1819, 1826, 1831 und 1837 erschienen, sollte »sowohl eine Grammatik wie eine Geschichte der Sprache« sein. Jacob Grimm sprach sich gegen die philosophische Betrachtungsweise des Baus der Sprache aus, weil sie nur zu einer abstrakt logischen Begrifflichkeit führe; auch die kritische Untersuchungsweise, die normativ wirken wolle, verleihe dem zeitgenössischen Zustand der Sprache kein neues Leben, sondern störe ihn aufs empfindlichste und sei deshalb abzulehnen. Jacob Grimm wollte also gerade nicht abschreckend öde sprachliche Vorschriften für den täglichen Gebrauch erlassen. In einem Brief an Arnim meinte er: »Die Anatomie und Naturgeschichte ehrst du gewiß, die Chemie hast du früher selbst betrieben; ebenso wunderbare Stoffe und Mischungen liegen in der Sprache und ihrer Geschichte; es macht [mir] großes Vergnügen, sie zu erkennen und aufzulösen.«

Grammatik als Entdeckungsreise: das erregte in wissenschaftlichen Kreisen Aufsehen, und nicht nur Heine, auch Jean Paul, Hoffmann von Fallersleben, Wilhelm von Humboldt und August Wilhelm von Schlegel bezeugten überschwenglichen Beifall. »Das große unübertreffliche Muster« ist die »Deutsche Grammatik« aber vor allem für ausländische Sprachwissenschaftler geworden. – Bald schon war die erste Auflage des ersten Bandes (1819) vergriffen. Von seiner Neuauflage bemerkte Jacob, er habe sie so stark überarbeitet, »daß darin keine Zeile der vorigen stehengeblieben« sei. In der Tat beschrieb er in dieser erweiterten Ausgabe (1822) eine wichtige Entdeckung: das Gesetz der Lautverschiebung, das später in der Sprachwissenschaft international als »Grimm's Law« bezeichnet wurde. Nach Jacob Grimm basiert die Loslösung des Germanischen von den übrigen indogermanischen Sprachen (2. Jahrtausend bis 200 vor Chr.) und die Entwicklung des Althochdeutschen (vom 5. Jahrhundert nach Chr. an) auf der sukzessiven Veränderung des Konsonantensystems. – Ein fünfter Band, der den bis 1837 erschienenen Erstausgaben und Neuauflagen der Grammatik folgen sollte, kam nach der Göttinger Amtsenthebung, aber auch wegen des Beginns der Arbeit am Wörterbuch nicht mehr zustande.

In gewisser Weise stellte jedoch Jacob Grimms zweibändige »Geschichte der deutschen Sprache« (1848) eine Fortsetzung der »Deutschen Grammatik« dar. Auch hier trifft der Titel nicht den Inhalt der Publikation, die der Autor selbst überraschenderweise »für sein Bestes« hielt, »obgleich sie, zu schnell niedergeschrieben, an mehreren Stellen der Nachhülfe bedarf«. Dagegen nannte sie etwa der zeitgenössische Literaturhistoriker Karl Müllenhoff schlicht und böse eine »Alterstorheit«. Er meinte damit nicht nur Jacobs seltsame und falsche Ausgangsthese, die Goten und die älteren Geten seien ein und dasselbe Volk. Das Buch stellt ein Konglomerat von Einzeluntersuchungen dar, die die Geschichte der germanischen Stämme in ältester Zeit behandeln. Ergänzungen zur Grammatik wechseln mit Schilderungen über Hirten und Ackerbauern, das Vieh, die Falkenjagd, Feste und Monate, Glaube, Sitte etc., ethnologischen und mythologischen Erörterungen. Jacobs Vorliebe für die Idee der goldenen Frühzeit der Völker, in der sie in sprachlicher Einheit lebten, mündet in seine utopische und in priesterlichem Ton hervorgebrachte These, daß sich in einer zukünftigen Zeit diese Einheit wiederherstellen, »eine Zunge den Erdboden überall erfüllen« werde. Beeindruckend ist je-

Jacob Grimm in der Berliner Zeit – »wenn er zuhört«. Zeichnung von Herman Grimm

doch sein Glaube an die Macht der Sprache, den er, wie später in der Vorrede zum »Deutschen Wörterbuch«, in der Widmung der »Geschichte der deutschen Sprache« an Gervinus mit der politisch aktuellen Situation in Zusammenhang brachte: »Aber auch die innern Glieder eines Volkes müssen … zusammentreten …; in unserm widernatürlich gespaltnen Vaterland kann dies kein fernes, nur ein nahes, keinen Zwist, sondern Ruhe und Frieden bringendes Ereignis sein, das unsere Zeit, wenn irgend eine andre mit leichter Hand heranzuführen berufen ist. Dann mag, was unbefugte Teilung der Fürsten, die ihre Leute gleich fah-

render Habe zu vererben wähnten, zersplitterte, wieder verwachsen.«

Solcher politischen Anspielungen enthielt sich Jacob Grimms wichtige Akademieabhandlung »Über den Ursprung der Sprache« (1851), ein von Schelling angeregtes Thema. Er knüpfte damit an Gottfried Herders von der Berliner Akademie preisgekrönte »Abhandlung über den Ursprung der Sprache« (1770) an, eine sprachphilosophische Schrift, in der Herder die Intelligenz des Menschen als unterscheidendes Bewußtsein (»Besonnenheit«, die sich in der Sprache ausdrückt), interpretierte und seine These darlegte, in jedem Wort sei ein Urerlebnis der Menschheit fixiert. Jacob Grimm verflocht in seiner Darstellung grammatische Erkenntnisse, naturwissenschaftliche Beobachtungen und psychologische Überlegungen zur Lautsymbolik mit einer Auseinandersetzung mit der kirchlichen Lehre, wobei er auch Hegel zitierte. Die Rede, die zu ihrer Zeit starke Beachtung fand, rief den Protest kirchlich orthodoxer Kreise hervor, die sich scharf gegen die Auffassung Jacob Grimms wandten, der wie Herder die Schöpfung der Sprache losgelöst von der göttlichen Offenbarung sah. Nach Jacob Grimm, dessen tiefe Religiosität bekannt ist, war die Sprache »aus sinnlicher, ungetrübter Anschauung … selbst schon ein Gedanke«, entsprungen; er betrachtete die Entstehung der Sprache also als menschlichen Bewußtseinsvorgang. »Von allem, was Menschen erfunden und ausgedacht, bei sich gehegt und einander überliefert … haben, scheint die Sprache das größte, edelste und unentbehrlichste Besitztum … Geheimnisvoll und wunderbar ist der Sprache Ursprung, doch rings umgeben von andern Wundern und Geheimnissen.«

Wie der Ursprung der Sprache, ist

nach Jacob Grimm auch der Ursprung des Rechts im Volk zu suchen. Schon Savigny hatte die Auffassung vertreten, das Recht führe kein isoliertes Dasein, sondern sei wie die Sprache aus der menschlichen Kommunikation heraus entstanden. Diesem Gedanken schloß sich Jacob Grimm an, wenn er behauptete und zu beweisen suchte, Sprache und Dichtung, Glaube, Sitte und Recht hätten die gleichen Wurzeln. Er meinte, die Gesetze seien nicht aus der Willkür eines Gesetzgebers entstanden, sondern aus einem allgemeinen Bewußtsein der Zustände und Verhältnisse des Lebens hervorgegangen. Der »organische Zusammenhang des Rechts mit dem Wesen und Charakter des Volkes« bewähre sich im Lauf der Zeiten ebenso wie der Zusammenhang der Sprache. »Das Recht wächst also mit dem Volk fort, bildet sich aus mit diesem und stirbt endlich ab, so wie das Volk seine Eigentümlichkeit verliert.« Auch Savigny hatte gemeint, »das Recht jedes Volkes [sei] wie ein Glied an dem Leibe desselben, nur nicht wie ein Kleid, das willkürlich gemacht worden ist und ebenso willkürlich abgelegt und gegen ein anderes vertauscht werden kann.« Ebenso sinnlich war Jacob Grimms Anschauungsweise, wenn er sagte, »daß Recht und Poesie aus einem Bette aufgestanden« seien (»Von der Poesie im Recht«, 1815).

Jacob Grimms starkes Interesse an Fragen des alten Rechts ist allein schon aus dem Umfang seines rechtskundlichen Hauptwerks »Deutsche Rechtsaltertümer« (1828) ersichtlich: es weist nahezu 1000 Druckseiten auf. Einleitend behandelt Jacob Grimm ausführlich Formen und Symbole des

Jacob Grimm, »Deutsche Rechtsaltertümer«. Erstausgabe von 1828. Illuminiertes Handexemplar Ludwig Emil Grimms

DEUTSCHE RECHTS ALTERTHÜMER

VON JACOB GRIMM.

GÖTTINGEN,
IN DER DIETERICHSCHEN BUCHHANDLUNG
1828.

Rechts, wie zum Beispiel Schlüssel, Stab, Blut. Daran schließen sich Darstellungen der Rechtsverhältnisse in den einzelnen Ständen und der stammesrechtlichen Ordnungen; außerdem befaßt er sich mit den Arten der Verbrechen und deren Ahndung durch die Gerichte. Das Werk, das Einblicke in die Sitten, Bräuche und Lebensweise der germanischen Stämme eröffnet, bietet darüber hinaus die bis heute umfassendste Sammlung der Rechtsquellen von der »Germania« des Cornelius Tacitus bis in Jacob Grimms Gegenwart. Der Verfasser selbst meinte in seiner Vorrede zur zweiten Ausgabe der »Rechtsaltertümer« (1854): »Unter allen meinen Büchern habe ich keine mit größerer Lust geschrieben als die Rechtsaltertümer, den Reinhart [Fuchs] und die Geschichte unserer Sprache.« Während der Arbeit an dieser Publikation stieß Jacob Grimm auf eine weitere, bis dahin unbeachtete Art von Rechtsquellen, nämlich jene aus dem bäuerlichen Bereich (die sich allerdings später zum größten Teil als weithin kodifiziertes Herrenrecht erwiesen). In einem Brief an Savigny vom Januar 1836 berichtete Jacob: »Dann habe ich fünfhundert oder mehr ungedruckte Weistümer gesammelt, mir fast das liebste im deutschen Recht.« Und an Karl Goedeke schrieb er ein Jahr darauf: »Große Freude macht mir die Sammlung der Weistümer, wodurch unserem alten Recht manch frischer Gewinn zuwachsen soll, sie führt recht in heimliche Schlupfwinkel des Volkslebens.«

1840 erschien der erste Band der Weistümer. Der Titel meint nach Jacob Grimm nicht nur den Begriff Weisheit, sondern bezeichnet auch den Rechts- bzw. Urteilsspruch in bäuerlichen Gemeinden, der, mündlich oder schriftlich überliefert, als gesetzliche Bestimmung auch für künf-

tige Fälle verbindlich blieb. Die Sammlung wurde noch um sechs weitere Bände erweitert, wobei die Teile fünf, sechs und sieben nach Jacob Grimms Tod von einer ganzen Reihe von Herausgebern und Institutionen erarbeitet wurden.

Die rechtskundlichen Forschungen Jacob Grimms, mit denen er zu seiner Zeit Neuland betreten hatte und durch die sich weniger – wie beabsichtigt – die Germanisten als die Juristen angesprochen fühlten, wurden zum Ausgangspunkt eines eigenen Forschungszweiges: Rechtsgeschichte und volkskundliche Rechtskunde. Außerdem bereicherten sie die Jurisprudenz um neue Gesichtspunkte der Rechtsphilosophie. Immerhin dienten die »Deutschen Rechtsaltertümer« zum Beispiel auch Richard Wagner als Quelle für seine Oper »Lohengrin«, wie er übrigens gleichfalls Jacob Grimms frühe Abhandlung »Über den altdeutschen Meistergesang« (1811) für »Die Meistersinger von Nürnberg« benützte.

Wenn Jacob Grimm in den »Deutschen Rechtsaltertümern« Rückschlüsse auf die Lebensweise und Gewohnheiten der germanischen Stämme zog, so untersuchte er in der »Deutschen Mythologie« (1835) die religiöse Seite des deutschen Altertums. Im Gegensatz zu seinen rechtskundlichen Forschungen betrat er hier nicht Neuland, sondern ein Gebiet, dem zum Beispiel Friedrich Creuzer (der Freund Savignys und von der Günderode unglücklich Geliebte) bereits seine Aufmerksamkeit zugewandt hatte (»Symbolik und Mythologie der alten Völker«, 1810/11) und das im Verlauf des 19. Jahrhunderts in Wissenschaft und Publikum eine Epidemie des Interesses auslöste. Im Unterschied zu Autoren früherer Werke und entgegen seiner gewohnten Anwendung der Bezeich-

nung »deutsch«, sparte Jacob Grimm die nordische Mythologie hier aus. Außerdem betrachtete er, wiederum im Gegensatz zu seinen Zeitgenossen, die germanische Mythologie nicht als eine Ersatzreligion (als die sie dann besonders im 20. Jahrhundert eine mehr als fatale Rolle spielen sollte), sondern ausschließlich als Gegenstand wissenschaftlicher Forschung. Grundlage seiner Untersuchung ist die Sprachforschung; aus den nur spärlich und bruchstückhaft überlieferten Zeugnissen, den lateinischen der Römerzeit und den alten Volkssagen, rekonstruierte er die Hauptzüge, aber auch Details der germanischen Religion. Auf über 1000 Seiten charakterisiert er ihre Götter und Göttinnen und den ihnen gewidmeten Kult; beschreibt er den Kreis der übernatürlich begabten Wesen (weise Frauen, Elfen, Wichte und Riesen); erforscht er die Seelen-, Todes- und Schicksalsvorstellungen; untersucht die Auffassung vom Wirken des Göttlichen in der Natur und entdeckt ein belebtes Universum, das von den Sternen bis zu Tieren, Pflanzen und Steinen reicht. Darüber hinaus belegt Jacob Grimm das Fortleben dieser heidnischen Vorstellungen in christlicher Zeit. Im ganzen ist die »Deutsche Mythologie« in ihrer sachlichen, aber nicht farblosen Darstellungsweise und in ihrem Kenntnisreichtum ein imponierendes Werk, das vor allem auch im Ausland starke Beachtung und Nachfolger fand; so entstanden beispielsweise niederländische (1846), finnische (1853) und ungarische (1854) Mythologien. Auch auf dem Gebiet der Religionswissenschaft hat Jacob Grimm damit Maßstäbe gesetzt.

Die genannten Publikationen Jacob Grimms zur Sprachwissenschaft und -geschichte, Rechtskunde und Religionswissenschaft stellen seine

Die Universität Berlin, letzte Wirkungsstätte der Brüder Grimm (1841–52). Zeitgenössischer Stahlstich

Hauptwerke dar. Daneben verfaßte er etwa 400 Abhandlungen, Rezensionen, vermischte Aufsätze, Reden, biographische Aufzeichnungen und zeitgeschichtliche Betrachtungen. Das Netz der Themen ist weitgespannt. So beschäftigte sich Jacob Grimm zum Beispiel mindestens 25 Jahre mit der Tierdichtung, wie er sich etwa auch Gedanken machte »Über Schule, Universität, Akademie«, »Über das Verbrennen der Leichen«, »Über Frauennamen aus Blumen«, »Über

das finnische Epos« oder »Über Diphthongen nach weggefallenen Konsonanten« und »Bemerkungen über eins der Projekte der Pentarchen zu einer deutschen Bundesanstalt« beisteuerte oder Schiller in einer Rede würdigte, die zu den großen der Weltliteratur zählt. Man kann auf jeden Fall Jacob Grimms Bemerkung: »Ich glaube wohl, daß ich einer der arbeitslustigsten Menschen bin«, nur beipflichten; bezeichnenderweise gibt es bis heute noch keine umfassende Darstellung des Gesamtwerks von Wilhelm und Jacob Grimm. Noch nicht 30jährig, stellte sich Jacob die Frage: »Sollte mir eine gewisse heimliche Hast und Eile, die ich in mir spüre,

ein kurzes Leben bedeuten?« Er setzte jedoch fort: »Unruhe kann ich es doch gar nicht nennen, sondern ich arbeite mit der größten Ruhe und Zufriedenheit, dabei wünsche ich mir, alt zu werden und was ich gesammelt und ausbedacht, recht fleißig und treu auskochen zu können, geschieht es nicht, so hat Gott auch recht, den ich täglich mehr finde und erkenne. Nur auf den Fall er einen von uns (da auch der Wilhelm schwächlich ist) früher wegnähme, wüßte ich gar nicht, was aus dem andern werden sollte.« – Nach Wilhelms Tod hielt Jacob 1863 seine letzte Rede in der Berliner Akademie mit dem Titel »Rede auf Wilhelm Grimm«.

Deutsche Grammatik.

Winter 1831.

1. Herr Gravenhorst aus Braunschweig
2. — Bethmann
3. — Hoffmann aus Clausthal
4. — Lepsius aus Naumburg
5. — Kreis aus Straßburg
6. ...
7. ...
8. ...
9. ...
10. ...
11. W. ...
12. ...
13. ...
14. ...
15. ...
16. ...
17. ...
18. ...
19. ...
20. ...
21. ...
22. ...
23. ...
24. ...

Mit vollem Recht hat Jacob Grimm stets alle Nachrichten von den römischen Historikern, die den Cimbernzug beschrieben, bis auf Adam von Bremen und Saxo Grammaticus, alle Literaturdenkmäler von »Beowulf« und »Hildebrandslied« bis auf die »Edden« und Sagas, alle Rechtsbücher von den leges barbarorum bis auf die altdänischen und altschwedischen Gesetze und die deutschen Weistümer als gleich wertvolle Quellen für deutschen Nationalcharakter, deutsche Sitten und Rechtsverhältnisse behandelt. Der spezielle Charakter mag nur lokale Bedeutung haben, der Charakter, der sich in ihm spiegelt, ist dem ganzen Stamme gemein; und je älter die Quellen, desto mehr schwinden die lokalen Unterschiede.

FRIEDRICH ENGELS ÜBER JACOB GRIMMS FORSCHUNGSARBEIT. AUS: »DIE GESCHICHTE IRLANDS«

Je weiter ich in diesem Studium fortgehe, desto klarer wird mir der Grundsatz: daß kein einziges Wort oder Wörtchen bloß *eine* Ableitung haben, im Gegenteil jedes hat eine unendliche und unerschöpfliche. Alle Wörter scheinen mir gespaltene und sich spaltende Strahlen *eines* wunderbaren Ursprungs, daher die Etymologie nichts tun kann als einzelne Leitungen, Richtungen und Ketten aufzufinden und nachzuweisen, soviel sie vermag. Fertig wird das Wort nicht damit. Folglich bestehen mehrere richtige Erklärungen nebeneinander unabhängig oder in verborgenem Zusammenhang ... Ich hoffe das einmal in vielen Beispielen zu beweisen.

JACOB GRIMM ÜBER DIE NATUR DER WÖRTER. BRIEF AN FRIEDRICH KARL VON SAVIGNY, 20. APRIL 1815

Die altdeutsche Literatur und was damit zusammenhängt, kann sich noch nicht rühmen, daß sie in irgendeiner Richtung vollständig zu überschauen sei, bis jetzt sind nur größere oder kleinere Bruchstücke daraus bekannt geworden. Dies zieht ihr natürlich, wo nicht Abneigung, doch eine gewisse Gleichgültigkeit derjenigen zu, welche sie nicht gerade als

Hörerverzeichnis zu Jacob Grimms Vorlesung über »Deutsche Grammatik«, gehalten im Winter 1831 in Göttingen

Im Kolleg bei Jacob Grimm. Federzeichnung von Ludwig Emil Grimm, dat. 28. Mai 1830

Handwerk treiben, wenigstens denken sie, eine größere Teilnahme für die Zeit zu sparen, wo der Gewinn für die Bildung im ganzen sich erst leicht und sicher ergeben würde und wo man ohne Gefahr, zu viel oder zu wenig zu tun, ihr den gebührenden Platz in dem Kreise anweisen kann. Bis jetzt ist es unter den Gelehrten erlaubt, gar wohl schicklich, sie ganz zu übersehen und fürs erste gar nichts davon wissen zu wollen, so daß schon eine besondere Lebendigkeit und Freiheit des Geistes dazu gehört, um zu fühlen, daß sie beachtet zu werden verdiene ... Wird einmal durch den Abdruck der Quellen erst eine Übersicht möglich, dann kann auch die Teilnahme daran und ein lebendiges Publikum kaum ausbleiben.

Darf ich von uns selbst etwas bemerken, so weiß ich nicht, inwiefern sich der Zusammenhang, in dem wir diese Literatur betrachten, auch in dem, was wir haben drucken lassen, zeigt. Uns reizt weniger, was schon damals aus der Fremde eingeführt wurde, so ausgezeichnet und schön manches darunter ist, als was unmittelbar aus deutschem Geist hervorgegangen war, denn es findet auch jetzt, weil es nie ganz versiegen konnte, noch seine Berührungspunkte, welche die Hoffnung an eine fruchtbare Wiederbelebung gar wohl gestatten. Indessen, bei dem bisherigen zerstückten Wesen, dürfen wir zufrieden sein,

Jacob Grimm. Entwurf für das Frontispiz zur »Deutschen Grammatik«. Bleistiftzeichnung von Ludwig Emil Grimm, 1818

schen immer bereit, alles Geistige in sich aufzunehmen. Hieraus folgt der unterbrochne und schwierige Gang unserer Bildung, zugleich der weite lebensvolle Grund, den sie mit der Zeit gewonnen hat. Bei allen Völkern des Mittelalters stehen Zeichen sanfter Verfeinerung und starrer Wildheit grell nebeneinander; welches andere hätte so viel Sinnliches im Recht, Heidnisches in der Poesie, Altväterisches in der Sprache zu hegen gewußt? Die deutsche Sprache ist nicht ohne Schmuck ...

JACOB GRIMM, AUS DER VORREDE ZUM 4. TEIL DER »DEUTSCHEN GRAMMATIK« (1837)

Die klassischen Studien, meine Herren, sind die Grundlage unserer Bildung; sie zeigen uns immer das einfach Menschliche; zu ihnen kehren wir immer wieder, wenn wir uns an dem reinen Schönen erfreuen wollen. Die klassischen Studien können nie verdrängt, ihr Wert soll nicht verringert werden. Das Studium des deutschen Altertums will sie auch nicht verdrängen; es will nur eintreten in das Recht, das ihm gebührt, und den Platz wiedergewinnen, aus dem es vertrieben ist. Wir haben Zeiten gehabt, vor denen die klassischen Studien uns nicht schützen konnten, über welche sie uns nicht hinweghalfen; erst als wir uns wieder zu dem wandten, was das Wesen unsres Volkes ist, schüttelten wir die Not ab, und so wird uns das aus jeder Not helfen.

JACOB GRIMM, AUS EINER REDE AN DIE BERLINER STUDENTEN ANLÄSSLICH DEREN OVATION FÜR DIE BRÜDER GRIMM AM 24. FEBRUAR 1843

wenn man wenigstens bemerkt, daß es nicht planlos herausgerissene Einzelheiten sind.

WILHELM GRIMM ÜBER DAS KULTURPOLITISCHE ZIEL SEINER UND JACOB GRIMMS FORSCHUNGSARBEIT. BRIEF AN JOHANN WOLFGANG VON GOETHE, 1. AUGUST 1816

Wer sich in Untersuchungen über die deutsche Sprache begibt und darin aushält, wird mit Freuden gewahren, wie das Wesen und die Geschichte unseres Volks in den Eigenschaften und Schicksalen unserer Sprache sich abspiegeln. Es sind zwei entgegengesetzte Grundzüge, welche deutsche Sinnesart von jeher auszeichnen, treues Anhängen an dem Hergebrachten und empfängliches Gefühl für das Neue. Wenig geneigt, der angestammten Kraft ihrer Natur zu entsagen, waren die Deut-

Lichtenberg bringt die Wissenschaften unter vier Klassen. In die erste stellt er die Ehre verleihen, in die zweite die Brot verleihen, in die dritte die Ehre und Brot verleihen, endlich in die vierte die weder Ehre noch Brot verleihen ...

Man weiß auch, wie die Studenten auf der Universität unterscheiden: sie haben zweierlei Wissenschaft, solche, die sie testiert erhalten müssen, und andere, wo das nicht notwendig ist; danach richtet sich dann ihre Neigung zur Annahme und zum Besuch der einzelnen Vorlesungen. Es ist aber viel freier und schöner, diesen Unterschied zu verkennen, sich gehn zu lassen und blind in den Tag hinein zu studieren, dessen Licht genug augeneröffnende Kraft hat; rechte Wissenschaft gleicht dem Tag. ...

Zu den genauen werden bekanntlich die gerechnet, welche alle Sätze haarscharf beweisen: Mathematik, Chemie, Physik, alle, deren Versuche ohne solche Schärfe gar nicht fruchten. Zu den ungenauen Wissenschaften hingegen gehören gerade die, denen wir uns hingegeben haben und die sich in ihrer Praxis so versteigen dürfen, daß ihre Fehler und Schwächen möglicherweise lange Zeit gelitten werden, bis sie in stetem Fortschritt aus Fehlern und Mängeln immer reiner hervorgehen: Geschichte, Sprachforschung, selbst Poesie ist eine allerdings ungenaue Wissenschaft. ...

Den genauen Wissenschaften schlägt noch etwas anderes zum Vorteil aus: sie lösen die einfachsten Urstoffe auf und setzen sie neu zusammen. Alle Hebel und Erfindungen, die das Menschengeschlecht erstaunen und erschrecken, sind von ihnen allein ausgegangen, und weil ihre Anwendungen schnell Gemeingut werden, so haben sie für den großen Haufen den größten Reiz.

Viel sanfter und zugleich viel träger ziehen die ungenauen Wissenschaften nach sich, es gehört schon eine seltnere Vorrichtung einzelner Naturen dazu, um sie an deutsche Geschichte oder an die Untersuchung deutscher Sprache innig zu fesseln, während wir die Hörsäle der Chemiker und Physiker wimmeln sehen von einer dem Zeitgeist auch unbewußt huldigenden Jugend. Und doch stehn die Philologen und Historiker an Fülle der Kombination den gewandtesten Naturforschern nicht eben nach; ich finde sogar, daß sie den schwierigsten Wagstücken mutvoll entgegengehen, daß umgekehrt die exakte Wissenschaft einer Reihe von Rätseln ausweicht, deren Lösung noch gar nicht herangekommen ist. ...

Der chemische Tiegel siedet unter jedem Feuer, und die neu entdeckte, mit kaltem lateinischen Namen getaufte Pflanze wird auf gleicher klimatischer Höhe überall erwartet; wir aber freuen uns eines verschollenen ausgegrabenen

Jacob Grimm, Notiz über den Begriff des Redens

deutschen Worts mehr als des fremden, weil wir es unserem Land wieder aneignen können, wir meinen, daß jede Entdeckung in der vaterländischen Geschichte dem Vaterland unmittelbar zustatten kommen werde. Die genauen Wissenschaften reichen über die ganze Erde und kommen auch den auswärtigen Gelehrten zugute, sie ergreifen aber nicht die Herzen. Die Poesie nun gar, die entweder keine Wissenschaft genannt werden darf oder aller Wissenschaften Wissenschaft heißen muß, weil sie gleich der leuchtenden Sonne in alle Verhältnisse des Menschen dringt, die Poesie fährt nicht auf brausender Eisenbahn, sondern strömt in weichen Wellen durch die Länder, oder ertönt im Liede, wie ein dem Wiesental entlang klingender Bach; immer aber geht sie aus von der heimatlichen Sprache und will eigentlich nur in ihr verstanden sein.

JACOB GRIMM, AUS: »ÜBER DEN WERT DER UNGENAUEN WISSENSCHAFTEN«. REDE AUF DER FRANKFURTER (I.) GERMANISTENVERSAMMLUNG 1846

Mich schmerzt es tief, gefunden zu haben, daß kein Volk unter allen, die mir bekannt sind, heute seine Sprache so barbarisch schreibt wie das deutsche, und

DEUTSCHES
WÖRTERBUCH

von

JACOB GRIMM und WILHELM GRIMM.

ERSTER BAND.

A — BIERMOLKE.

LEIPZIG

VERLAG VON S. HIRZEL.

1854.

richtiger Besserung am meisten hinderlich wird.

Die Häufung unnützer Dehnlaute und Konsonantverdoppelungen, dazu aber noch ein unfolgerichtiger Gebrauch derselben gereicht unsrer Sprache zur Schande. Ganz gleiche nebeneinanderstehende Wörter leiden ungleiche Behandlung. Der Franzose schreibt *nous vous*, der Italiener *noi voi*, der Däne *vi i*, der Pole *my wy*, der Deutsche hat den pedantischen Unterschied gemacht wir und ihr. Nicht anders setzt er grün, aber kühn, schnüren, aber führen, Heer, Meer, Beere, aber wehre und nähre, schwöre, Haar, aber wahr, Jahr, welchen Wörtern überall gleicher Laut zusteht. Von schaffen bilden wir die dritte Person schafft, in dem Substantiv Geschäft lassen wir den einfachen Laut. ... Man schlage eins unsrer Adreßbücher auf, welche Barbarei daraus entgegenweht; da stehn Hofmänner und Wölfe bald mit f, bald ff geschrieben, und in welcher bunten Masse von Schmieden, Schmidten, Schulzen, Schultzen, Scholzen, Scholtzen, Müllern, Möllern und Millern muß man sich verlieren. Mitten auf den Titeln unserer Bücher erscheinen solche verunzierten Namen, oft unaussprechlich unsern Nachbarn ... unerläßlich scheint es, daß eine gebildete Sprache ihre Eigennamen den Gesetzen unterwerfe, die für alle übrigen Wörter gelten, und wo sie es nicht tut, verdient sie, geschmacklos zu heißen.

Den gleich verwerflichen Mißbrauch großer Buchstaben für das Substantivum, der unsrer pedantischen Unart Gipfel heißen kann, habe ich und die mir darin beipflichten abgeschüttelt, zu welchem Entschluß nur die Zuversicht gehört, daß ein geringer Anfang Fortschritten Bahn brechen müsse. Mit wie zaghafter Bedächtigkeit wird aber ausgewichen, nach wie unmächtigen Gründen gehascht gegen eine Neuerung, die nichts ist als wiederhergestellte naturgemäße Schreibweise, der unsere Voreltern bis ins fünfzehnte Jahrhundert, unsere Nachbarn bis auf heute treu blieben. Was sich in der gesunknen Sprache des sechzehnten und sieb-

wem es vielleicht gelänge, den Eindruck zu schwächen, den meine vorausgehenden Bemerkungen hinterlassen haben, das müßte er dennoch einräumen, daß unsre Schreibung von ihrer Pedanterei gar nicht sich erholen könne. ...

Zu geschweigen, daß der einzelne nach Verwöhnung oder Eigendünkel die Buchstaben übel handhabt, wird auch im allgemeinen weder strenge Folge noch Genauigkeit beachtet, und indem jeder gegen den Strom zu schwimmen aufgibt, beharrt er desto hartnäckiger in unvermerkten Kleinigkeiten, deren Wirrwarr auf-

zehnten Verkehrtes festsetzte, nennt man nationale deutsche Entwicklung; wer das glaubt, darf sich getrost einen Zopf anbinden und Perücke tragen, mit solchem Grund aber jedwedes Verschlimmern unsrer Sprache und Literatur gutheißen und am Besserwerden verzweifeln.

JACOB GRIMM, AUS: »ÜBER DAS PEDANTISCHE IN DER DEUTSCHEN SPRACHE«. VORTRAG IN DER BERLINER KÖNIGLICHEN AKADEMIE DER WISSENSCHAFTEN, 21. OKTOBER 1847

Unsere Sprache ist auch unsere Geschichte. Wie eines Volkes, eines Reiches Grund gelegt wurde von einzelnen Geschlechtern, die sich vereinten, gemeinsame Sitten und Gesetze annahmen, im Bunde handelten und den Umfang ihres Besitztums erweiterten, so forderte auch die Sitte einen findenden ersten Akt, aus dem alle nachfolgenden hergeleitet werden, auf den zurück sie sich beziehen. Die Dauer der Gemeinschaft legte hernach eine Menge von Abänderungen auf.

Den Stand der Sprache im ersten Zeitraum kann man keinen paradiesischen nennen in dem gewöhnlich mit diesem Ausdruck verknüpften Sinn irdischer Vollkommenheit; denn sie durchlebt fast ein Pflanzenleben, in dem hohe Gaben des Geistes noch schlummern, oder nur halb erwacht sind. Ihre Schilderung darf ich etwa in folgende Züge zusammenfassen.

Ihr Auftreten ist einfach, kunstlos, voll Leben, wie das Blut in jugendlichem Leib raschen Umlauf hat. Alle Wörter sind kurz, einsilbig, fast nur mit kurzen Vokalen und einfachen Konsonanten gebildet, der Wortvorrat drängt sich schnell und dicht wie Halme des Grases. Alle Begriffe gehn hervor aus sinnlicher, ungetrübter Anschauung, die selbst schon ein Gedanke war, der nach allen Seiten hin Entfaltung als sein Merkmal setzte: um diese Angel dreht sich meine ganze Vorstellung, darin unterscheide ich mich von meinen Vorgängern. War uns das Wesen der Flexion nicht auch in Dunkel gehüllt, eh eine Decke nach der andern davon weggezogen wurde? Zahllose Begebenheiten selbst

aus historischer Zeit sind erst dem Auge des Geschichtsforschers klar geworden, des Menschengeschlechts älteste Geschichte lagert verborgen gleich der seiner Sprache, und nur die Sprachforschung wird Lichtstrahlen darauf zurückwerfen.

JACOB GRIMM, AUS: »ÜBER DEN URSPRUNG DER SPRACHE«. VORTRAG IN DER BERLINER KÖNIGLICHEN AKADEMIE DER WISSENSCHAFTEN, 9. JANUAR 1851

Der Plan zu dem Wörterbuch ist zum Teil reiflich überlegt, zum Teil noch unbestimmt gelassen, wie es die Natur der Sa-

---

dorfbier, erntebier, hausbier, kindelbier, klebebier, klosterbier, lagerbier, merzbier, mittelbier, nachbier, pechbier, pfingstbier, sommerbier, stadtbier u. s. w. *statt jener losen adj. auch zusammengesetzt* dünnbier, braunbier, warmbier u. s. w.

BIERAMSEL, *f. potator, zechbruder:* darnach sollte etwa eine volle bieramsel aus ein kruge daher laufen. LUTHER 5, 493'; krebser, böttner, angelfischer, halbbeseichte bieramseln, scherenschleifer. FISCHART *groszm.* 94; ein bieramsel oder weindrossel, wird rasend, taub, blind, stammert, und ist nicht ein glad am seinem leibe, das er recht brauchen kann. EINENIUS *fastnachtgespräch. Erfurt* 1582. *s.* bierfinke, bierholer.

BIERBALGER, *m. der* bierbalger will an dem armen bier ein eer einlegen. FRANK *trunkenh.* H 2'.

BIERBAMSCHER, BIERBANTSCHER, *m. bibax.*

BIERBANK, *f.* es wird auf allen bierbänken davon gesprochen; er liegt auf der bierbank.

BIERBANN, *m. vorrecht einer brauerei in einem bezirk allein bier zu verkaufen.*

BIERBAS, *m. vox gravis, raucisona:* er singt einen bierbas. *s.* bierknote.

BIERBAUCH, *m. biersäufer.*

BIERBAUSE, *m. potator, bierzecher, von* bausen zechen: ir schnargarkische angsterdräher, kutterufstorken, bierpausen! Garg. 17'; hernach 81' bildet FISCHART die substantiva weinschlauchitet *und* bierpausitet.

BIERBEDARF, *m. quantum cerevisiae necessarium est.*

BIERBISCHOF, *m. wa weihet man die* bierbischof? Garg. 52'.

BIERBOTTICH, *m. cupa cerevisiaria, bierkufe. einer groszen bierkufe, in welcher die Sueven dem Wuotan opferten, gedenkt schon die vita Columbani (mythol.* 49).

BIERBRAU, *m. coctio cerevisiae.*

BIERBRAUER, *m. coctor cerevisiae, cerevisiarius.* ALBERUS *und* HELBER schreiben bierbreuer, H. SACHS I, 412' bierprew.

BIERBRAUEREI, *f.*

BIERBRILLE, *f. combibo, zechbruder:* folgends haben s. Haubrecht und Eustachius die jäger in ire verwarung bekommen, s. Martin und s. Urban die guten zechbrüder, weinzapfen und bierbrillen. *bienenk.* 183'.

BIERBRUDER, *m. combibo, potator, auch* hopfenbruder. Garg. 59'.

BIERBRÜDERSCHAFT, *f.*

BIERCHEN, *n. cerevisiola, wird lobend gesagt:* das heiszt ein bierchen, ein gutes bier.

BIEREIGE, *m. in einzelnen städten, namentlich Erfurt, ein bürger, dem der bierbrau zusteht. gebildet wie ahd.* hûseigo *paterfamilias,* wineigo *tabernarius (*GRAFF 1, 116): bürger und biereige werden. STIELER 147.

BIEREIGENHOF, *m. brauhaus.*

BIERELN, *olere cerevisiam.* SCHMELLER 191.

BIERESEL, *m. ein unruhiger hausgeist, der nachts alles zerschlagen soll, wenn ihm nicht ein krug bier hingestellt wird. s. auch* bierholer.

BIERESSICH, *n. acetum e cerevisia. aber* essichbier, saures, *wie* essich.

BIERFASZ, *n. dolium cerevisiarium, biertonne, auch für* biersäufer.

BIERFIEDLER, *m. fidicen in cauponis, agrestis, der zum bier geigt.* STIELER 490; war bis in sein 24 jar ein bierfiedler gewesen. *Leipz. avanturier* 1, 109; diese elenden bierfiedler. ARNIM 2, 320; ach, Albano, warum hören deine freuden, wie die schleifer eines bierfiedlers, mit einem mistone auf? J. PAUL *Tit.* 1, 94.

BIERFINK, *m. was* bieramsel: meine bierfinken und weintrinker. FISCHART *groszm.* 79.

BIERFLASCHE, *f.*

BIERFLEGEL, *m. homo agrestis:* in den hewschrecken, den faulen, nassen, geneschigen meulern und bierflegeln. MATHESIUS 25'.

BIERFROSCH, *m. potator, der im bier patscht, schwelgt, wie der frosch im wasser.* STIELER 1417 hat bierpadde.

BIERGÄHRUNG, *f. fermentum cerevisiae.*

BIERGAST, *m. cauponae hospes,* bierkunde.

BIERGELAG, *n. coena cerevisiaria, bierzeche.*

BIERGELD, *n.* 1) *vectigal, abgabe, die auf das bier gelegt oder in bier entrichtet wird:* die einkommen von den mülen und biergeldern. SCHWEINICHEN 2, 14; man sehe die alten biergelden (*RA.* 314). 2) *was* trinkgeld: biergelder, auf die den bärenhäuter bei dieser festlichkeit ungemein rechnete. ARNIM 1, 109.

BIERGENUSZ, *m. usus cerevisiae, das* biertrinken.

BIERGEWÖLBE, *n. horreum cerevisiarium.*

BIERGISCHT, *m. spuma cerevisiae, bierschaum, mousse de bière.*

BIERGLAS, *n. poculum vitreum cerevisiae bibendae:* pierglas. *fasta. sp.* 1215.

BIERGLOCKE, *f.* dasz niemand nach der bierglocken in den schenkhäusern bleibe. *Erfurter stadtordn.*

BIERGLÜCK, *n. brauglück, glück im bierbrau.*

BIERHAHN, *m. der hahn am zapfen des bierfasses:* jetzt leider scheint man in beiden städten (*Ulm und Nürnberg)* das fasz des staats, weil der obere bierhahn saures gesöff herausliesz, unten einen zoll hoch über der hefe des pöbels angezapft zu haben. J. PAUL *Siebenk.* 1, 75.

BIERHAUS, *n. caupona cerevisiaria, bierschenke:*

dasz ihr lauft auf unsern sal,
als wenn ihr wert in eim bierhaus. AYRER 304'.

BIERHEBER, *m. sipho cerevisiarius.*

BIERHEFE, *f. faex cerevisiae:* die kraft seiner lenden ist versiegen gegangen und nun musz den bierhefe den menschen fortpflanzen helfen. SCHILLER 106'. man unterscheidet spundhefe *und* stellhefe, *obere und* untere.

BIERHELD, *m. potator, bierzecher:* wenn der trunkenbold trotzig ist und seines saufens als ein bierheld oder weinritter wil gerümet sein. LUTHER 3, 244'; unser füllpoden aber und volle zapfen wöllen den wein drutzen und dauzen und als die bierhelden und weinritter gerümet sein. FRANK *trunkenh.* H 2'.

BIERHOLER, BIERHOLD, *m. oriolus galbula, ein name der die üblichen benennungen* bruder Bierol, Berold, Pirolt, Tirolt *u. a. m. verdeutlichen soll, man sagt auch* goldamsel, bieresel, vogel Bülow, *der* schulz von Bülau *u. s. w. wahrscheinlich hängt* bieramsel *damit zusammen.* birolt, tirolt *drückt den schrei des vogels aus.*

BIERHUND, *m. ein alter käse, der im bier gelegen hat; ein biersäufer.*

BIERIG, *cerevisia madens, trunken, nach bier riechend.* SCHMELLER 1, 191.

BIERIGEL, *m. potator, biersäufer.*

BIERKALTSCHALE, *f. intrita panis e cerevisia:* wenn du magst, so will ich eine bierkaltschale unter dem zelt geben. GÖTHE *an fr. von Stein* 2, 96. *s.* biermärte, bierriebel.

BIERKANNE, *f. m studirt in der* bierkanne.

BIERKÄSE, *m. bier und milch dick gekocht.*

BIERKEGEL, *m. ein kegel, hölzerner krug, der zum zeichen frisches biers vor den schenken ausgesteckt wird.*

BIERKELLER, *m. cella cerevisiaria.*

BIERKIRSCHE, *f. suuerkirsche.*

BIERKNOTE, *m. was* Adamsapfel, der kehlkopf.

BIERKOSTER, *m. gustator cerevisiae.*

BIERKRAHN, *m. der hahn, krahn am bierfasz.*

BIERKRANZ, *m. ausgestecktes bierzeichen, wie* bierkegel, bierreis, *entweder ein laubkranz oder blosz von dürrem reisig.*

BIERKRÜCKE, *f. geräth in der brauerei, zum umrühren des siedenden biers.*

BIERKRUG, *m. urceus cerevisiarius, dann auch caupona.*

BIERKÜBEL, *m. cerevisiaria capula.*

BIERKUFE, *f. cupa cerevisiaria, bierbottich.*

BIERLADER, *m. braunknecht, der die tonnen verladet.*

BIERLAGEL, *n. lagena cerevisiaria, bierfäszchen.* Garg. 43' geschrieben bierlakel.

BIERLAND, *n. terra cujus incolae cerevisiam bibunt, im gegensatz zu* weinland, daher bierländer, bierländisch.

und wer des weins nicht trinken mag,
der ist nicht unsers fugs,
der zieh ins bierland Koppenhag,
da find er bos bier gnug. Garg. 50'.

BIERLEIN, *n. wie* bierchen.

BIERLUDER, *n.*

BIERLÜMMEL, *m.*

BIERMANGEL, *m. potus defectio.*

BIERMASZ, *n. wonach bier geschenkt wird.*

BIERMÄRTE, *f. was* bierkaltschale. STIELER 1244. WEISE schreibt biermeethe: da sagte einer, es wäre noch wunder, dasz er (*der geizhals)* eine biermeethe machen liesze. ach, sagte der wirt, es ist auch eine meethe, darauf sich ein gast nicht sein will. er hat bier zu brauen, nun will er mit allen auf das theuerste hinaus. erzn. 115. 116. *s.* märte, weinmärte.

BIERMEILE, *f. was* bierbann.

BIERMOLKE, *f. molke von solcher milch, die man durch bier zum gerinnen bringt.*

che erfordert. Der Grundgedanke dabei ist, daß es die Sprache so darlegen soll, wie sie sich in den letzten drei Jahrhunderten von Luther bis Goethe selbst darstellt. Man soll daraus ersehen, wie man in diesem Zeitraum gesprochen hat, allerdings auch wie man gegenwärtig spricht, aber es wird nicht entschieden, wie man sprechen soll. Durch diese ganz geschichtliche Haltung wird es sich von der einengenden, gesetzgeberischen Weise der meisten Wörterbücher entfernen, welche eine Autorität bilden und das allein Gültige aufstellen wollen. Bei diesem völlig veränderten Gesichtspunkt leuchtet es ein, daß was bisher in diesem Fache getan ist, uns zunächst nichts nützt, und nur späterhin bei der Ausarbeitung zu Rat gezogen werden kann. Es müssen alle Schriftsteller dieses Zeitraums durchgelesen und ausgezogen werden, und auch hier läßt sich nicht immer dieselbe Weise anwenden. In dem 18. Jahrh. lassen sie sich leicht übersehen, und da darf nicht wohl einer übergangen werden, in dem 17ten bis in die Hälfte des 18ten mehren sie sich, sie erhalten aber dadurch einen eigentümlichen Wert, daß, wie ungeschickt, geschmacklos, selbst gemein bei vielen der Gebrauch der Sprache ist, sie dennoch für das Material des Wörterbuchs wichtig werden, weil (einzelne ganz ohne Erfolg gebliebene, ziemlich alberne Versuche ausgenommen) sie die Sprache mit voller Unschuld, ich will sagen ohne einen Gedanken an Kritik, zu Tage brachten; und so ist z.B. selbst aus den geschmacklosesten Romanen des 17. Jahrh. mehr zu gewinnen, als aus den gebildeten des 18ten und 19ten. In der Mitte des 18ten Jh., etwa seit Klopstock, änderte sich dieses Verhältnis, die Sprache ward der Betrachtung, dem Urteil unterworfen, und von nun an sind nur die bedeutenden Schriftsteller zu berücksichtigen, in welchen das Gefühl für das natürliche Leben der Sprache noch mächtiger ist, als die gewonnene Regel, und die Oberhand behält. Bei den neuern Schriftstellern hat sich die Sprache in einen engen, konventionellen Kreis zusammengezogen, in welchem sie sich wohl mit Geschick und Kunst zu bewegen lernen, welchen aber nur ausgezeichnete Geister, wie z.B. Lessing und Goethe, freilich auch diese mit Maß und Zurückhaltung, zu durchbrechen, und aus der unmittelbaren Quelle,

dem innern Bewußtsein der Sprache, zu schöpfen wagen. Andere, die im Gegenteil den Kreis noch mehr einengten, wie Wieland, Schiller, werden vielleicht nur wenig für das Wörterbuch liefern. Leute, wie Voß, die gewaltsam und im Übermaß aus den Mundarten die Sprache bereichern wollten, sind aus dieser Rücksicht nur vorsichtig zu gebrauchen, denn wir lassen nur gelten, was ohne Absicht aus innerer Notwendigkeit in die Schriftsprache aufgenommen wurde.

WILHELM GRIMM ÜBER DIE KONZEPTION DES »DEUTSCHEN WÖRTERBUCHS«. BRIEF AN FRIEDRICH KARL VON SAVIGNY, 2. APRIL 1839

AN WILHELM UND DORTCHEN.

Wenn auf meinen Todesfall das Wörterbuch stocken müßte, so wünsche ich, daß dem guten Hirzel und Reimer ersetzt werde, was sie an Kosten gehabt haben; die fertigen Exzerpte schenken wir, wenn du damit einverstanden bist, dem Haupt, der vielleicht den Mut gewinnt, das Werk auszuarbeiten; ich habe es mehr im Kopf mit mir herumgetragen, als etwas zu Papier gebracht. Mit meinen Sammlungen können überhaupt andere nichts anfangen. Ich habe schon etwa vor sechs Jahren zu Göttingen etwas weniges über meine Hinterlassenschaft bestimmt, und das muß noch und immer gelten, es liegt in einem roten Brieftäschchen und ist seitdem von mir nicht wieder gelesen worden. Meine Gedanken und Sinne sind diesen Augenblick ruhig und hell, aber den Leib befiel mir in den letzten Tagen her wiederholt solch eine Schwere und Müde, daß ich mich sehnte nach Auflösung in Gott, der ein einiger ist, und mich nehmen wird, wie er mich geschaffen hat, und weiß, warum er will, daß unsere Augen erblassen, unsere Hände ruhn, unsere Herzen stehn. Fasset euch über mich, die Verwandtenliebe ist noch das Heiligste auf der Welt, und gedenket mein, wie ich meiner lieben Mutter gedenke.

Am Samstag 18. Sept. 1841, 9 Uhr abends.

JACOB GRIMM.

TESTAMENT JACOB GRIMMS

Im vorgerückten Alter fühle ich, daß die Fäden meiner übrigen angefangenen oder mit mir umgetragnen Bücher, die ich jetzt noch in der Hand halte, darüber abbrechen. Wie wenn tagelang feine, dichte Flocken vom Himmel niederfallen, bald die ganze Gegend in unermeßlichem Schnee zugedeckt liegt, werde ich von der Masse aus allen Ecken und Ritzen auf mich andringender Wörter gleichsam eingeschneit. Zuweilen möchte ich mich erheben und alles wieder abschütteln, aber die rechte Besinnung bleibt dann nicht aus. Es gelte doch für Torheit, geringeren Preisen sehnsüchtig nachzuhängen und den großen Ertrag außer acht zu lassen ... Über eines solchen Werkes Antritt muß, wenn es gedeihen soll, in der Höhe ein heilbringendes Gestirn schweben. Ich erkannte es im Einklang zweier Zeichen, die sonst einander abstehn, hier aber von demselben inneren Grunde getrieben sich genähert hatten, in dem Aufschwung einer deutschen Philologie und in der Empfänglichkeit des Volks für seine Muttersprache, wie sie beide bewegt wurden durch erstarkte Liebe zum Vaterland und untilgbare Begierde nach seiner festeren Einigung. Was haben wir denn Gemeinsames als unsere Sprache und Literatur?

Wer nun unsere alte Sprache erforscht und mit beobachtender Seele bald der Vorzüge gewahr wird, die sie gegenüber der heutigen auszeichnen, sieht anfangs sich unvermerkt zu allen Denkmälern der Vorzeit hingezogen und von denen der Gegenwart abgewandt. Je weiter aufwärts er klimmen kann, desto schöner und vollkommner dünkt ihn die leibliche Gestalt der Sprache, je näher ihrer jetzigen Fassung er tritt, desto weher tut ihm, jene Macht und Gewandtheit der Form in Abnahme und Verfall zu finden. Mit solcher Lauterkeit und Vollendung der äußeren Beschaffenheit der Sprache wächst und steigt auch die zu gewinnende Ausbeute, weil das Durchsichtigere mehr ergibt als das schon Getrübte und Verworrene ... Den leuchtenden Gesetzen der ältesten Sprache nachspürend, verzichtet man lange Zeit auf die abgeblichenen der von heute.

JACOB GRIMM, AUS DER VORREDE ZUM 1. BAND DES »DEUTSCHEN WÖRTERBUCHS« (1854)

Daß wir die Edda haben und herausgeben wollen, wirst Du vielleicht gelesen haben... ich bin mit Jacob noch nicht einig über die Art. Da ich ihm in so vielen Dingen, wo es mir mehr wert war, ihm einen Gefallen zu tun, als meinen Willen zu haben, nachgegeben, ist er verwöhnt und meint, es müsse so sein. Er hat neulich Savigny ausführlich darüber geschrieben, welches mir eigentlich nicht lieb gewesen, denn er wird durch alles Streiten nur noch fester in seine Meinung eingedrückt. Alle seine Irrtümer hängen so genau mit seinem Charakter zusammen, daß, je mehr sich dieser zu äußern Gelegenheit hat, jene immer härter werden. Ich weiß, er würde aus Treue zu mir die ganze Edda ohne Nachdenken verbrennen, aber er wird sich nie überzeugen, daß neben seiner Meinung noch eine andere bestehen könne. Er verwirft erstlich jede Übersetzung, das ist eins, damit wär es gut und ich wollte die Arbeit allein auf meinen Namen nehmen und in einer Note bemerken, daß das die letzte Übersetzung sein werde, die ich Lust hätte zu machen, zweitens soll aber hier eine stattfinden, drittens soll es eine Karikaturübersetzung sein. Es hilft nun gar nichts, daß ich ihm sage, daß eine Übersetzung ihrer Natur nach unmöglich das Original sein könne: wenn in meiner Arbeit etwas nicht gerad ebensoviel wiegt und ausdrückt, so ist sie gleich schlecht. Die altnordische Sprache in diesen Liedern ist sehr einfach und hat keine komponierten Wörter, das ist eine ganz richtige Bemerkung, nun fordert er, soll auch kein komponiertes Wort in der Übersetzung vorkommen, währenddem in unserer Sprache, durch ihre reiche Ausbildung, die meisten Wörter zusammengesetzt sind. Wiewohl es mir leid tut, ganz allein hier zu sitzen, ist es mir doch lieb, daß er diese Reise unternommen, weil er doch mehr unter Menschen und in mancherlei Verhältnisse kommt; er hat einen großen Hang zum sich Eingraben, und doch auch wieder eine eigene Lebendig-

»Jacob ... beugte sich beim Schreiben dicht auf das Papier, an seinen Federn war die Fahne tief herunter abgeknappst, und er schrieb rasch und eifrig; mein Vater ließ die Fahne der Feder bis zur Spitze unvermindert stehen und schrieb bedächtiger« (Herman Grimm). Zeichnung von Ludwig Emil Grimm, dat. 18.November 1817

*Jacob Grimms Arbeitszimmer in Berlin. Aqua-
rellierte Zeichnung von Michael Hofmann*

keit; wenn es so seine Natur ist, so ist nichts
dagegen einzuwenden, allein das ist
schlimm, daß er diese Neigung für das
allein Rechte hält und daß er ihr zu sehr
nachhängt. Weil er ohne Sinn für Gesellig-
keit, fehlt ihm auch gewissermaßen der
Sinn für das Gemeinschaftliche, und er
erkennt nicht recht, daß in den verschie-
denartigsten Bestrebungen erst das Ganze
gefördert werde. Darum haut er auch in
allen Urteilen meinem Gefühl nach immer etwas über die Schnur, und es ist ihm

nicht recht in den meinigen, daß ich es
nicht tue. Dagegen werd ich andere Fehler haben.

WILHELM GRIMM ÜBER MEINUNGSVER-
SCHIEDENHEITEN MIT JACOB BEI DER
HERAUSGABE DER »EDDA« (1815).
BRIEF AN ACHIM VON ARNIM, 28. MAI
1811

Das Geschäft des Sammelns, sobald es
einer ernstlich tun will, verlohnt sich bald
der Mühe, und das Finden reicht noch
am nächsten an jene unschuldige Lust der
Kindheit, wenn sie in Moos und Gebüsch
ein brütendes Vöglein auf seinem Nest

überrascht; es ist auch hier bei den Sagen
ein leises Aufheben der Blätter und behut-
sames Wegbiegen der Zweige, um das
Volk nicht zu stören und um verstohlen in
die seltsam, aber bescheiden in sich ge-
schmiegte, nach Laub, Wiesengras und
frischgefallenem Regen riechende Natur
blicken zu können. Für jede Mitteilung in
diesem Sinn werden wir dankbar sein und
danken hiermit öffentlich unserm Bruder
Ferdinand Grimm und unsern Freunden
August von Haxthausen und Carové, daß
sie uns schon fleißig unterstützt haben.

JACOB GRIMM, AUS DER VORREDE ZUM
I. TEIL DER »DEUTSCHEN SAGEN« (1816)

Wilhelm Grimms Arbeitszimmer in Berlin.
Aquarellierte Zeichnung von Michael Hofmann

Die Elfen, die in ihrer wahren *Gestalt* kaum einige Zoll hoch sind, haben einen luftigen, fast durchsichtigen Körper, der so zart ist, daß ein Tautropfen, wenn sie darauf springen, zwar zittert, aber nicht auseinander rinnt. Dabei sind sie von wunderbarer Schönheit, Elfen sowohl als Elfinnen, und sterbliche Menschen können mit ihnen keinen Vergleich aushalten.

Sie leben nicht einsam oder paarweise, sondern allzeit in großen *Gesellschaften.* Den Menschen sind sie unsichtbar, zumal am Tage, und da sie zugegen sein und mit anhören könnten, was man spricht, so drückt man sich nur vorsichtig und mit Ehrerbietung über sie aus und nennt sie nicht anders als das gute Volk, die Freunde; ein anderer Name würde sie beleidigen. Sieht man auf der Landstraße große Wirbel von Staub aufsteigen, so weiß man, daß sie im Begriffe sind, ihre *Wohnsitze* zu verändern und nach einem anderen Ort zu ziehen, und man unterläßt nicht, die unsichtbaren Reisenden durch ehrfurchtsvolles Neigen zu grüßen. Ihre Häuser aber haben sie in Steinklüften, Felsenhöhlen und alten Riesenhü-

geln. Innen ist alles aufs glänzendste und prächtigste eingerichtet, und die liebliche Musik, die zuweilen nächtlich daraus hervordringt, hat noch jeden entzückt, der so glücklich gewesen ist, sie zu hören.

In den Sommernächten, wenn der Mond scheint, am liebsten in der Erntezeit, kommen die Elfen aus ihren geheimen Wohnungen hervor und versammeln sich zum Tanz auf gewissen Lieblingsplätzen, gleichfalls heimliche und verborgene Orte, wie Bergtäler, Wiesengründe bei Bächen und Flüssen, Kirchhöfe, wohin selten Menschen kommen. Oft feiern sie ihre Feste unter geräumigen Pilzen oder ruhen unter ihrem Schirmdach. Bei dem ersten Strahl der Morgensonne verschwinden sie wieder, und es ist, als rausche ein Schwarm Bienen oder Mücken dahin … Menschen, die vorwitzig sich nähern oder gar sie necken, bestrafen sie hart, sonst pflegen sie gegen wohlgesinnte, die ihnen vertrauen, freundlich und hilfreich zu sein. Sie nehmen einen Höcker von der Schulter, schenken neue Kleidungsstücke, versprechen einen Wunsch zu erfüllen, obgleich auch hier gute Laune von ihrer Seite nötig zu sein scheint. Sie lassen sich auch wohl in menschlicher Gestalt sehen oder jemand, der nachts zufällig unter sie geraten ist, Teil an ihren Tänzen nehmen; aber etwas Gefährliches liegt allzeit in dieser Berührung: der Mensch erkrankt danach und fällt von der unnatürlichen Anstrengung, da sie ihm etwas von ihren

Kräften zu verleihen scheinen, in ein heftiges Fieber. Vergißt er sich und küßt der Sitte gemäß seine Tänzerin, so schwindet in dem Augenblick, wo seine Lippen sie berühren, die ganze Erscheinung.

WILHELM GRIMM, AUS DER EINLEITUNG ZU: »IRISCHE ELFENMÄRCHEN« (1826)

Aus drei Ursachen ist dieses Buch geschrieben. Von der langen grammatischen Arbeit wollte ich mich an einer andern, sie nicht bloß obenher abschüttelnden erholen; ich wollte meine ehemals liebgewonnenen, nur noch lässig fortgeführten Sammlungen für das altdeutsche Recht in dem Eifer einer emsigen Nachlese und frisch darangesetzter Prüfung beleben; endlich erwog ich, daß es nicht über meine Kräfte wäre, darzutun, auf welche unver-

suchte Weise unsere Rechtsaltertümer könnten behandelt werden … der Stoff wuchs und gedieh zu lohnender Ausbeute.

Doppelt würde der Gewinn sein, wenn es gelänge, dadurch nicht bloß die Aufmerksamkeit der Juristen, sondern auch anderer Altertumsforscher zu gewinnen, die ihre Bemühungen der Sprache, der Poesie und der Geschichte unserer Vorfahren zugewendet haben. Den Versuch einer ersten Arbeit in diesem Sinn, von der man wohl sagen kann, daß sie mehr Öl als Salz enthält, liefere ich hiermit; ein Werk voll Materials …

An einigen Stellen möchte ich auch über die Grenze streifen und auf ähnliche Weise in besonderen Abhandlungen verarbeiten, was ich zu der Geschichte des heidnischen Glaubens, der Feste, Trachten, Bauart und Ackerbestellung der Deutschen gesammelt habe. Vor allem gönne ich mir selbst die Freude, nun nach des Buchs Vollendung mit geschärftem Auge die Quellen, Gesetze, Urkunden und Gedichte von neuem zu lesen.

JACOB GRIMM, VORREDE ZU »DEUTSCHE RECHTSALTERTÜMER« (1828)

Die »Deutschen Sagen« der Brüder Grimm. Illustration von Otto Ubbelohde

Sprache und Recht haben eine Geschichte, d.h. es besteht zwischen ihnen ein Band, welches Altertum und Gegenwart, Notwendigkeit und Freiheit miteinander verschmilzt. Wer bloß die Forderungen der Gegenwart stillen möchte, ohne auf die Vergangenheit zu hören, der vergißt gerade dem Rechte der Gegenwart, indem er die Zukunft ermächtigt, dereinst ebenso mit ihm zu verfahren. Wer dagegen starr die Vergangenheit festzuhalten sucht, der entzieht auf das seltsamste der Gegenwart, was dieser die Zukunft ja wieder zuerkennen müßte, und haut den Ast, auf dem er selbst fußt, törichterweise ab.

JACOB GRIMM, AUS: »ÜBER DIE ALTERTÜMER DES DEUTSCHEN RECHTS«. BERLINER ANTRITTSVORLESUNG, 30. APRIL 1841

Aus Vergleichung der alten und unverschmähten jüngeren Quellen habe ich in anderen Büchern darzutun gestrebt, daß unsere Voreltern, bis in das Heidentum hinauf, keine wilde, rauhe, regellose, sondern eine feine, geschmeidige, wohlgefüge Sprache redeten, die sich schon in frühster Zeit zur Poesie hergegeben hatte; daß sie nicht in verworrener, ungebändigter Horde lebten, vielmehr eines althergebrachten sinnvollen Rechts in freiem Bunde, kräftig blühender Sitte pflagen. Mit denselben und keinen andern Mitteln wollte ich jetzt auch zeigen, daß ihre Herzen des Glaubens an Gott und Götter voll waren, daß heitere und großartige, wenngleich unvollkommene Vorstellungen von höheren Wesen, Siegesfreude und Todesverachtung ihr Leben beseligten und aufrichteten, daß ihrer Natur und Anlage fern stand jenes dumpfbrütende Niederfallen vor Götzen oder Klötzen ... Ein Volk, zur Zeit, wo seine Sprache, sein Recht gesund dastehen und unversiegten Zusammenhang mit einem höheren Altertum ankündigen, kann nicht ohne Religion gewesen sein, und wir werden zum voraus ihr dieselben Tugenden und Mängel beilegen dürfen, welche jene auszeichnen. Unserer Mythologie gebricht es indessen auch nicht an eigentümlichen, ihrerseits auf Sprache und Recht zurückweisenden Bestätigungen.

JACOB GRIMM, AUS DER VORREDE ZUR »DEUTSCHEN MYTHOLOGIE« (1835)

Blick aus der ersten Berliner Wohnung der Brüder Grimm an der Lennéstraße. Zeichnung von Herman Grimm

Vorausgesetzt werden muß aber, wenn alles so beschaffen ist, wie es sein sollte, daß jeder aus innerm Trieb und für seine eigne Ausbildung studiere, nicht um dadurch ein Amt zu erwerben. Dringt einmal diese würdigere Ansicht der Studien und des Lebens durch, so wird der Staat selbst zuletzt seine ungebührlich vielen Dienste verringern dürfen und der Wissenschaft ihre ganze Uneigennützigkeit zurückgegeben werden. Bei der Anmeldung zum Amt mag die ernsteste Prüfung den Ausschlag tun, der Durchfallende aber desto leichter eine andre Lebensart ergreifen, als er sich den des Dienstes überhaupt nicht Begehrenden anreihen kann. Mit der einen Prüfung sollte es jedoch sein Bewenden haben, und nicht, wie zu Priestergraden, eine zweite und dritte, immer unöffentlich unter vier Wänden erfolgende nachverlangt werden, die nur erhitzte Vorbereitungen und Treibhausfrüchte zu erzeugen pflegt, welche unreif abfallen, nachdem das Examen bestanden ist, also der innern echten Triebkraft unvermerkten Abbruch tun.

Unschädlicher, allein fast zwecklos sind die im Lauf der Studienzeit geforderten Zeugnisse über Besuch der Vorlesungen; verderblich alle erteilten Vorschriften über den Besuch unumgänglicher Vorlesungen, wodurch die andern zu gleichgültigen oder unnötigen herabgesetzt werden, denn nichts Wissenschaftliches ist an seiner Stelle ohne innere Notwendigkeit, und die Auswahl muß den Studierenden, oder dem Beispiel und einer sich von selbst einfindenden, nicht zu greifenden, aber zu fühlenden Autorität der Lehrer in bezug auf die Güte ihrer Vorträge ruhig überlassen bleiben. Der Mensch hat auch ein Recht darauf, mitunter faul zu sein oder zu scheinen, und sich, wie er will, gehn zu lassen, oder über die Wahl eines Lehrers oder seine eigne Neigung gänzlich zu täuschen. Das alles ist seine Sache, nicht die anderer, und soll ihm nicht nachgetragen werden.

Der Professor mag beim Bestimmen seiner Vorlesungen an eine Abrede mit seinen Genossen, oder einen hergebrachten Wechsel gebunden sein; ihr Inneres wird er frei und unabhängig nach seinem Gutdünken gestalten.

Was wollen hier alle engherzigen Gesetze? Sie meinen das Schlechte auszuscheiden, begünstigen eigentlich nur das Mittelgut und sperren dem Höheren oft ohne Not und ärgerlich den Weg.

JACOB GRIMM, GEDANKEN ÜBER EIN SINNVOLLES STUDIUM. AUS: »ÜBER SCHULE, UNIVERSITÄT, AKADEMIE«. VORTRAG IN DER KÖNIGLICHEN AKADEMIE DER WISSENSCHAFTEN BERLIN, 8. NOVEMBER 1849

Sprachforschung, der ich anhänge und von der ich ausgehe, hat mich doch nie in der Weise befriedigen können, daß ich nicht immer gern von den Wörtern zu den Sachen gelangt wäre; ich wollte nicht bloß Häuser bauen, sondern auch darin wohnen. Mir kam es versuchenswert vor, ob nicht der Geschichte unseres Volkes das Bett von der Sprache her stärker aufgeschüttelt werden könnte.

JACOB GRIMM, AUS DER VORREDE ZUR »GESCHICHTE DER DEUTSCHEN SPRACHE« (1848)

Kongreßstadt Wien. Standbild von Erzherzog Karl, 1809 bei Aspern Sieger über Napoleon, vor der Hofburg

Das bürgerliche Pathos der Mitte

DIE BRÜDER GRIMM UND DIE POLITIK

Das Recht muß nie der Politik, wohl aber die Politik jederzeit dem Recht angepaßt werden«, forderte Immanuel Kant. Dieser Grundsatz läßt sich ohne Einschränkung auf das politische Denken und Handeln Jacob und Wilhelm Grimms übertra-

gen. Er leitete die Brüder, als sie sich, zusammen mit ihren fünf Mitstreitern, der politischen Willkür des Königs von Hannover 1837 widersetzten und ihre materiell gesicherte Existenz als Professoren an der Universität Göttingen verloren.

Nicht nur dieser aufsehenerregende Verfassungskampf widerlegt die weitverbreitete Auffassung, Jacob und Wilhelm Grimm seien weltfremde biedermeierliche Gelehrte gewesen, die, abgewandt und unbehelligt von der Außenwelt, in beschaulicher heimischer Idylle ausschließlich ihren Forschungen nachgingen.

Schon während der Marburger Studentenjahre der Brüder hatte sich die europäische politische Landschaft stark verändert. Napoleon, seit 1799 durch Staatsstreich Erster Konsul und seit 1804 Kaiser der Franzosen, hatte sich zum Ziel gesetzt, das kontinentale Europa unter seiner Vorherrschaft zu einigen. Nach der gegen die Koalitionsmächte Österreich und Rußland gewonnenen Schlacht bei Austerlitz im Dezember 1805 wollte sich Frankreich endgültig nicht mehr mit den angestammten Grenzen und seinen Satellitenstaaten in den Niederlanden, der Schweiz und Italien begnügen. Am 16. Juli 1806 schloß Napoleon, dessen Stern im Zenit stand, die süddeutschen Staaten unter seinem Protektorat zum Rheinbund zusammen. Die 16 deutschen Fürsten, die die Rheinbundakte nicht zuletzt auch aus egoistischen Gründen unterzeichnet hatten, trennten sich damit vom Reich. Es entstand gegenüber Österreich und Preußen ein »drittes Deutschland«, dessen Armeen praktisch zu Einheiten der großen französischen Armee geworden waren. Einen Monat später legte Kaiser Franz II. unter Napoleons ultimativem Druck die Krone nieder. Damit hatte die fast tausendjährige Geschichte des Heiligen Römischen Reiches Deutscher Nation auch ihr äußeres Ende gefunden. Goethe, ein Bewunderer Napoleons, vermerkte lakonisch: »… auch fanden wir bei unserer Rückreise in den Zeitungen die Nachricht: das Deutsche Reich sei aufgelöst«; und in sein Tagebuch notierte er am 6. und 7. August 1806: »Abends um 7 Uhr in Hof. Nachricht von der Erklärung des Rheinischen Bundes und dem Protektorat. Reflexionen und Diskussionen. Gutes Abendessen … Zwiespalt des Bedienten und Kutschers auf dem

Bocke, welcher uns mehr in Leidenschaft versetzte als die Spaltung des Römischen Reiches.« Goethe gab damit ironisch seiner Auffassung Ausdruck, daß sich die altmodisch und schwerfällig gewordene Institution des Reichs selbst überlebt hatte, ohnehin nicht mehr in der Lage war, die Vielzahl der deutschen Staaten zusammenzuhalten und der Revolutionierung Europas durch Napoleon entgegenzutreten. Die Brüder Grimm dagegen, zeitlebens Gegner Napoleons, den sie als Despoten betrachteten, begannen in dieser Zeit, sich zu Patrioten zu entwickeln. In einem pathetischen Sonett rief der zwanzigjährige Wilhelm Grimm zu Widerstand und Kampf auf: »Du deutscher Ruhm, in Unruhm nicht versinke / So sehr uns drängen hartverworrne Zeiten … In Kräftigkeit erneure dich /Deutschland/ und trinke / der Schlachten Blut, dich selber zu erstreiten!«

Die Wunschvorstellungen Wilhelm Grimms, der im Frühjahr 1806 in Marburg sein juristisches Staatsexamen absolviert hatte und, wie er in seiner Selbstbiographie berichtet, »im Laufe des Jahres eine Anstellung erhalten [hätte], wenn nicht das Vaterland von den Franzosen wäre überzogen worden«, erfüllten sich, zumindest vorläufig, nicht. Nach der Schlacht von Jena und Auerstedt am 14. Oktober 1806, die den Niedergang des friderizianischen Preußen brachte, errichtete Napoleon das »Königreich Westphalen«, »the miserable kingdom«, wie es ein englischer Historiker nannte. »Jener Tag des Zusammenbruchs aller bisherigen Verhältnisse«, schrieb Wilhelm Grimm, »wird mir immer vor Augen stehen. Ich hatte am letzten Oktober [1807] abends die französischen Wachtfeuer in der Ferne mit einiger Bangigkeit gesehen, aber daß Hessen

unter fremde Herrschaft geraten sollte, konnte ich nicht eher glauben, als bis ich am anderen Morgen die französischen Regimenter … in vollem militärischen Glanze einziehen sah. Bald änderte sich alles von Grund aus: fremde Menschen, fremde Sitten, auf den Straßen und den Spaziergängen eine fremde, laut geredete Sprache … Ich habe stets die Schmach gefühlt, welche in der fremden Herrschaft lag; an harten unerträglichen Einrichtungen, an Ungerechtigkeiten aller Art fehlte es nicht, und ich weiß wohl, mit welchem Gefühl ich die armen Menschen [aufständische hessische Soldaten und Deserteure] habe durch die Straße hinwanken gesehen, welche zum Tod geführt wurden.« Seinen persönlichen Beitrag, »das Drückende jener Zeit zu überwinden«, sah der kränkelnde Wilhelm Grimm darin, sich von der Jurisprudenz abzuwenden und »jene lange vergessene Literatur« wiederzuerwekken. Denn »man suchte nicht bloß in der Vergangenheit einen Trost, auch die Hoffnung war natürlich, daß diese Richtung zu der Rückkehr einer anderen Zeit etwas beitragen könne«. Darin stimmte er mit seinem Bruder überein. Jacob war nach seinem Aufenthalt in Paris, wo es ihm, abgesehen von der Bibliothèque Impériale, »gar nicht gefallen« hatte, und nach manch vergeblichem Versuch, eine Anstellung bei der kurfürstlich-hessischen Regierung zu finden, schlechtbezahlter Sekretär beim Kasseler Kriegskollegium geworden – eine Arbeit, die ihm »wenig schmeckte«. Diese Stellung verlor er, als die Franzosen 1807 Kassel besetzten und der Landesherr Wilhelm I. von Hessen-Kassel nach Dänemark, die Kurfürstin Wilhelmine Karoline in Begleitung ihrer ersten Hofdame und Tante der Brüder, Henriette Zimmer, zu ihrer Tochter, der Herzogin

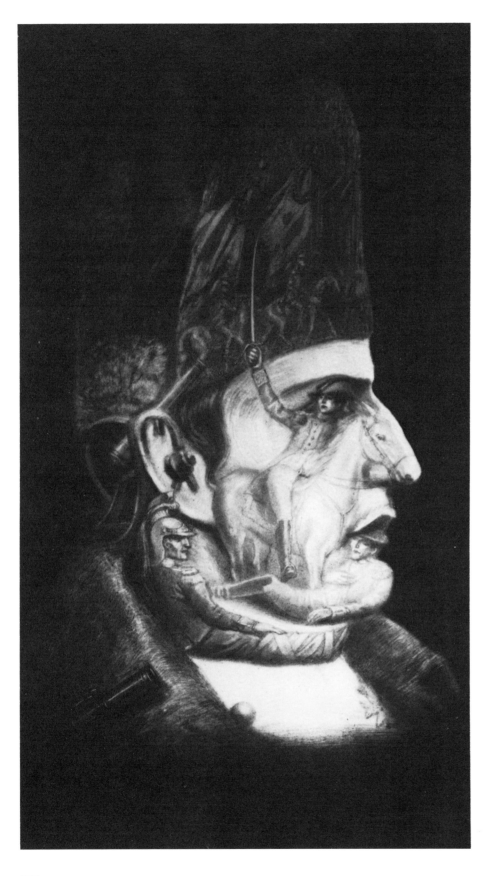

von Sachsen-Coburg-Gotha flüchteten. Der jüngste Bruder Bonapartes, Jérôme, zog nun als »König Lustick«, wie er von der Mit- und Nachwelt wegen seines unbekümmerten, einzigen deutschen Ausspruchs »und morgen wieder lustick« genannt wurde, in der Kasseler Wilhelmshöhe – jetzt Napoleonshöhe – ein. Eine Zeitlang wurde Jacob Grimm aufgrund seiner ausgezeichneten Französischkenntnisse zur Arbeit bei der Verpflegungskommission für die Truppe herangezogen, konnte sich aber dieser »lästigen Geschäfte« bald entledigen. Stellungslos, stürzten sich die Brüder in die literaturhistorische Arbeit, begannen, wie gesagt, u. a. mit der Sammlung der Märchen.

Am 27. Mai 1808 starb die Mutter Grimm in dem Bewußtsein, daß nicht eines ihrer Kinder versorgt war. Der dreiundzwanzigjährige Jacob sah sich nun als Familienoberhaupt vor die schwierige Aufgabe gestellt, die fünf Geschwister zu ernähren. Johannes von Müller, ein Historiker, der durch seinen heroischen Kampf um den Bestand der westphälischen Universitäten bekannt wurde, empfahl ihn als Leiter der Privatbibliothek des Königs Jérôme auf der Wilhelmshöhe. Jacob Grimm erhielt die Stelle, die mit zweitausend, bald darauf dreitausend Franken im Jahr dotiert war, so daß »alle Nahrungssorgen verschwanden«. Das Amt forderte keinerlei politisches Engagement und ist daher – auch in Anbetracht der materiellen Notlage der Grimms – wohl kaum mit einer opportunistischen Haltung in Verbindung zu bringen. Jérôme, der die Kulturschätze der Bibliotheken des Landes verstauben und verkommen ließ, hielt seine Pri-

Napoleon: Portrait aus Soldaten und Kriegsgerät. Einblattdruck aus der Zeit der Befreiungskriege

vatbibliothek lediglich aus Prestige-gründen. Nur selten verlangte er »Bü-cher oder Nachsuchungen in Bü-chern«, an »andere wurde aber gar nichts ausgeliehen. Die ganze übrige Zeit war mein, ich verwandte sie fast unbekümmert auf das Studium der altdeutschen Poesie und Sprache.« Jahrzehnte später (1840) wird Jacob den patriotischen Aspekt, unter dem er sich der Erforschung der altdeut-schen Literatur zuwandte, herausstel-len und bekennen: »Alle meine Arbei-ten wandten sich auf das Vaterland ..., mir schwebte unbewußt und be-wußt vor ..., daß wir ihm zuerst ver-pflichtet seien.« Dennoch hätte Jacob »gar zu gerne« das Kassel Jérômes verlassen, wie er dem Bruder 1809 nach Halle meldete, »vieles ist mir jetzt so zuwider ... wenn doch das Unglück nur einmal aufhörte«.

Als sich die Österreicher, ermutigt durch den geglückten spanischen Volksaufstand von 1808, im April 1809 gegen Napoleon erhoben, als die Einzelkämpfer Andreas Hofer in Ti-rol, Oberst Dörnberg in Hessen sowie Major Schill zusammen mit Herzog Wilhelm von Braunschweig Oels in Norddeutschland Aufstände gegen ihn anführten, flammte die Hoffnung auf Befreiung auf.

»Die Teilnahme an den großen Ereignissen jenes Sommers war allge-mein«, so der Eindruck Wilhelm Grimms, »es war in jener Periode das letztemal, wo die Hoffnung einer Be-freiung aufleuchtete. Der Kriegs-schauplatz war nicht sehr fern, das Corps des Herzogs von Braunschweig Oels und eine Abteilung der Schilli-schen Husaren zogen nacheinander durch Halle ... Nachdem der un-glückliche Friede [von Schönbrunn] abgeschlossen war, schien alles verlo-ren und die französische Gewalt das feste Land von Europa auf eine Weise zu umstricken, daß man glauben

Jérôme (1784–1860), Bruder Napoleons und König von Westphalen. Gemälde von A. J. Gros

mußte, es dürfe ohne ihren Willen fort-an kein Glied mehr frei bewegen.«

Aber der Wunsch nach Wiederher-stellung staatlicher Selbständigkeit und nationaler Einheit wurde, trotz oder gerade wegen der gescheiterten Erhebungen gegen Napoleon, immer lauter. Träger der deutschen Natio-nalbewegung waren zum einen Be-amte und Offiziere, zum anderen Phi-losophen, Journalisten und Litera-ten.

Besonders die Romantiker bereiteten den Boden, auf dem der nationaldeut-sche Patriotismus wuchs. Sie machten sich Johann Gottfried von Herders auf Sprache und Kultur angewandte Lehre vom organischen Wachstum der Völker zu eigen und übertrugen sie auf das Staatsleben. Das Nachden-ken über die Vergangenheit und Iden-tität der Deutschen ließ das mittelal-terliche deutsche Reich in verklärtem Licht erscheinen. Begriffe wie Ehre

Titelblatt einer Broschüre aus der Zeit der Befreiungskriege

und Treue, Volk und Boden, Reich und Krieg wurden mit neuer Bedeutung aufgeladen, erhielten einen oft mystischen Sinn. »Als die ausgleichende Weltherrschaft alles Nationale zu ersticken drohte«, schrieb Ludwig Uhland, suchte die Romantik »in den tiefsten Fasern unseres Daseins die Gewährschaft eines eigentümlichen Lebens und Bestandes.« Novalis rühmte in seinem Roman »Heinrich von Ofterdingen« die Kriege, »besonders die vom Nationalhaß entspringen«. Napoleon war für Heinrich von Kleist, wie er glühend-düster im »Katechismus der Deutschen« formulierte, »der böse Geist, der Anfang alles Bösen und das Ende alles Guten, ein Sünder, den anzuklagen die Sprache der Menschen nicht hinreicht«. Schrittmacher einer neuen nationalen

Ideologie war vor allem auch der von den Brüdern Grimm hochverehrte Johann Gottlieb Fichte. In seinen mutigen vierzehn Vorlesungen mit dem programmatischen Titel »Reden an die deutsche Nation«, gehalten an den Sonntagen des Winters 1807/08 in der Akademie des französisch besetzten Berlin, proklamierte er das Ich als sich selbst bestimmende Freiheitsinstanz, als Basis zum selbstbewußten Handeln. Die innere Erneuerung sollte den Weg weisen zur Befreiung von Diktatur und Fremdherrschaft. »Nicht die Gewalt der Arme, noch die Tüchtigkeit der Waffen, sondern die Kraft des Gemüts ist es, welche Siege erkämpft«, erklärte Fichte in seiner achten Rede. Nach seiner Auffassung – die sich mit der Ansicht der Brüder Grimm deckt – hatten die Deutschen historisch-rechtmäßigen Anspruch auf die Bildung des Nationalstaates, denn sie waren ein »Urvolk«, dank der alten, naturkräftigen Einheit ihrer Sprache. Fichte sah nun die wichtigste aktuelle Aufgabe des deutschen Volkes darin, sich die Idee der Vernunft, der selbstbestimmenden Frei-

Johann Gottlieb Fichte als Landsturmmann. Nach dem Leben gezeichnet von C. Zimmermann, 1813

heit zur Lebensgrundlage zu machen, um zur Nation werden zu können. Die Rettung sollte durch die »Nationalerziehung« kommen, die, dem weltbürgerlichen Ideal der Humanität, Bildung und Gesittung verpflichtet, ein »nationales Selbst« schaffen sollte. – Eine Denkkategorie war zum Handlungsziel geworden, die Kulturnation sollte auch Staatsnation werden.

Wie nahe die Brüder Grimm diesen Ideen standen, zeigt etwa ein Brief Jacob Grimms an Savigny vom September 1814: »Es ist doch natürlich, auf sich selbst etwas zu halten, wenn man die andern, denen man sich brüderlich zur Seite stellt, recht lieben will, und dies geht von der Landschaft immer weiter auf Geburtsort und Familie und das innerste Haus. Und zwar von diesem Inneren aus muß die Gesundheit des Staates kommen und nur immer größere Kreise aus ihrem Mittelpunkt umschreiben, wo aber dieser hohl ist, kann das Äußere nur künstlich und gezwungen halten.« Und noch 1844 postulierte Jacob Grimm: »Am Ende beruht auch unsre öffentliche Reinheit und Tugend auf der persönlichen.« Anschaulich nachvollzogen wurde Fichtes Idee vom Schritt der Kulturnation zur Staatsnation von den Brüdern Grimm, als sie für ihre Ausgabe des »Armen Heinrich« zur Subskription aufriefen. Den recht stattlichen Erlös aus dieser Edition eines der wichtigsten Zeugnisse mittelalterlicher deutscher Literatur zahlten sie »in der glücklichen Zeit, wo jeder dem Vaterlande Opfer bringt«, für die Ausrüstung der Freiwilligen beim Vaterländischen Frauenverein in Kassel ein. Was bewog die Brüder, jetzt, im Dezember 1813, die Zeit »glücklich« zu nennen? Offensichtlich sahen sie in der veränderten Situation eine Chance zur Erfüllung ihrer politischen Wunschvorstellungen.

Professor Henrik Steffens ruft 1813 in Breslau zur Volkserhebung gegen Napoleon auf. Zeitgenössische Lithographie nach einem Gemälde von A. Kampf

Napoleon nämlich hatte im Feldzug gegen Rußland, angetreten im Mai 1812, vor allem aufgrund der Defensivtaktik des Gegners und des einbrechenden Winters eine schwere Niederlage hinnehmen müssen. Von den 600 000 Mann seiner Grande Armée (darunter ein Drittel Deutsche) erreichten im Dezember nur 100 000 Soldaten, krank, verwundet, zersprengt, hungernd und frierend wieder die polnisch-russische Grenze.

General York, der Befehlshaber des preußischen Hilfskorps, nützte die Gunst der Stunde und schloß mit dem russischen Armeeführer von Diebitsch am 30. Dezember 1813, ohne Ermächtigung seines Königs, in der Poscheruner Mühle bei Tauroggen einen Vertrag, nach dem die preußischen Einheiten neutralisiert wurden, das heißt, aus dem französischen Heeresverband ausschieden. Obwohl Friedrich Wilhelm III. die Konvention von Tauroggen für ungültig erklärte und General York absetzte, entschloß sich der König, ein zögernd taktierender und wenig tatkräftiger Mann, schließlich doch Ende Februar 1813 zu einer

Allianz mit Rußland. Entscheidend für diesen Schritt war der Druck der Patrioten, die jetzt die öffentliche Meinung bestimmten und heftig den Befreiungskrieg gegen Napoleon forderten. »Der König ist nicht mehr in der Lage, die Begeisterung zu unterdrücken, die sich beinahe aller Geister bemächtigt hat und die sich auf eine eindrucksvolle Weise offenbart«, berichtete der geheime Bevollmächtigte Englands am preußischen Hof am 20. Februar 1813. Baron Ompteda knüpfte daran die Prognose, die »Revolution« sei »unvermeidlich«, wenn Friedrich Wilhelm III. sich weigere, dem Willen seiner Untertanen zu ent-

Befreiungskriege gegen Napoleon: »Volksopfer 1813 – Gold gab ich für Eisen.« Gemälde von Arthur Kampf

sprechen. Am 16. März 1813 erklärte der preußische Herrscher Frankreich den Krieg, am 17. März ließ er seinen berühmten Aufruf »An mein Volk« veröffentlichen, in dem er an die Opferbereitschaft für den entscheidenden Kampf um die Unabhängigkeit, für König, Vaterland und Ehre appellierte. Wehrpflichtige, Freiwillige und die Landwehr der Reservisten nahmen nun den Kampf gegen Napoleon auf, von größtem Opfersinn des Volkes unterstützt, das »Gold für Eisen« gab, das heißt, in dem verarmten Land Preußen beträchtliche 6,5 Millionen Taler für die Ausrüstung der Soldaten spendete. Friedrich Ludwig Jahn gab der patriotischen Stimmung Ausdruck, wenn er zu Beginn der Freiheitskriege erklärte: »Ich habe das Schwert nicht gezogen, um Ruhm zu erkämpfen, sondern die Freiheit und Einheit des deutschen Vaterlandes.« Er zählte mit seinen

Berliner Turnern zu den ersten, die dem bravourösen Lützowschen Freikorps beitraten. Dort kämpfte und starb auch Theodor Körner; für ihn war es »kein Krieg, von dem die Kronen wissen«, sondern »ein Kreuzzug«. Ernst Moritz Arndt propagierte den Kampf als gesamtdeutschen: »nicht Bayern, nicht Hannoveraner, nicht Holsteiner – nicht Österreicher, nicht Preußen, nicht Schwaben, nicht Westfälinger, alles was sich Deutsche nennen darf, nicht gegeneinander, sondern Deutsche für Deutsche«, denn – so im »Vaterlandslied« – »wir fliegen oder sterben hier / den süßen Tod der Freien.« Und Joseph von Eichendorff, ebenfalls ein Lützowscher Jäger, empfahl – etwas leichtfüßiger: »Frisch auf, wir wollen uns schlagen, / so Gott will, übern Rhein / Und weiter im fröhlichen Jagen / Bis nach Paris hinein!« Den Höhepunkt des von Preußen ausgegangenen Volkskrieges, der inzwi-

schen zum Krieg der Mächte geworden war, brachte die Völkerschlacht bei Leipzig vom 16. bis 19. Oktober 1813, bei der Napoleon der Übermacht einer Koalition von Preußen, Rußland, England, Schweden und Österreich unterlag.

Der König von Westphalen, Jérôme, der bereits seit Beginn des Jahres 1813 Wertgegenstände hatte nach Frankreich transportieren lassen, flüchtete am 26. Oktober in einer seit Monaten reisefertig bereitstehenden Karosse aus Kassel. Nach sieben Jahren war das Königreich Westphalen zusammengebrochen. Jacob Grimm, der dadurch sein Amt als Bibliothekar verlor, erlebte mit seinen Geschwistern die Ereignisse begeistert mit: »Die endliche, kaum gehoffte Rückkehr des alten Kurfürsten, gegen Ende des Jahres 1813, war ein unbeschreiblicher Jubel, und für mich war die Freude nicht kleiner, die geliebte Tante … im Gefolge der Kurfürstin wieder einziehen zu sehen. Wir liefen an dem offenen Wagen durch die Straßen hin, die mit Blumengewinden behangen waren.« Wenig später war die Ausrüstung hessischer Kriegsfreiwilliger bereits in vollem Gange. Napoleon nämlich, der schon vor Leipzig Metternich gegenüber bekannt hatte, daß er nicht als Besiegter vor die Franzosen treten könne, hatte das Friedensangebot abgelehnt. Mehr als der »Premierminister der Koalition«, Metternich, dem es vor allem um die Wiederherstellung des europäischen Gleichgewichts ging, forderten empört die Patrioten: die vollständige Befreiung, den Sturz Napoleons und, wie Ernst Moritz Arndt es sehr populär ausdrückte, den Rhein »als

»Steckenreiterey«: Satire auf Napoleon anläßlich der von ihm verlorenen Völkerschlacht bei Leipzig 1813. Zeitgenössischer Einblattdruck

Steckenreiterey.

Hopp, hopp Schimmel! verliere doch nicht den Schweif,
wegen der Sonne dort!

27.

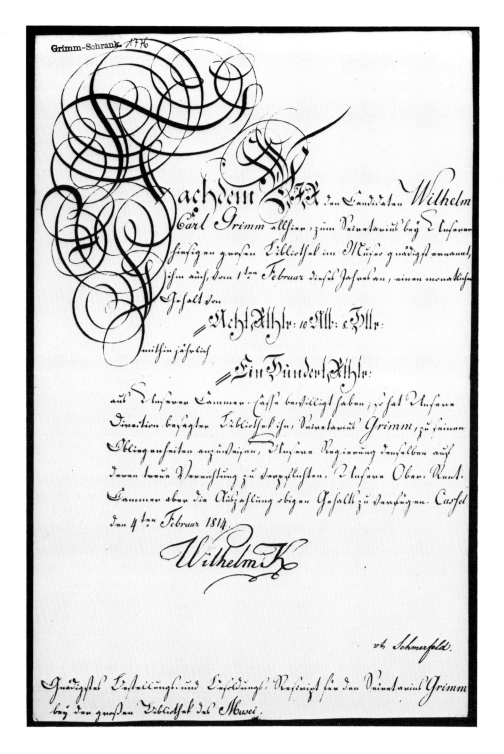

Grimm-Schrank 1776

Nachdem Ihr den Candidaten Wilhelm Carl Grimm allhier, zum Unterbaniut bey Unsern hisfigen großen Bibliothek im Müfeo gnädigst ennannt, [...]

Anstellungsurkunde Wilhelm Grimms als Bibliothekar in Kassel

walt haben Franzosen werden sollen«. Jacob Grimm, der Arndts Ansicht über die Sprache als »Naturgrenze« teilte und befand, seine »Flugschrift über die falsche Rheingrenze sagt in der Hauptsache das Rechte und Wahre«, bewarb sich als Legationssekretär des hessischen Gesandten, Graf Keller, beim Großen Hauptquartier der verbündeten Heere. Er glaubte, wie er in einem Gesuch vom 16. Dezember 1813 an den Kurfürsten schrieb, »unter den jetzigen Zeitumständen« seinem »Vaterland in der diplomatischen Laufbahn am meisten nützen« zu können. Schon einen Monat früher hatte er die Zuversicht geäußert, »daß jetzo Deutschland insgemein glücklich und frei« werde; »ein Volk, das so viel gelitten hat, wird sich heben und seine Stimme geltend machen, die dafür sorgt, daß Recht- und Deutschgesinnte aller Enden obenan stehen«.

Wilhelm nahm ebenfalls regen Anteil an den Zeitereignissen. »Mit unseren Rüstungen geht es allmählich gut«, berichtete er an Savigny, »es sollen schon zwölf- bis vierzehntausend Mann ... zusammen sein ..., wäre ich nicht [aus gesundheitlichen Gründen] unbrauchbar, ich würde längst schon [unter den Freiwilligen] sein. Ich habe den beiden Brüdern [Ludwig Emil und Ferdinand] in München geschrieben, sie möchten herkommen, es wäre für uns fünf eine Schande, wenn keiner dabei wäre.« – Sowohl Ludwig Emil, der Maler, als auch Ferdinand und Carl Grimm traten in das hessische Freiwilligenkorps ein. Wilhelm indessen plante, durch eine eigene Zeitungsredaktion politisch tätig werden zu können: Er bewarb sich um die Herausgeberschaft der Kasseler Zeitung. Jedoch erhielt

Deutschlands Strom, nicht Deutschlands Grenze«. Denn, so deklarierte Arndt, »die einzige gültigste Naturgrenze macht die Sprache«, und so sei »es klarer als das Sonnenlicht, daß der Kampf gegen Napoleon – kein erstes und letztes Ziel haben kann, als die Wiedergewinnung unseres abgerissenen Landes [der linksrheinischen deutschsprachigen Gebiete], und die Wiederbefreiung von Menschen unserer Sprache und Art, welche mit Gesein Konkurrent, der Nationalökonom Friedrich Murhad, die Stelle, zunächst provisorisch. Enttäuscht schrieb Wilhelm am 9. Februar 1814 an Jacob in Frankreich: »Hernach mag ich sie [die Zeitung] nicht, wo die interessante Zeit herum ist, und wo man in ganz ordinärer Weise fortfahren müßte.« Ersatzweise nahm Wilhelm die Stelle des Sekretärs bzw. zweiten Bibliothekars beim kurfürstlichen Museum Fridericianum an – für das Hungergehalt von 100 Talern im Jahr.

Auch Jacob befriedigte seine Aufgabe als Legationssekretär nicht. Als Zeuge des Kampfgeschehens auf französischem Boden (der preußische »Marschall Vorwärts«, Blücher, hatte bereits in der Neujahrsnacht 1813/14 den Rhein überschritten) fand er sich nicht nur konfrontiert mit den Greueln des Krieges, sondern er mußte auch die Kluft zwischen seinen und der Patrioten Hoffnungen und dem Machtspiel der Regierungen erkennen. »So muß ich von Deutschland und den Aussichten, die wir Deutsche haben, sprechen«, schrieb er aus Vesoul an Wilhelm am 9. März 1814, »worüber ich mit jedem Tage trauriger und betrübter im Sinne werde. Wieviel reiner, heller stellt Ihr Euch doch und der größte Teil Deutschlands sich alles vor; ich möchte mich dir recht darüber ausschütten und darf doch [wegen der höchst unsicheren Postverhältnisse und der Zensur] die Aufschlüsse nicht schwarz auf weiß schreiben, die ich nach und nach bekommen habe. Das Heiligste, Einfachste, das, was der größte und beste Teil unseres Volkes klar will, steht so auf dem Spiel, daß uns Gott rettet oder die finstere Verblendung unseres Widersaches [Napoleon].«

Trotz persönlicher Härten, die das ständige, mühe- und gefahrvolle Reisen für Jacob mit sich brachte, trotz –

Der Schriftsteller Joseph von Görres (1776–1848), Herausgeber des »Rheinischen Merkur« und Freund der Brüder Grimm. Bleistiftzeichnung von Ludwig Emil Grimm, dat. 12. September 1815

oder gerade wegen – der drückenden Sorgen um den rechten Ausgang der zähen Kämpfe und des täglichen Kriegselends, verfolgte er zu jeder sich bietenden Zeit und Gelegenheit seine Forschungsarbeit. In den Bibliotheken der französischen Städte Besançon, Vesoul, Langres, Dijon, wo sich die Diplomaten des alliierten Hauptquartiers kurzzeitig niederließen, später in Paris und Straßburg, suchte Jacob nach alten Handschriften.

Als Paris am 31. März 1814 von Preußen und Rußland besetzt und Napoleon abgesetzt wurde, meldete Jacob euphorisch aus Dijon nach Kassel: »Ich bin vor Freude und Dank den ganzen Tag nicht zu mir gekommen, und heut morgen ist es mir als nach einem durchbrachten Ball.« Aber an die Stelle des Jubels traten bald Skepsis und Katzenjammer, denn »das Friedensgeschäft [ist] unstolz, undeutsch, heimlich und ohne rechtes Vertrauen zueinander betrieben worden«. Savigny gegenüber umriß Jacob seine Ansicht, wobei ihn besonders auch die Rolle von Österreich

beschäftigte: »Deutschland sollte, selbst europäisch betrachtet, bei dem ganzen Werk die Hauptsache sein; die Russen sehen das nicht; die Engländer haben uns im Negotiieren [Verhandeln] mehr geschadet als genützt; sie scheinen ordentlich über ihr Meer hinaus alles Salz zu verlieren und verstehen eigentlich nichts von uns. Die Preußen haben … einige Grade zu preußisch [sic] in sich, welches ihrer deutschen Gesinnung schadet und um so schlimmer ist, weil es selbst in dem Heer und Volk zu herrschen scheint. Dadurch kommt namentlich ein unrechtes Verhältnis zu Österreich hervor, das seine Fehler und Schwächen hat, aber … höchst freundlich behandelt und durch Schonung in die Höhe gehoben werden muß, wie man in einer Familie sich von dem Schwächlichen nicht abtut, sondern ihn pflegt und desto wärmer hält.«

Joseph von Görres, ein Freund der Brüder Grimm und seit Anfang des Jahres Herausgeber der ersten politischen Zeitung Deutschlands, des »Rheinischen Merkur«, war es, der das Ideal eines nach dem Vorbild des Sonnensystems gebildeten Deutschen Reiches aufstellte: eine Ellipse mit zwei Brennpunkten, Preußen und Österreich, schwebte ihm vor. Jacob Grimm schloß sich dieser Idee an, wenn er die Unausgeglichenheit der Achse Berlin – Wien monierte. Außerdem forderte er als eine Hauptgrundlage für die »innere Verfassung Deutschlands«, daß »die deutsche Kaiserwürde erhalten«, das heißt unter der Führung des Hauses Habsburg wiederhergestellt werden müsse. »Deutschland verliert sonst an Rang, Recht und Würdigkeit in Europa, und es geht etwas reell Gewesenes verloren, was sonst nirgends existiert … Sie ist das beste Mittel, Deutschland zusammenzuhalten.« Auch schlug Jacob vor, daß »die einzelnen Deutschen und vorzugsweise die besten Individualitäten sorgfältig gehegt und beschützt werden. Denn darauf beruhen alle Individualitäten und Freiheiten unserer Sprache, Wissenschaft und Familienverfassung.« Wiederherstellung des Kaiserreichs deutscher Nation, Schutz der Individualität: hinter diesen Forderungen steht ein wesentlicher Teil des politischen Denkgebäudes von Jacob Grimm, nämlich derjenige, der seine Wurzeln in der Staatsauffassung der Romantik hat. Es gehört zu den romantischen Grundanschauungen, den Staat als ein lebendiges Wesen, eine Individualität, einen Makroanthropos zu begreifen. »Jeder Staat ist ein selbständig für sich bestehendes Individuum«, heißt es bei Friedrich Schlegel. Grundlage und Keimzelle ist die Familie, wie zum Beispiel Novalis und Achim von Arnim betonen. Wie die Familie nicht nur eine Generation umfaßt, so ist auch der Staat »nicht bloß Verbindung vieler nebeneinander lebender, sondern auch vieler aufeinander folgender Familien«. Als historisch gewachsenes Gebilde ist er nicht nur etwa Rechts- oder Handels-Korporation, sondern »innige Verbindung des gesamten psychischen und geistigen Reichtums, des gesamten inneren und äußeren Lebens einer Nation« zu »einem unendlich bewegten und lebendigen Ganzen«. Dabei ist, wie Adam Müller weiter definiert, »der Souverän nichts anderes als eben die Idee jenes großen Bundes, welchen das Volk ausdrückt«. Insofern ist der Souverän unentbehrlich, sowohl für den Staat als auch übergeordnet, als Kaiser, für das Reich.

An dieser Vorstellung von der Funktion der Monarchen hielten die Brüder Grimm zeitlebens fest. Um so enttäuschter waren sie, da sie die Wiederherstellung des Kaiserreichs als repräsentative Instanz für den deut-

schen Nationalstaat nicht erlebt haben. Die Treue zu der romantischen Idee der Monarchie schloß jedoch nicht – wie wir noch sehen werden – liberale Gesinnung und eine gewisse Aufgeschlossenheit der Brüder gegenüber republikanisch-demokratischen Grundsätzen aus. Diese Tendenzen nahmen im Lauf der Jahre zu und traten besonders dann hervor, wenn es galt, die Individualität und Freiheit des einzelnen zu schützen. Hier sei vermerkt, daß bereits Novalis die Vereinigung von Republik und Monarchie forderte, ein Gedanke, der u. a. in den Brüdern Schlegel, Adam Müller, Eichendorff, Bettine stark nachgewirkt und besonders auch Görres beeinflußt hat, dem die Verbindung von Monarchie und Demokratie vorschwebte. In Görres' »Rheinischem Merkur« sah Jacob Grimm, der sich seit September 1814 als politisch einflußloser Gesandtschaftssekretär der kurhessischen Delegation beim Wiener Kongreß aufhielt, die einzige Publikationsmöglichkeit seiner kritischen Ansichten über die nachnapoleonischen »Länderverteilungsgeschäfte« der Diplomaten, die er seinem Bruder Wilhelm gegenüber als »elende Politiker, ratlos und trostlos« bezeichnete. In seinen acht Beiträgen vom Januar 1815 in dem meinungsbildenden Journal »schöner freier Gesinnung« finden sich Aufzeichnungen zur Gestaltung einer neuen Reichsverfassung. Jacob forderte im wesentlichen, daß sie sich an die Idee des alten Reichs anschließe. Österreich und Preußen gestand er keine Sonderstellung zu, sondern sie sollten ihre »Ehre« und ihr »Leben« in diesem sehen. Das Reich sah er als deutschen Staatenbund, dessen Fürsten unter der Voraussetzung einer gerecht verteilten Stimmenanzahl den Willen der Bevölkerung zu repräsentieren hatten. Ferner verurteilte Jacob Grimm

die egoistischen Machtbestrebungen gerade der stärkeren Staaten, die von ihm als mutwillig empfundenen Arrondierungen von Gebieten ohne Rücksicht auf historisch gewachsene Stämme und Völker. Er wandte sich gegen die Teilung Sachsens und trat für Polen ein, »das schmählich geteilte und gekränkte Volk soll jetzt, wo wir alle auf Gerechtigkeit dringen, wieder frei und ständig werden, es liegt heilsam zwischen Deutschland und Rußland.«

Die Realität der Kongreß-Ergebnisse sah anders aus. Frankreich verzeichnete einen großen Erfolg, es rückte erneut in die Reihe der Großmächte auf und behielt die Grenzen von 1792: eine Tatsache, die die deutschen Patrioten erbittern mußte. Österreich und Preußen vertraten dualierende Großmachtstellungen, die Frage nach einer Neubelebung des alten Reichs stellte sich erst gar nicht. Die von Jacob Grimm abgelehnten Gebietsarrondierungen wurden durchgeführt, die freiheitlich-nationalen Bestrebungen wieder in die Opposition gedrängt. Sachsens nördliche Hälfte fiel an Preußen, Rußland erhielt den größten Teil Polens, Galizien wurde Österreich zugeschlagen.

Die Zeugnisse der Entrüstung, Enttäuschung und Ernüchterung Jacob Grimms über Verlauf und Ausgang des Wiener Kongresses sind zahlreich. Sie finden sich vor allem in ausführlichen Berichten an den Bruder Wilhelm, den Bremer Senator Smidt und an Savigny. Wieder zurück in Kassel, schrieb er letzterem: »Im politischen denke ich, seit ich aus dem Wiener Unwesen heraus bin, wieder ruhiger … Man beruhigt sich auch einander, so ich mich im Gespräch mit dem Wilhelm, dort [in Wien] mußte ich meine Traurigkeit tagelang in mir halten und mit mir tragen.« Das Wort Traurigkeit benützte Jacob in bezug auf

Aristokratie contra Republik. Zeitgenössischer Einblattdruck

sich äußerst selten, es zeigt, wie stark sein Engagement an den politischen Vorgängen war. Seine Hoffnung, durch Veröffentlichungen im »Rheinischen Merkur« Einfluß auf die Neugestaltung Deutschlands nehmen zu können, war gescheitert. In seiner »Verachtung aller gewöhnlichen diplomatischen Formen und Griffe«, entfliehend »diesem Gewirr von Grobheiten, Welthöflichkeiten, Intrige, Verschlossenheit und Leichtsinn«, quittierte Jacob Grimm nach einem dreimonatigen Aufenthalt in Paris den Dienst; »um keinen Preis« wollte er »länger in der diplomatischen Laufbahn bleiben«.

Wenige Monate, bevor der »Rheinische Merkur« Anfang 1816 als zu

liberal verboten wurde, lieferte auch Wilhelm Grimm einige Beiträge, unter denen seine Stellungnahme zur »Ständeversammlung in Hessen« wegen ihrer demokratischen Tendenzen hervorzuheben ist.

Die Ständeversammlung, eine Art Landtag, war aufgrund einer Bestimmung der Wiener Schlußakte seit 1. März 1815 eine neue Verfassungseinrichtung in Hessen, die Wilhelm Grimm begrüßte. Er sah in ihr die »Begründung eines öffentlichen Rechtszustandes …, denn die wahre Kraft des Regenten ist nur die sittliche Macht, die im Volke lebt«, und »kein Fürstenhaus steht fest im neunzehnten Jahrhundert, das nicht in dem Gemüte des Volkes seine Wurzeln geschlagen hat«. Jedoch fand Wilhelm, daß »der ganzen Ordnung das rechte Leben fehlt«. Er kritisierte die zu ge-

ringe Öffentlichkeit und die Bürokratie, »Stände sollen recht eigentlich die Sprecher und nicht die Schreiber des Volkes sein«. Wichtig schien ihm die Aufstellung »fester Grundsätze« gegen die etwaige Willkür des Regenten, der, wenn ihm »die Stände lästig wären«, durch das einfachste Mittel sich davon befreien könnte«, nämlich sie nicht einzuberufen brauchte. Ebenso dürfe der Souverän geeignete Abgeordnete nicht zurückweisen können; die »Grenzen zwischen Gesetz und Verordnung müßten genauer bestimmt«, der »Willkür … Schranken gesetzt«, das »Recht der Mitaufsicht über die Verwendung der Steuern gehörig gehandhabt« werden. Zu wünschen wären ferner »vorzüglich feste Bestimmungen über die Grenzen der Polizeigewalt und ein Grundgesetz, daß niemand verhaftet werden

[kann], ohne binnen einer gewissen Zeit vor seinen ordentlichen Richter gestellt zu werden, und jede Verletzung dieses Gesetzes müßte mit unerbittlicher Strenge geahndet werden. Ist irgendwo ein Bedürfnis allgemein und lebhaft gefühlt, so ist es dieses, zumal bei uns, denen noch die Kriegsgerichte und Füsilladen und die zahllosen Verhaftungen zur angeblichen Erhaltung der öffentlichen Ruhe vor Augen schweben.« Außerdem forderte Wilhelm Grimm die gesetzliche Pressefreiheit, »um den Geistern ein freies Feld zur Übung zu eröffnen, deren sie bei uns gar sehr bedürfen«.

Wer war eigentlich der Regent, den direkt in die Verantwortung zu rufen Wilhelm Grimm bewußt und geschickt vermied, wenn er formulierte: »Wir Hessen wissen alle, daß wir unter unserem gegenwärtigen Herrn die Mißbräuche nicht zu fürchten haben, denen wir zuvorkommen wollen«? Das hervorstechende Kennzeichen Wilhelms I. war gewiß nicht fürstliche Würde. Als noch junger Monarch hatte er ohne Bedenken hessische Landeskinder als Soldaten an die Engländer verkauft, die sie in Amerika einsetzten. (Allerdings galten noch Ende des 18. Jahrhunderts Subsidienverträge als legale Mittel der Politik.) Der skrupellose Charakter des Landesfürsten enthüllte sich deutlich, als der millionenschwere Flüchtling während der französischen Fremdherrschaft von seinen Exilorten in Dänemark und Prag aus mit Hilfe Englands die Erhebungsbereitschaft der Hessen nährte und diese zugleich im Stich ließ. So hatte er zum Beispiel dem Anführer des Aufstands von 1809, Oberst Dörnberg, eine Anweisung von 30000 Talern als Beihilfe ausgestellt, »zahlbar« aber nur »für den Fall, daß das Unternehmen gelänge«. Bekanntlich gelang es nicht. Inwie-

weit die Brüder Grimm von diesen Dingen gewußt haben, ist fraglich. Fest steht, daß Wilhelm I. auf die starke Anhänglichkeit seiner Hessen bauen konnte. Sie waren leid- und gehorsamsgetreue Untertanen, sie hielten an seit Generationen gewachsenen Lebens- und Rechtsformen fest, mochten diese auch veraltet und verbesserungsbedürftig sein. Die Brüder Grimm betrachteten den Landesfürsten aus ihrer monarchisch verankerten Erziehung heraus und vor dem Hintergrund ihrer romantischen Staatsauffassung als historisch legitimen Repräsentanten des Volkes. Gerade diese Rolle verstand Wilhelm I., den die französische Vertreibung aus seinem Amt vor der hessischen Öffentlichkeit zum Märtyrer gestempelt hatte, sehr geschickt auszuspielen. Mit großer Geste verwies er auf die fünfeinhalb Jahrhunderte währende Tradition seines Hauses Brabant, das auf einundzwanzig Regenten zurückblicken konnte und als deren »höchsten Gipfel« er sich selbst empfand. Aber im Gegensatz zu der Auffassung der Brüder Grimm war diesem Regenten die historische Tradition seiner Stellung nur Mittel einer Politik, die im Zeichen absolutistischer Selbstherrlichkeit und Raffgier, der Willkür und List, aber auch eines opportunistischen Sinns für die Anpassung an den Zeitgeist stand. Die Vorschläge Wilhelm Grimms für die Konstitution der Ständeversammlung sprechen für sein politisches Engagement, seine liberale Gesinnung und verraten Einsichten in den Charakter des Kurfürsten. Gerade die Tatsache, daß er in seinem Artikel im »Rheinischen Merkur« die Person Wilhelms I. betont aussparte, mußte die Aufmerksamkeit der Öffentlichkeit auf diesen lenken. Dieser behutsame Trick gehörte in das Arsenal des gesellschaftskritischen Journalismus, der in der

Zeit der Restauration die Zensur zu umgehen suchte.

Die kurhessische Realität erwies jedoch schon bald, daß die Ständeversammlung ein uneiniges, schwaches Gremium war. Wilhelm I., der den Ständen weder Einfluß auf Steuerfragen und Staatshaushalt gewährte, noch die Fixierung ihrer Rechte in einer Verfassung zuließ, löste die Versammlung im Mai 1816 kurzerhand auf, um sie nie wieder einzuberufen – und bestätigte damit Wilhelm Grimms Befürchtungen. Jacob Grimm, der ebenfalls gehofft hatte, daß es »in Deutschland zu landständischer Verfassung kommen wird« und »manches Gute daraus entspringen kann«, wenn die Stände »nicht im allgemeinen herumschweifen« und sich auf »die Verminderung der Abgaben und die Vereinfachung der Administration« konzentrieren, beklagte im November 1819 gegenüber Savigny die Situation in Hessen und den anderen deutschen Staaten. Er sprach von »einer bitteren Zeit«; durch »Spannung und Mißmut über unsere öffentlichen Verhältnisse in Deutschland« würden seine Tage »getrübt und verdorben«. Unter dem Eindruck der auf der Ministerkonferenz der zehn größten Staaten in Karlsbad im August 1819 gefaßten Beschlüsse schrieb Jacob: »Die Sachen haben sich gar nicht gut gekehrt, und man wird vor sich selbst bestürzt, wenn man sich die Möglichkeit gestehen muß, daß unsere Regierungen ganz unmittelbar auf so großartige und erhebende Begebenheiten, als wir in Deutschland erlebt haben [die Befreiungskriege], in ein System von Furcht und Ängsten, Mißtrauen, Beschuldigungen und allen den kleinlichen und schädlichen Handgriffen der Polizei, die in der französischen und westphälischen Periode herrschten, verfallen könne. Man schöpft, indem man einige Ver-

Bücherverbrennung anläßlich des Wartburgfestes der deutschen Studenten am 10. Oktober 1817. Holzstich von Fr. Hottenroth

brechen und noch dazu meist eingebildete entdecken will, von hundert edlen herrlichen Dingen oben den Enthusiasmus ab ...«

Den Karlsbader Beschlüssen waren Aktivitäten der liberal-konstitutionellen und nach nationaler Einheit strebenden Oppositionsbewegung vorausgegangen. Sie wurde – vorläufig – von einer relativ schmalen Schicht des gebildeten Bürgertums getragen, besonders aber auch von den Burschenschaften, jenen studentischen Bewegungen für Einheit und Freiheit, deren Antriebskraft die Erinnerung an

die Freiheitskriege und ein schwärmerisch-pathetischer Idealismus war. Anläßlich der Versammlung der Burschenschaftler auf der Wartburg im Jahr 1817 gab der Student Riemann in seiner Festrede zur Feier des dreihundertjährigen Reformationsjubiläums und des vierten Gedenkjahres der Völkerschlacht von Leipzig dem Protest mit erstaunlich ähnlichen Worten Ausdruck, mit denen auch Jacob Grimm – wie oben zitiert – seine Stimmung beschrieb. Zum Abschluß des Wartburgfests wurde eine Bücherverbrennung veranstaltet, auf der »Schandschriften des Vaterlandes« in die Flammen geworfen wurden, so auch das Hauptwerk des anti-demokratischen Schweizer Staatsrechtlers

Karl Ludwig von Haller, das dem Zeitalter der Restauration den Namen gegeben hatte: »Die Restauration der Staatswissenschaft oder Theorie des natürlich-geselligen Zustandes, der Chimäre der künstlich-bürgerlichen entgegengesetzt.« Metternich, der Träger der großen Politik auf dem europäischen Kontinent, sah in den Burschenschaften die Vorhut einer revolutionären Bewegung und wollte die Freiheit der Universitäten scharf einschränken, um den »Geist des Jakobinismus« zu unterdrücken. Dies scheiterte zunächst am Widerstand der preußischen Reformer Humboldt und Hardenberg. Am 23. März 1819 ermordete der Theologiestudent Karl Sand in Mannheim

den reaktionären Dichter August von
Kotzebue, der der russischen Regierung Spitzeldienste über »jakobini-
sche« Tendenzen an den deutschen
Universitäten geleistet und die Ideale der Burschenschaften verspottet
hatte. Daraufhin gelang es Metternich, zuerst den preußischen König,
dann die Vertreter der größeren deutschen Staaten auf ein gemeinsames
Programm festzulegen, eben auf jener
Konferenz in Karlsbad im August
1819. Die Karlsbader Beschlüsse si-
gnalisierten die endgültige Wendung
des Deutschen Bundes zur Restauration; sie legten das Verbot der Burschenschaften, die scharfe Kontrolle
der Universitäten durch Überwa-
chungskommissare und die umfassende Unterdrückung der Meinungs-
freiheit durch die Vorzensur aller Zei-

tungen, Zeitschriften und Broschüren
sowie die Nachzensur aller Bücher
fest.

Joseph von Görres, der die Tat
Sands auf den »bestehenden Despotis-
mus« zurückgeführt und im September 1819 die Schrift »Deutschland
und die Revolution« herausgegeben
hatte, sollte, nachdem bereits andere
»Demagogen« wie Arndt und Jahn
verhaftet worden waren, ebenfalls ar-
retiert werden, rettete sich aber durch
Flucht nach Frankreich. Eine weitere
Schrift Görres', »In Sachen der
Rheinprovinzen, Stuttgart 1822«,
war eine der ersten, die Jacob Grimm
als Mitglied der kurhessischen Zensurkommission zur Beurteilung vorlag. Er war als Bibliothekar neben seinen Vorgesetzten, dem Bibliotheks-
und Museumsdirektor Völkel und
dem Generalsuperintendenten Rommel in dieses Gremium berufen worden. Vergeblich hatte er mit rückhalt-

loser Offenheit, sachkundig und geschickt argumentierend auf die weitgehende Nutzlosigkeit einer Zensur
hingewiesen und – ebenfalls vergeb-
lich – eine Verlegung des Sitzes der
Kommission nach Marburg bean-
tragt. Schon in einem Brief an Arnim
vom Februar 1816 hatte er sein Mißfallen über das Verbot des freien Worts
durch Regierungen bekundet, »weil
es immer gut ist, wenn die Guten frei
reden, und weil die Schlechten sich
selbst zu Tode schwätzen«. Görres'
Schrift nun zählte Jacob Grimm auf
jeden Fall zu den guten; er wollte sie
passieren lassen, denn Werke, »die mit
Freimut und notgedrungen Gebre-
chen einzelner Regierungen aufdek-
ken«, da keine Regierung vollkommen sein könne, seien nicht sträflich.
Außerdem richte sich Görres' Schrift
nicht gegen Kurhessen, das bei einem
Verbot unnötigerweise »den Schein
der Illiberalität« auf sich lade. Wie

auch in anderen Fällen akzeptierten die Kollegen das Votum Jacob Grimms, der die Zensortätigkeit bis 1829 ausüben mußte, nicht, und Görres' Schrift wurde verboten.

In die Zensurkommission war Jacob Grimm noch von dem alten Kurfürsten Wilhelm I. berufen worden. Dieser starb 1821 nach siebenundfünfzigjähriger Regierung, ein Jahr nach seiner Frau Wilhelmine Karoline, die eine Gönnerin der Brüder gewesen war. Als Wilhelm II. den Thron bestieg, wendeten sich die Dinge zum Schlechteren. »Unsere neue Regierung ist nicht so, daß sie einem gefallen könnte«, schrieb Jacob an Savigny. Wilhelm I. habe »mit seinem Geiz alle Verhältnisse gedrückt und unbehaglich gemacht«, die »hin-

terlassenen Reichtümer« sollten nun dem Land zugute kommen; doch mit Bitternis stellte Jacob fest: »Es muß aber auf übelerworbenem Schatz ein gerechter Fluch haften, ich glaube, er geht wieder verloren, ohne daß er dem Land zustatten kommt«, denn »das verwilderte, rohe Wesen des jetzigen Kurfürsten« lasse nicht auf Besserung hoffen. »Innerlich ganz leer und eitel«, zeige er im Unterschied zu seinem Vater »Mangel an Ordnung und Haltung«, »mißtrauische, heftige Laune« und »starren Eigensinn«, er werde »sich immer mehr von den Geschäften abziehen und bloß an seinem Vergnügen hängen«. Die Kritik der Brüder Grimm riefen vor allem die »Zivilveränderungen« hervor, die »unnötige Vermehrung der inneren

Polizei und Einmischung des Staats in alles«. Eine »gute Staatsverfassung« sei dagegen nur, »die nicht alles durchdringen, alles ausfüllen will, die nicht alles auf sich bezieht und sich allen menschlichen Dingen oben auflastet«. Der Kurfürst aber, so Wilhelm einige Jahre später an Savigny, »tut, was in seinen Kräften steht, und verfährt ganz systematisch, um jede gute Einrichtung zu hemmen und jede Angelegenheit zu verwirren, und ich glaube, er hält jeden Tag für verloren, wo er sein Land nicht gekränkt, verletzt und heruntergebracht hat.« Wilhelm II. brachte Verwirrung nicht nur in die Staatsangelegenheiten, sondern auch Zwiespalt in seine Familie. »Schon den Morgen nach des Vaters Tod, und während auf dem Platz das

Kurfürstin Auguste mit Kurprinz Friedrich Wilhelm und ihren Töchtern. Zeichnung von Ludwig Emil Grimm

Militär huldigte«, berichtet Jacob, »wurden die Betten und Möbel« seiner Geliebten, Emilie Ortlöpp, Tochter eines Berliner Juweliers, »in sein Palais geschafft, sie einige Tage darauf zur Gräfin Reichenbach ernannt und Hof und Adel bedeutet, ihr die Cour zu machen. Die Kurfürstin beging den meinem Gefühl nach schweren, unbegreiflichen Mißgriff, diese Person auf sein Verlangen vor sich zu lassen, was sie nimmermehr hätte tun sollen.«

Für die Brüder Grimm war es keine Frage, für die Kurfürstin Auguste, eine Tocher des Preußenkönigs Friedrich Wilhelm II., Partei zu nehmen. Während die Gräfin Reichenbach auf der Wilhelmshöhe residierte und starken Einfluß auf die Regierungsgeschäfte ausübte, sammelte Auguste in ihrem Schlößchen Augustenruhe (heute Schönfeld) einen kleinen Musenhof um sich, Richtpunkt der Gedanken und Hoffnungen einer freiheitlich gesinnten Bürgerschaft. Dort

verkehrten Jacob und Wilhelm ständig und demonstrativ. Überdies unterrichtete Wilhelm, dessen Tochter nach ihrer Patentante Auguste hieß, den Prinzen, vor allem in Geschichte. Dieses Verhalten hatte zur Folge, daß man die Brüder 1829, bei der Nachfolge Völkels, des Bibliotheks- und Museumsdirektors, überging, obwohl sie die besten Sach- und Lokalkenntnisse besaßen und 23 bzw. 15 Jahre als unterbezahlte Bibliothekare gedient hatten. »Wir hatten gerechtesten Anspruch«, klagen sie, »beide Stellen erhielt aber ein Mann, der sich bisher weder mit Altertümern noch mit Bibliotheken beschäftigt hat«, der »Historiograph Rommel, ein schon gut besoldeter, wohlhabender Mann. Das war zu arg; und für die Zukunft blieb uns gar nichts mehr zu hoffen übrig.« Von der Zurücksetzung in ihrem Rechtsempfinden tief getroffen, nahmen die Brüder einen Ruf an die Bibliothek und Universität Göttingen an. Das Abschiedsgesuch wurde von

einem auf den anderen Tag gewährt, »die einzige schnelle Beförderung, der wir uns im hessischen Dienste zu erfreuen gehabt«. Der Kurfürst kommentierte den Abschied der inzwischen berühmten Gelehrten: »Die Herrn Grimms gehn weg! Großer Verlust! Sie haben nie etwas für mich getan!«

In seiner Göttinger Antrittsrede mit dem bezeichnenden Titel »De desiderio patriae« (»Heimatliebe«) verglich Jacob Grimm die Liebe zum Vaterland (er meinte vor allem Hessen) mit der Liebe zu einem kranken Verwandten. Der Glaube, daß der Landesfürst der Wahrer einer festen, gültigen Ordnung sei, hatte in Kassel schwere Stöße erlitten; zwar zweifelten die Brüder nicht die in ihren Augen historisch legitime Institution der Monarchie an, wohl aber die Art ihrer Ausführung. »Ich hoffe, der Himmel wird Deutschland erhalten«, schrieb Jacob an Savigny, »aber die Fürsten müssen ihren alten Gewohnheiten und Neigungen einige Gewalt antun und aufrichtig erkennen, daß die Zeit

Die Kurfürstin in Begleitung von drei Brüdern Grimm im Garten spazierengehend. Zeichnung von Ludwig Emil Grimm, dat. Sommer 1840

*Göttingen Anfang des 19. Jahrhunderts. Zeitge-
nössischer Kupferstich von C. Beichling*

unumschränkter Herrschaft vorüber
ist, daß das Volk eine andere Sicherheit haben will, als die in dem Privat-
charakter eines sterblichen Fürsten
liegen kann.«

Diese Äußerung datiert vom September 1830. Inzwischen hatte es –
nach Metternichs Worten – den
»Durchbruch eines Dammes in Europa« gegeben. Er meinte damit die
Pariser Juli-Revolution von 1830 und
die durch sie ausgelöste Revolutions-
welle in Belgien, Portugal, Spanien,
Polen und Deutschland, hier speziell
in Braunschweig, Sachsen, Kurhessen
und Hannover.

Unter dem Eindruck der Aufstände
in Europa überdachten die Brüder
ihre politische Auffassung, denn, so
Wilhelm, »wer könnte die Nachrichten aus Frankreich ohne Bewegung

hören?« Und: »entsetzlich war die
Aussicht auf eine Revolution mit ihren Greueln, jetzt scheint es, als könne
ein beruhigter Zustand daraus hervorgehen.«

Zu den Ereignissen in Hessen kommentierte er: »will man eine Revolution einen Zustand nennen, der darauf ausgeht, rechtliche Ordnung, natürliche und ehrliche Verhältnisse, die
Würde des Throns schwankend und
verächtlich zu machen, so kann man
dem Betragen der Bürger unmöglich
diesen Namen geben, die gerade
nichts anders als die Herstellung jener, von dem Kurfürsten, und ihm
allein, untergrabenen Stützen alles
bürgerlichen Lebens verlangen.«

Jacob bekannte, er sei den »liberalen«, ja den revolutionären Gesinnun-
gen weniger abgeneigt«, je »näher sie
rücken«. Gleichzeitig verteidigte er
allerdings seine monarchistische Einstellung, da diese Regierungsform

»die meiste Sicherheit und Ruhe gewährt« und »wenigstens lange Zeiten
hindurch den Völkern ein Glück ver-
schafft hat, das freilich wie alles Irdi-
sche unvollkommen war«. Wie aus
dem Brief an Savigny vom September
1830 weiter hervorgeht, sah Jacob
Grimm die Ungleichheit der Menschen – womit er ihr Eigentümliches, ihre individuellen Unterschiede
meinte – in der »scharfen Ungleichheit der Stände« veranschaulicht. Im
»Befehlen und Gehorchen« sah er eine
»sanfte und wohltätige Kraft« wirken,
»voll Farbe, Phantasie, Poesie und
Glauben, während was die Gegenwart verlangt, eintönig, prosaisch und
nüchtern ist«. Diese heute befremd-
lich wirkende Auffassung wird ver-
ständlicher, wenn man sich ihren romantischen Hintergrund vor Augen
führt. Aus dem Erlebnis der Individualität heraus lehnten die Romantiker das Schlagwort der Gleichheit ab.

Ihrer Ansicht nach kann Freiheit nur entstehen, wenn die Verschiedenheit der menschlichen Naturen zu ihrem Recht kommt. Die Ungleichheit der Menschen ist naturgegeben und darf nicht durch »barbarische Gleichmacherei«, durch »Verschneiden des frischen Lebensbaumes nach einem eingebildeten Maße« (Eichendorff) gestört werden. »Wenn man Häcksel schneidet«, so der Vergleich Arnims, »so wird alles Stroh gleich lang in der Lade, so hat es die Revolution mit den Franzosen gemacht.« Das Ziel dürfe jedoch nicht »Einerleiheit«, sondern »organische Einheit in der Mannigfaltigkeit« sein, »so wird auch der Gemeinschaft des Staates mit innerlich ausgewechselten Gesellen nichts gedient, sondern der der liebste sein, der ihr, weil mit ungebrochener Eigentümlichkeit, aus ganzer Seele dient, wie er eben kann und mag« (Eichendorff). Zwei immer wiederkehrende Grundgedanken in Görres' politischen Schriften lauten: »Das Beste ist die starke Einheit in der freien Vielheit« und »das ist die rechte Mitte, in der das Eigentümliche und das Allgemeine sich in keiner Weise widersprechen«. Jeder Staat sollte, nach Adam Müller, ein »reichgegliedertes«, aus »individuellen Gemeinschaften«, wie Ständen, Kommunen, Familien »zusammengewirktes Ganzes« darstellen.

Dies alles trifft auch auf Jacob Grimms Idealvorstellung einer politischen Gemeinschaft zu. Die Realität jedoch zeigte sich anders – so, daß Jacob »zu Paris entschieden es mit den Bürgern gehalten hätte, wie ich zu Luthers Zeit dem Glauben meiner Väter abtrünnig und Protestant geworden wäre«. Denn: »Wie haben Fürsten und Regierungen die Zeit verkannt!« Sie »haben immer nur verneint und nur eine unmäßige Furcht an den Tag gelegt, sobald sie ihr System gefährdet glaubten, aber nie ver-

standen, das Volk nationell zu begeistern ... Abgaben, Zölle sind auf das höchste gestiegen. Ich kann von Hessen reden, wo das treueste, gutmütigste Volk unverantwortlich gedrückt und verhöhnt worden ist und die Regierung schamlos verfuhr.« Der »lang verhaltene allgemeine Unwille über den Mißbrauch des fürstlichen Rechts« mache sich nun »Luft«.

Infolge der Revolutionsbewegung von 1830 kam es zur Einrichtung konstitutioneller Verfassungen in Deutschland – oft nach dramatischen Zeichensetzungen der Volkswut, wie in Braunschweig, wo als Antwort auf die Sultanslaunen des Herrschers das Schloß in Brand gesteckt wurde. Zur Einführung der liberalsten Verfassung wurde Wilhelm II. gezwungen, nach einer handgreiflichen Protestwelle der hessischen Bürger, die sich gegen Steuerlast und Feudalabgaben, Büro-

Herzog von Cumberland (später König Ernst August II. von Hannover) mit Gemahlin. Gemälde von Thomas Gainsborough

kratie, Polizeiregiment und Korruption, Zollgrenzen und -lasten gerichtet hatte. Der Erbprinz wurde zum Mitregenten ernannt; aber schon im Mai 1832 trat an die Spitze der kurhessischen Regierung Ludwig Hassenpflug, der Schwager der Brüder Grimm, der nach Meinung Jacobs damit »in ein Feld trieb«, in dem er »mehr schaden als nützen« könne. Hassenpflug, entschieden staatskonservativ und antiparlamentarisch, wurde zu einer der bestgehaßten Gestalten der Reaktion.

Auch das Königreich Hannover, in Personalunion mit England verbunden, gehörte seit 1833 in den Kreis der Verfassungsstaaten. Auf das von dem Historiker und Staatsrechtler Friedrich Christoph Dahlmann und liberalen Osnabrücker Landtagsabgeordneten Johann K. B. Stüve ausgearbeitete Grundgesetz schworen Jacob und Wilhelm Grimm in Göttingen ihren Eid als Diener des Staates.

Nach dem Tod Wilhelms IV. von England und Hannover am 20. Juni 1837 bestieg in England dessen Nichte Victoria, in Hannover sein 66jähriger Bruder Ernst August, Herzog von Cumberland, ein überzeugter Tory, den Thron. Schon wenige Tage nach seiner Ankunft vertagte Ernst August den Landtag und erklärte am 1. November 1837 die Verfassung für ungültig. Er verfolgte damit das Ziel, die seit 1833 zum Staatseigentum gehörenden Domänen wieder in den Besitz des Fürstenhauses zu bringen. Der monarchistische Staatsstreich bedeutete, daß auch der Eid der Beamten auf die Verfassung außer Kraft gesetzt war. Darüber hinaus erging Mitte November eine Kabinettsverordnung, die von allen Beamten des Königreichs, also auch den Professoren der Landesuniversität, die Einsendung eines Dienst- und Huldigungsreverses verlangte. Daraufhin entwarf Dahl-

Die Göttinger Sieben: (v.l.) Wilhelm und Jacob Grimm, Albrecht, Dahlmann (Mitte), Gervinus, Weber, Ewald. Lithographie von E. Ritmüller

mann, wie die mit ihm befreundeten Brüder Grimm Professor an der philosophischen Fakultät in Göttingen, am Abend des 17. November eine Protestschrift, »Untertänigste Vorstellung einiger Mitglieder der Landesuniversität, das Königliche Patent vom 1. November d. Jahres betreffend«, die er anderntags an Jacob Grimm zur Überarbeitung weiterleitete.

Diesen öffentlichen Protest gegen den Verfassungsbruch des Königs unterschrieben im Verlauf des 18. November sieben der damals 32 Göttin-

ger Professoren, neben Dahlmann und den Brüdern Grimm der Staatsrechtler Wilhelm Eduard Albrecht, der Historiker Georg Gottfried Gervinus, der Orientalist Georg Heinrich August Ewald und der Physiker Wilhelm Eduard Weber – alles in hohem Ruf stehende Wissenschaftler. Die Unterzeichner lehnten es ab, ihren auf die frühere Verfassung geleisteten Eid, dem sie sich verpflichtet fühlten, zu brechen, und beharrten auf dem Zusammenhang von Wahrheit und Recht, während die übrigen Professoren – besonders die der medizinischen Fakultät – bequemerweise bestritten, daß die Wissenschaft zum Verfassungsrichter legitimiere. Aber die Sieben wollten »nicht stillschweigend«

die Beseitigung des Staatsgrundgesetzes »allein auf dem Wege der Macht« geschehen lassen. Sie betrachteten ihren Treueid als Gewissensfrage und vertraten die Auffassung, daß auch ihre »Wirksamkeit« als Lehrer »auf ihrer persönlichen Unbescholtenheit« beruhe.

Des Königs Antwort auf diese Demonstration von Verfassungstreue und Zivilcourage ist bekannt: fristlose Amtsenthebung. Ein militärischer Sonderkurier brachte am 14. Dezember 1837 die Entlassungsurkunden nach Göttingen, dazu drei polizeiliche Ausweisungsverfügungen für Dahlmann, Gervinus und Jacob Grimm, die Ernst August (fälschlicherweise) verdächtigte, die Protest-

Studenten auf dem Göttinger Marktplatz. Getuschte Federzeichnung von Ludwig Emil Grimm, dat. 1824

schrift vor Eingabe an das Universitätskuratorium an englische und französische Zeitungen weitergeleitet zu haben. Bereits am Morgen des 17. Dezember verließen die drei Ausgewiesenen unter Polizei-»Schutz« Göttingen. Da ein Studentenaufstand durch rasche Zusammenziehung von Gendarmerie und berittener Polizei verhindert und die Vermietung von Reitpferden und Kutschen kurzfristig und vorsorglich verboten worden war, hatten sich viele Göttinger Studenten entschlossen, zu Fuß voraus-

zueilen. An der Werrabrücke bei Witzenhausen, auf hessischem Gebiet, begrüßten und feierten sie die Verbannten begeistert. Welch ungeheures Aufsehen das Ereignis hervorrief, ist einem Bericht Wilhelm Grimms an den Germanisten Karl Lachmann zu entnehmen: »Dieser Witzenhausener Einzug ist hier [in Göttingen] in Blei gegossen als Kinderspielzeug zu haben, aber Kinder, die damit spielen, verlieren die Ansprüche auf eine demnächstige Anstellung im Staatsdienst. In dem Wagen, den die Studenten ziehen, sitzt Dahlmann, Jacob und Gervinus, und das Bürgermilitär präsentiert das Gewehr. Jacob lüftet den Hut und sieht sehr jugendlich aus mit

glänzend roten Backen.« Es »kostet nur 4 Taler«.

Die Anteilnahme an den Göttinger Ereignissen erstreckte sich sehr bald auf die gesamtdeutsche Öffentlichkeit und auch aufs Ausland. Tausende von Abschriften des Protestdokuments waren schon nach wenigen Tagen überall im Umlauf. Ebenso fand Jacobs Verteidigungsschrift »Über meine Entlassung« – an deren Abfassung Wilhelm erheblichen Anteil hatte – nach ihrer Drucklegung in Basel im April 1838 und als verbotene Ware nach Deutschland eingeschmuggelt, rascheste Verbreitung.

»Die Sieben wurden die Märtyrer und die Helden des Liberalismus. Die politische Rolle des Professors kam hier, mit einem Schlag sozusagen, auch vor der nationalen Öffentlichkeit auf ihren Höhepunkt; das hat über die Paulskirche noch die nächsten Jahrzehnte geprägt. Zum erstenmal war Widerstand nicht von Radikalen, Literaten, jungen oder kleinen Leuten, sondern von einem Kernelement des bürgerlichen Establishment ausgegangen ... Hier ging es nicht um eine Revolution im Namen des Naturrechts oder der Volkssouveränität, sondern um Widerstand gegen einen Staatsstreich, im Namen des Rechtes« (Nipperdey). Süddeutsche und norddeutsche Liberale fanden sich zu gemeinsamen Sympathiekundgebungen zusammen, in vielen Städten bildeten sich freie Komitees zur ideellen und finanziellen Unterstützung der Professoren. Viele fanden sich durch das Ereignis zu Dichtungen angeregt, in denen es oft mit der heroischen Geschichte Germaniens in Verbindung gebracht wurde. So zum Beispiel von dem nach Paris emigrierten Anastasius Grün (Pseudonym für Anton Alexander Graf von Auersperg), einem politischen Populärlyriker des Vormärz, in einem Jacob Grimm gewidmeten Gedicht, das zuerst im »Hamburger Telegraph«, dann zensurgekürzt im Kasseler »Beobachter« veröffentlicht wurde: »Germanias Geist, der hat ins Herz der Edlen sich geflüchtet,/ – wie Karols Ring der Treue tief versenkt im See von Aachen, / Drin träumt er nun Vergangenheit und ahnt ein schön Erwachen./ Da schlief er zwar, doch traun er lebt!« Zu ähnlichen Höhen schwang sich ein Anonymus in einem »Abschiedsgruß an Dahlmann, Gervinus und Jacob Grimm« auf: »So spracht Ihr zu des Volkes Wohle, / Bei dem Ihr lange Zeit gehaust, / und zeigtet kühn nach einem Pole, / Wenn Euch der starke Wind umbraust. /

Und wenn der Sturm die Blüten raubte, / Die Ihr gepflegt in treuer Hut; / Und wenn auf Eurem edlen Haupte noch keine Siegespalme ruht: / So ist in vielen treuen Herzen / ein lichter Funke doch erwacht, / Und hat die tausend Liebeskerzen / Zu einer Flamme angefacht.« Auch die Sympathie der Damen konnten die protestierenden Professoren für sich verbuchen, so etwa die der Schwiegertochter Goethes, die ihre »Traurige Geschichte der Sieben« auf einer Weimarer Maskerade austeilen ließ und meinte: »So entstanden sieben Männer / Reich an Mut und Kraft und Wahrheit / Standhaft und voll Mäßigung.«

Die Brüder Grimm hatten mit derlei Huldigungen nichts im Sinn. Sie hatten einfach, »kinderleicht zu beurteilen«, »die volle Wahrheit gesagt«, »Einspruch gegen eine unerträgliche Tyrannei« eingelegt, die so »außerordentlich und gewaltig« war, »daß dadurch alle Wege und Gänge des gewöhnlichen Lebens abgeschnitten wurden«, und mußten nun »die albernen Lobeserhebungen« ebenso wie »die hoffärtigen Verhöhnungen der andern Sekte« ertragen. So äußerte etwa Ernst August noch Jahre danach auf einem Bankett zu Ehren des Königs von Preußen: »Professoren haben gar kein Vaterland; Professoren, Huren und Tänzerinnen kann man überall haben, wo man ihnen einige Taler mehr bietet.«

Ende 1837 wußten die Brüder nicht, wie sich ihr Leben in Zukunft gestalten würde. Jacob trug sich noch Mitte 1838 mit dem Gedanken, Deutschland, seinem geliebten Vaterland, auf immer den Rücken zu kehren, denn: »die Fürsten meinen einen gewissen parfümierten Monarchismus durchführen zu müssen, der nicht den leisesten und ehrlichsten Einspruch erträgt und aller Natur der

menschlichen Empfindungen und Rechte Hohn spricht. Dieser Zwang wird schon wieder aufhören und sich rächen, aber unsere Gegenwart und nächste Zukunft bleibt getrübt und geengt; in mir hat sich schon mehrmals die wehmütige Lust geregt auszuwandern, am liebsten nach Schweden, ... aber ich hänge zu fest an Wilhelm und den seinigen, deswegen geht es nicht.« Wilhelm, der auch noch keinen Plan hatte, schrieb seiner alten Freundin Anna von Arnswaldt nur: »Seit Jacob weg ist [aus Göttingen], ist es mir im Hause schon fremd und unheimlich geworden.«

Im Oktober 1838 zog auch Wilhelm mit seiner Familie wieder nach Kassel. In dem Haus am Wilhelmshöher Tor, in dem auch der Bruder Ludwig Emil wohnte, bei dem Jacob Asyl gefunden hatte, wurde die Parterrewohnung frei, von deren Fenster aus man alten Bekannten »die Hand reichen« konnte. Nun legten Jacob und Wilhelm ihren Haushalt wieder zusammen.

Die von einem zentralen Hilfskomitee in Leipzig für die brotlos gewordenen Göttinger Sieben gesammelten Gelder nahmen die Brüder nur zögernd und auf Zuspruch Dahlmanns hin an. Ein Prozeß, den die entlassenen Professoren unter Führung Wilhelms um ihre Bezüge führten, blieb ergebnislos. Zwar erhielten die Brüder Einladungen aus Hamburg, Rostock und Weimar, aus der Schweiz, den Niederlanden und Belgien, auch aus Frankreich; sie waren meistens aber nur privater oder in bezug auf ihre Arbeit wenig konkreter Art. Ein Ruf an die Universität Marburg scheiterte am Widerspruch des Kurfürsten. Eigentlich wollte Jacob von seinem Recht als Mitglied der Berliner Akademie der Wissenschaften Gebrauch machen und an der dortigen Universität lehren; Wilhelm hätte dann mit seiner Familie nachziehen können. Aber Friedrich Wilhelm III. war ein Schwager des Königs von Hannover, auf den er Rücksicht nahm; und eine Berufung der Verbannten würde ihre offizielle Rehabilitierung bedeutet haben. Savigny, damals einflußreicher Professor für Zivilrecht in Berlin und enger Berater des Kronprinzen, reagierte flau auf die Göttinger Ereignisse: man solle privat helfen (was er auch tat) und öffentlich schweigen. Keine Demonstration für das Recht der mit Berufsverbot belegten Brüder, der König solle »um einer so kleinen Sache willen« nicht angerufen werden. Nur eine Politik der kleinsten Schritte, Mäßigung und Zeit könnten nützen. Jacobs Absicht wurde von Karl Lachmann, dem Präsidenten der Akademie, mit Berufung auf Savignys Urteil negativ beschieden. Die Brüder reagierten zwar betroffen, aber doch treu. Besonders Jacob strich letztlich

Karikatur auf König Friedrich Wilhelm IV. von Preußen: Aufhebung der Bilderzensur am 28.5.1842 und deren Wiedereinführung am 1.2.1843. Zeitgenössische Lithographie

kein Jota in seiner Freundschaft zu Savigny ab. »Was uns betrifft«, sinnierte Jacob, »so finde ich mich darein, mein übriges Leben ganz ohne öffentliche Anstellung zu beschließen und mich durch Privatarbeit über dem Wasser zu erhalten.« Sie wandten sich der Gesamterfassung des deutschen Sprachschatzes zu. Die Arbeit am »Deutschen Wörterbuch« sicherte ihnen ein mäßiges, aber festes Honorar.

Dann kam Bettine. Schon gleich nach dem Göttinger Eklat hatte sie felsenfest zu ihren Freunden gestanden, ihre Tat als »schön und gewaltig« bezeichnet und sogar in Erwägung gezogen, nach Kassel überzusiedeln. Nun, nach einem zweiten, sechstägigen Besuch bei den Brüdern, las sie ihrem Schwager Savigny in einem langen, grandios formulierten Brief vom 4. November 1839 die Leviten: er habe sich in der Angelegenheit Grimm der Verantwortung entzogen, keine Zivilcourage gezeigt. Gegen Schluß schrieb sie: »Ich weiß wohl, daß Du so nicht würdest zu dem König reden; denn einem Fürsten die Fehler mitteilen, die in seiner Regierung vorfallen, oder ihm einen höheren Standpunkt zuweisen, das wär wider die Politik der Ehrfurcht, mit der Ihr die Fürsten behandelt wie die Automaten, ja Ihr getraut Euch selbst nicht zu denken und verbergt Euch vor der Wahrheit wie vor einem Gläubiger, den man nicht bezahlen kann. Ihr haltet den Fürsten nur die Reden, auf die sie eingerichtet sind zu antworten, ohne aufzuwachen; denn die Wahrheit würde sie wecken, und sie wären dann keine Automaten mehr, sondern selbständige Herrscher, und die Staatsklugheit würde dann nicht mehr mit Niederträchtigkeit verbunden sein.« Mit ihrem Brief überzeugte Bettine ihren Schwager offenbar, etwas versäumt zu haben. Er sprach am

10. Dezember in Sachen Grimm beim Kronprinzen vor. Um die Berufung ihrer Freunde nach Berlin zu erreichen, schickte Bettine im März 1840 eine Abschrift ihres großen Briefes an Savigny an den Kronprinzen, dessen Thronnachfolge kurz bevorstand. Dieser nahm Savigny auf elegante Art in Schutz, ließ Frau von Arnim ihren Fauxpas nicht fühlen. Im Herbst 1840 berief Friedrich Wilhelm IV. Jacob und Wilhelm Grimm als Professoren nach Berlin. Seine Sympathie für die großen Gelehrten war bekannt. Bettine tat noch ein übriges und setzte sich – ohne Wissen der Brüder – bei dem einflußreichen Alexander von Humboldt, den sie als Mittelsmann benützte, erfolgreich für ein höheres, sehr stattliches Gehalt der neu berufenen Professoren ein.

Damit begann der letzte Lebensabschnitt der Brüder Grimm. In politischer Hinsicht ist er besonders für Jacob bemerkenswert. Man war »nicht mit dem Glauben, daß dort das Himmelreich erschienen ist«, nach Preußen gegangen. Vielmehr sah Jacob »voraus, daß dem Recht und der Freiheit noch Kämpfe bevorstehen, ehe sie siegen«. Programmatisch bezog sich seine Antrittsvorlesung in Berlin, »Über die Altertümer des deutschen Rechts«, auf den Zusammenhang von Geschichte, Recht und Freiheit. Denn auch in Preußen sah Jacob die Fehler und Mängel der Regierung, die ihm vor allem in der Person Friedrich Wilhelms IV. begründet schienen. Über den neuen König hatte Heine freundlich gespottet: »Ich habe ein Faible für diesen König; / Ich glaube wir sind uns ähnlich ein wenig. / Ein vornehmer Geist, hat viel Talent. / Auch ich, ich wäre ein schlechter Regent.« David Strauß nannte ihn »den Romantiker auf dem Thron der Caesaren oder Julian den Abtrünnigen«. Der König galt als phantasievoll und aufgeschlos-

»Als der König winkt mit dem Finger | Auf thut sich der Geisteszwinger | Und der Satyr aus halb nur geöffnetem Haus | speit Caricaturen in Unzahl aus«. Einblattdruck, 1843

sen, künstlerisch stark, militärisch wenig interessiert, als weich und feinfühlig und auf Berliner Art witzig. Er war nicht auf Konflikt, sondern auf Versöhnung aus. Bei Amtsantritt hatte er eine Amnestie für politische Häftlinge erlassen, unter die auch die »Demagogen« von 1819, Arndt und Jahn, fielen. Andererseits wich er Arbeit und Entscheidungen gerne aus. Der Reformer Stein verachtete Friedrich Wilhelm IV. als »leer, träge und platt«, der Maler Kügelgen sah in

ihm ein »schwatzendes, geistreiches, untatkräftiges Kind«. Besonders aber stieß der moderne Konstitutionalismus auf die Abneigung des Königs. Bereits im Juni 1841 berichtete Jacob Grimm Dahlmann aus Berlin: »So viel ich aus der hier wehenden Luft abnehmen kann, so stemmen sich noch große Hindernisse gegen die Entwicklung einer freieren Verfassung, aber es sind Elemente genug da, die sie ersehnen und vorbereiten. Über den König ist man noch nicht auf dem Reinen, seine Schritte scheinen schwankend und unverlässig«, an »seinem guten Willen und edlen Vorsatz ist nicht zu zweifeln, ebensowenig daran, daß er an hyperroyalistische

Vorstellungen gewöhnt ist.« Jacob legte damit den Finger genau auf den wunden Punkt der preußischen Politik in der Zeit des Vormärz: die Verfassungsfrage. Das Verfassungsversprechen aus der Reformzeit von 1815 war in Preußen, im Unterschied zu anderen deutschen Staaten, immer noch nicht eingelöst worden. Der König lehnte geschriebene Staatsgrundgesetze, die sich, wie er sagte, zwischen Gott, König und Volk drängen, strikt ab. Auch auf dem ›Vereinigten Landtag‹, einer von ihm nach langem Hin und Her einberufenen anachronistisch ständischen Versammlung, die lediglich beratend wirken durfte und mit einer wirklichen Volksvertretung nichts zu tun hatte, bekräftigte er dies im April 1847. Dazu kommentierte Jacob: »Die Rede des Königs entmutigt und liegt mir schwer in Sinn und Gedanken ... Bisher hatte ich immer noch gehofft, aber ich überzeuge mich jetzt, daß er nicht vermag seine Zeit und Stelle zu begreifen.« Er bescheinigte Friedrich Wilhelm IV. eine »kindische Furcht vor [der] Repräsentativverfassung«, unter der nur »man stolz und ruhig leben kann. Alle übrigen Arbeiten und Pläne kommen einem ohne sie schal vor.«

Im September 1846 hatten die Germanisten die erste Versammlung ihrer Geschichte im Frankfurter Römer abgehalten. Nach außen betonten die Forscher auf dem Gebiet des deutschen Rechts, der deutschen Geschichte und der deutschen Sprache die fachlichen Gründe ihres Zusammenkommens. Aber schon die Wahl des Ortes, einer freien Reichsstadt (nicht Residenz), Frankfurt (und später Lübeck), läßt ein Programm erkennen. Der tiefere Sinn der Versammlung war, vor der Kulisse des gärenden, zersplitterten Vaterlandes, die Demonstration eines liberal und

demokratisch gefärbten Nationalismus, der die Einheit Deutschlands anstrebte. Auf Vorschlag Ludwig Uhlands wurde Jacob Grimm durch Akklamation zum Vorsitzenden gewählt, nicht nur, weil er Jurist, Historiker und Philologe in einer Person war, sondern auch mit dem unausgesprochenen Akzent auf seiner Beteiligung am Göttinger Protest. Auch Wilhelm war Teilnehmer der Tagung. Schon deren erstes Hauptthema betraf eine politisch aktuelle Frage, nämlich die Rechtsgründe, mit denen der dänische König die Herzogtümer Schleswig, Holstein und Lauenburg beanspruchte. Jacob meinte schlicht, »daß Deutschredende zu uns gehören, uns nicht sollen abgerissen werden«, eine Äußerung, die sich mit seinem schon erwähnten, früh entwickelten Volksbegriff deckte: ›Volk‹ ist durch die Sprache definiert, so sind es auch die Grenzen der Volksgemeinschaft. Für ihn beruht das »Gefühl für das Vaterland« auf dem Bewußtsein für die Sprache, denn »die Kraft der Sprache bildet Völker und hält sie zusammen«, sie ist daher auch mit der geschichtlichen Größe eines Volkes ver-

bunden. Das ist nicht machtpolitisch, sondern geistesgeschichtlich gemeint; »der Gedankenreichtum bei jedem Volk ist es hauptsächlich, was seine Weltherrschaft festigt«.

Der Uneinigkeit des Vaterlandes kann durch die Besinnung auf die geistigen Kräfte, die in der deutschen Sprache und Literatur stecken, entgegengewirkt werden; das daraus entstehende nationale Bewußtsein ist die Basis für die Bewältigung der aktuellen politischen Probleme. In diesem Sinn legten die Brüder den ersten Band des »Deutschen Wörterbuchs«, einem Jahrhundertwerk der germanistischen Wissenschaft, das ein »Erziehungsbuch« sein sollte, auf des »geliebten Vaterlandes Altar«. In diesem Sinn sagte Jacob von seiner 1848 erschienenen »Geschichte der deutschen Sprache«, sie sei, »wer aus [ihrem] Inhalt Aufgabe und Gefahr

»Herr Privatier Blaumeier aus München hat mit seiner Frau Nanni eine Plaisirvergnügungsreise nach Thüringen gemacht. Beim Spazierengehen sind ihnen die vielen Grenzsteine sehr lästig.« Zeitgenössische Karikatur auf die deutsche Kleinstaaterei

März-Revolution in Berlin 1848. Barrikadenkämpfe am Alexanderplatz. Zeitgenössische Lithographie

des Vaterlandes ermessen will, durch und durch politisch«. So in der Widmung an Gervinus, an dessen »Deutscher Zeitung«, die vom Mai 1847 bis Ende 1850 erschien, Jacob Grimm mitwirken wollte, weil er deren Programm »vortrefflich« fand. In Gervinus' Prospekt heißt es: »Wenn wir von deutscher Einheit und Gemeinsamkeit reden, so haben wir keinerlei Hintergedanken, sondern verstehen nichts anders, als die geistige, vaterländische Einigkeit« und die »feste Föderation«, basierend auf »Verfassungsprinzipien« und »der konstitutionellen Monarchie in einem freien Sinne«. Jacob Grimm fand »die rechte Mitte« in diesem Programm gehalten, »wie sie uns not tut, und, wenn davon nicht abgewichen wird, allein große Frucht bringen kann«. Zu seiner Mitarbeit an der »Deutschen Zeitung« ist es aber schließlich doch nicht gekommen, weil er sich mit der heftigen Kritik Gervinus' an der preußischen Regierung, in der Lug und Trug von oben herrsche, nicht solidarisch erklärte. »Wenn es wahr wäre«, schrieb Jacob in seiner Absage an Gervinus, »so würde ich um jeden Preis aus einem solchen Land zu weichen suchen, ist es aber nicht wahr, wie kann ich dann meinen Namen mit an der Spitze Ihres Unternehmens stehen lassen? Lassen Sie ihn also wieder los.«

Wie aus all dem hervorgeht, konzentrierte sich Jacob Grimms politisches Denken und Wirken auf zwei Probleme, die ihm zu einer Herzensangelegenheit geworden waren: die Frage der Verfassung und die der nationalen Einheit. Zusammen mit der sozialen Frage waren dies die Krisenthemen der Zeit, der 40er Jahre. Inzwischen hatte sich die Lage nicht nur in Preußen, sondern überall in Deutschland zugespitzt. Das zu wirtschaftlicher Geltung, Besitz und Bildung aufgestiegene Bürgertum drängte nach politischer Mitbestimmung, gegen Adel und Militär, Bürokratie und monarchische Autokratie. Gegen Polizeiregiment, Zensur und Parteiverbot wuchsen Empörung und Widerstand. Die Arbeiter, bislang nur hilflose Opfer der industriellen Revolution, erhoben in ihrer elenden Lage politische und soziale Forderungen. Handwerker und Kleinbürger sahen ihre Existenz durch die Industrialisierung gefährdet. Während die Bevölkerung stark anwuchs, stagnierte die Zahl der Arbeitsplätze. Mißernten (besonders 1846/47) hatten – in einer immer noch vorwiegend agrarisch geprägten Gesamtwirtschaft – Hunger und Proletarisierung zur Folge. Die Situation im ganzen spitzte sich zu einer dreifachen Krise zu: der verfassungspolitischen, der nationalpolitischen und der sozialen.

Als in Paris im Februar 1848 die erregten Massen das Palais Royal stürmten und den Thron Louis Philippes auf dem Bastilleplatz verbrannten, weil sie mit dem Bürgerkönigtum unzufrieden waren, wirkte dieses Ereignis in Deutschland wie ein Fanal. Spontan, ohne Zusammenhang und organisatorischen Plan, schließlich wie in einer Kettenreaktion, machten sich in fast allen deutschen Staaten angesammelte Energien Luft, äußerte sich lange aufgestaute Erbitterung. Auch in Preußen bestimmten zunächst Bürgerversammlungen, Demonstrationen und Petitionen das Bild, bis es am 18. März zur blutigen Revolution kam. Als auf den Straßen auf das heftigste gekämpft wurde, begleiteten Studenten Wilhelm Grimm nachmittags von der Universität Unter den Linden zu seiner eine halbe Stunde weit entfernten Wohnung in der Linkestraße – mitten durch Barrikaden und das knatternde Pelotonfeuer und unter dem Krach der Kanonen und Kartätschen. Am 19. März ehrte Friedrich Wilhelm IV. die Toten

der Barrikadenkämpfe im Schloßhof, zwei Tage später ritt er, Prinzen und Minister im Gefolge, mit einer schwarz-rot-goldenen Armbinde durch Berlin. Sodann hielt er Ansprachen an die neugewählte Bürgerwehr, an die Professoren der Universität und an die Stadtverordneten. In einer Proklamation »An mein Volk und an die deutsche Nation« bekannte sich nun Friedrich Wilhelm IV. zur deutschen Einheit, zur Freiheit und zur Verfassung. Die Bereitschaft der Armeeführer zur Gegenrevolution nahm er nicht an. Mit dem Ausspruch »Preußen geht fortan in Deutschland auf« wollte er von seiner Niederlage ablenken und eine Politik moralischer Eroberung einleiten.

»Nun ist die neue Verfassung gegeben«, konstatierte Wilhelm Grimm erleichtert und erfreut, »nichts hat der König geschmälert von dem, was er zugesagt hatte. Alles ist von ihm ausgegangen. Nur wer ihn nicht kennt, kann an seinem edlen und menschenfreundlichen Herzen zweifeln«; das war eine erstaunlich naive Beurteilung des Sachverhalts. Diese Gutgläubigkeit sollte bald enttäuscht werden. Doch zunächst war Berlin »den ganzen Sommer über in der Hand der Bürgerwehr, ein radikales preußisches Parlament arbeitete an einer radikalen preußischen Verfassung« (Haffner).

Ein Ergebnis der Märzrevolution war das Aufleben der alten Forderung nach einem deutschen Nationalparlament. Anfang April 1848 wurde in Frankfurt ein Vorparlament einberufen, das, während alle Regierungen nach einem Wort des Preußenkönigs »auf dem Bauche lagen«, die Wahl zu einer Nationalversammlung beschloß. In der Frankfurter Paulskir-

Spottblatt auf den preußischen Ministerrat.
Zeitgenössische Radierung

che sollte die deutsche Verfassung entworfen, beraten und abgestimmt werden. Als die Nationalversammlung am 18. Mai 1848 zum ersten Male tagte, trat damit das erste frei gewählte Parlament Deutschlands überhaupt, die »berufene und bevollmächtigte Vertretung des souveränen deutschen Volks« zusammen. Bemerkenswert die Struktur der Abgeordneten, von denen jeder 50 000 Einwohner vertrat: von 800 Delegierten kamen 46 aus der Landwirtschaft, 60 aus der gewerblichen Wirtschaft, 85 waren Adelige und über 600 (!) bürgerliche Akademiker, davon 49 Professoren; unter diesen fanden sich wiederum zahlreiche Teilnehmer an den Germanistenversammlungen, wie etwa Uhland, Dahlmann, Haupt, Waitz, Müllenhoff und vor allem – Jacob Grimm. Er wurde als »Stern erster Größe« (wie ihn die »Kölnische Zeitung« nannte) vom 29. rheinpreußischen Wahlkreis, zu dem Mülheim, Essen und Dinslaken gehörten, nach Frankfurt entsandt, nachdem er schon in Berlin als Wahlmann fungiert hatte. In der Paulskirche saß er als einziger in der ersten Reihe im Mittelgang auf einem gesonderten Sitz, gegenüber der Rednertribüne und dem Präsidium. Dieser Platz war nicht nur der ehrenvollste, sondern auch betont unabhängig von allen Parteiungen. Im übrigen gliederten sich die politischen Richtungen nach Fraktionen, die ihren Namen nach den Gasthöfen erhielten, in denen sie tagten. Die gemäßigten Konservativen hießen nach dem »Café Milani«; förderalistisch und kirchlich eingestellt, plädierten sie für die Zusammenarbeit mit den Regierungen. Das rechte Zentrum, das »Casino«, war die stärkste Fraktion, der konstitutionelle Flügel des Liberalismus; hier fand sich die Mehrheit der prominenten Professoren. Dann folgte das linke Zentrum

Einzug der Mitglieder des Volksparlaments in die Frankfurter Paulskirche. Holzstich nach einer Zeichnung von Fritz Bergen

(»Württemberger Hof«), das für Volkssouveränität und Individualrecht eintrat. Die Linke spaltete sich in gemäßigte Demokraten (»Deutscher Hof«) und die Anhänger der revolutionären Radikalen Hecker und Struve (»Donnersberg«).

Den Abgeordneten stellten sich vor allem zwei Aufgaben: Sie sollten einen Staat gründen und eine Verfassung geben, Einheit und Freiheit stiften. Zunehmend floß aber auch die Tagespolitik in die Diskussionen ein.

Die Atmosphäre im Frankfurter

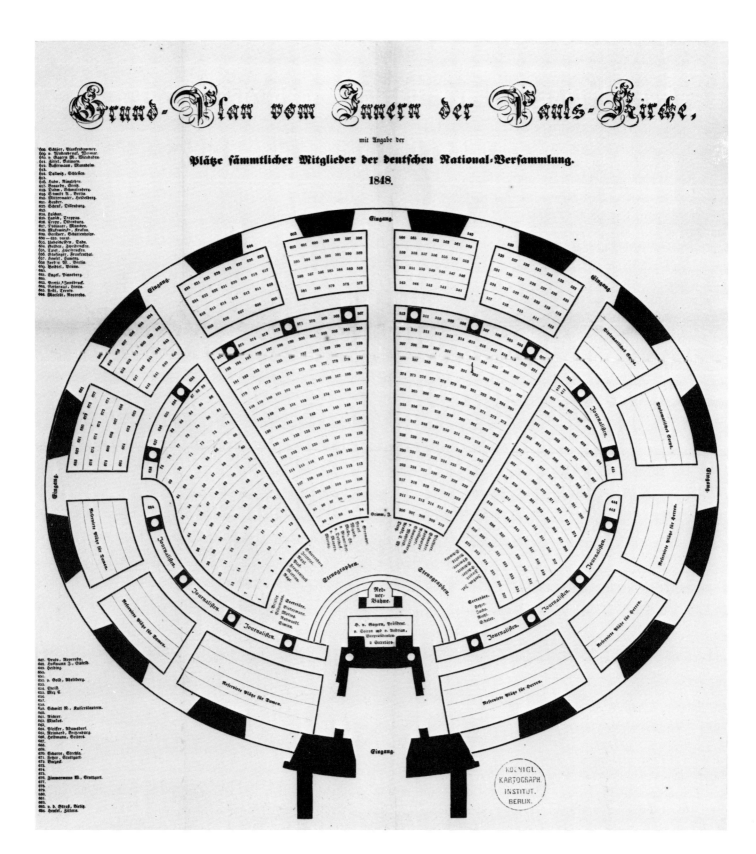

Plan der Sitzordnung im Frankfurter Parlament 1848. Jacob Grimms Platz: im Mittelgang gegenüber der Rednerbühne

Parlament schilderte Jacob Grimm am 8. August 1848 seiner Schwägerin Dorothea, die sich mit ihren Kindern im Ostseebad Heringsdorf aufhielt: Er sei wenig glücklich »in den Mauern der Paulskirche unter 2000 tosenden Menschen, die gegeneinander reden und hadern. Nur selten fühlen sie sich befriedigt und heiter.« Anläßlich »der frechen und törichten Anträge für Hecker und seine Partei« habe es »lärmendere Sitzungen als je« gegeben und »heute mußte endlich die Galerie, worauf gewiß über 1500 Menschen standen, geräumt werden ... Über eine halbe Stunde ging hin, eh es bewerkstelligt wurde, alles mußte hinaus, auch die Frauen, und die Türen wurden verschlossen; aber draußen auf dem Platz blieben Haufen versammelt und hielten Reden, bis endlich Bürgermilitär anrückte und die Kirche ringsum besetzte. Inwendig griff nun die Linke zu ihrem letzten Mittel und entfernte sich aus dem Saal, um nicht mitzustimmen ... Heute Nacht wird es nicht an Fackelzügen (für die Unterliegenden) und Katzenmusiken fehlen.«

Jacob Grimm hat insgesamt viermal vor der Versammlung gesprochen und 23mal an Abstimmungen teilgenommen. In einem Schreiben an seine Wähler, das in mehreren Zeitungen veröffentlicht worden war, hatte er schon vorher seine Auffassung schlicht und deutlich bekanntgegeben: »Ich bin für ein freies einiges Vaterland unter einem mächtigen König und gegen alle republikanischen Gelüste. Das Nähere werden mir mein Herz und die Zeit eingeben.« Trotz aller erlebten Enttäuschungen über die Handlungsweise einzelner Regenten hielt Jacob Grimm also an der Monarchie fest, genauer: an seiner Idee der Monarchie, die im Regenten eine symbolische Gestalt für das staatliche Ordnungsgefüge und die Volksge-

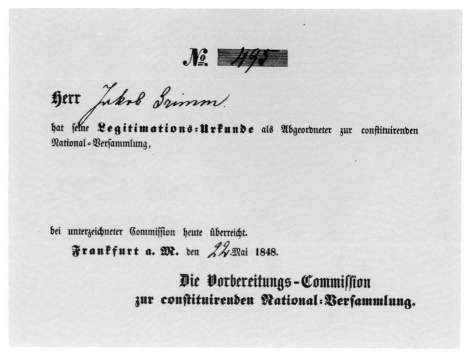

Ausweiskarte Jacob Grimms als Abgeordneter der Nationalversammlung

Fackelzug zu Ehren der Volksmänner in Frankfurt. Holzschnitt, 1848

meinschaft sah. Eine Republik dagegen wäre seiner Meinung nach ein künstlich geschaffenes Konstrukt gewesen, etwas nicht historisch Gewachsenes. Diese Vorstellung stand ihm keineswegs in Widerspruch zu seinen liberalen Anschauungen. Vor dem Plenum galt denn auch sein Hauptinteresse der Verfassungsfrage, deren Behandlung politisch-pragmatisch vordringlich war. Die Nationalversammlung sollte die Verfassung so schnell wie möglich verabschieden, um ihre eigene Stellung gegenüber den Fürsten zu festigen. Schon 1814 (!) hatte Jacob Grimm anläßlich der Diskussion um die Einführung von Landständen gemeint: »Denn da im Volk die besten und reinsten Stimmen stecken, so müssen, sobald diese nur einmal Sitz und Laut gewinnen, auch zukünftig die obern Angelegenheiten besser werden.« Aus diesem Grund kritisierte er in seiner ersten Rede in der Paulskirche die Geschäftsordnung, weil ihm alles zu langsam ging. Die Ausschüsse seien überlastet mit zu vielen Angelegenheiten, besonders der Verfassungsausschuß, das Volk aber erwarte mit großer Spannung eine baldige Entscheidung in der Hauptangelegenheit, nicht diplomatische Geschäftigkeit, die das Ziel aus den Augen verliert.

Inhaltlich sah Jacob Grimm in der zu erstellenden Verfassung nicht nur eine Satzung des Rechts, sondern auch ein Bekenntniswerk; deshalb sollte sie nicht abstrakte, sondern konkret nachvollziehbare Begriffe enthalten. Er forderte also in seinem wichtigen Antrag zum Paragraphen 1 der »Grundrechte des deutschen Volkes« nicht einfach Freiheit, sondern: »Alle Deutschen sind frei, und deutscher Boden duldet keine Knechtschaft. Fremde Unfreie, die auf ihm verweilen, macht er frei.« Und als Erläuterung fügte er hinzu: »Ich leite also aus

dem Rechte der Freiheit noch eine mächtige Wirkung der Freiheit her, wie sonst Luft unfrei machte, so muß die deutsche Luft frei machen.« (Schon Jahrzehnte früher hatte sich Jacob übrigens ganz ähnliche Gedanken anläßlich der Beratungen über eine Reichsverfassung des Wiener Kongresses von 1815 gemacht.) Der Antrag Jacob Grimms in der Paulskirche unterlag in der Abstimmung mit 192 gegen 205 Voten und wurde damit verworfen. Besonders der Südtiroler Abgeordnete Esterle hatte auf den Unterschied von Rechtssatzung und Bekenntnis verwiesen, wenn er meinte, Freiheit sei keine nationale Angelegenheit, sondern Sache der Menschheit. »Bedenken Sie«, sagte Esterle, »daß derjenige der Freiheit nicht würdig ist, der nicht allen Völkern die gleiche Freiheit wünscht.« Für Jacob Grimm verknüpfte sich der Gedanke der Freiheit dagegen unauflösbar mit der Idee der deutschen Einheit. »Wie und auf welchem Wege die Einheit wahr werde, *sie* ist mir das höchste, und kein Deutscher verliert dabei, denn einer soll wie der andere stehn«, schrieb er im Juni 1848 an Wilhelm.

Um die Freiheit ging es ihm noch einmal in seiner längsten Rede, »Über Adel und Orden«, in der er die Abschaffung der Standesunterschiede forderte. Da es unter Freien keine Knechtschaft geben kann, habe auch die erhöhte Freiheit, die der Adel für sich beanspruchte, ihre Berechtigung verloren. Die Vorrechte des Adels würden die Spaltung der Volksgemeinschaft heraufbeschwören. Auch dieser Antrag, als Grundidee ebenfalls schon 1815 (gegenüber August von Haxthausen) geäußert, wurde in der Paulskirche mit 20 Stimmen Mehrheit abgelehnt.

Die Schwäche der Nationalversammlung in allen Fragen der prakti-

schen Politik offenbarte sich angesichts der nationalen Erhebung in den Herzogtümern Schleswig und Holstein. Der Kampf der deutschen Bewohner gegen die Einverleibung der Länder in Dänemark löste im Frankfurter Parlament heftige Diskussionen und schließlich eine Krise aus. Jacob Grimm, der bereits auf der ersten Germanistenversammlung zu dem damals schon schwelenden Problem Stellung genommen hatte, beantragte, die Nationalversammlung solle beschließen, »daß der Krieg gegen Dänemark so lange fortgeführt wird, bis diese Krone unsere gerechten Ansprüche auf ein unzerteilbares Schleswig anerkannt hat«. Der sehr komplizierte dynastische und rechtliche Sachverhalt, von dem aus die schleswig-holsteinische Frage zu beurteilen war, interessierte ihn nicht; für ihn zählte nur, daß »Schleswig bei Deutschland immer sein zu wollen und immer bleiben zu wollen« erklärte. Preußen hatte zwar den Kampf in Schleswig und Holstein unterstützt, sich aber dann auf Druck der Großmächte zurückgezogen. Am 26. August 1848 kam es in Malmö zu einem Waffenstillstandsvertrag, der Dänemark großzügige Bedingungen zugestand und in ganz Deutschland Empörung auslöste; nach einer Rede des Schleswig-Holsteiners Dahlmann wurde der Vertrag von der Nationalversammlung mit linker Mehrheit verworfen. »Du kannst dir vorstellen«, schrieb Jacob Grimm an Wilhelm am 3. September, »welch unseligen Eindruck hier der abgeschlossene Waffenstillstand macht, und morgen wird's eine heiße Sitzung geben … Ich begreife nicht, wie der [preußische] König solch einen Vertrag ratifizieren kann, der Preußen unserer deutschen Einheit wieder schroff entgegenstellt … wie kann Deutschland Vertrauen setzen auf Preußen, das

Fürchterlicher Kampf der dänischen Jäger mit den schleswig-holsteinschen Truppen bei Friedericia.

Durch große Heeresmacht wurde die Festung Friedericia von allen Seiten von den schleswig-holsteinschen und andern deutschen Truppen eingeschlossen und heftig aus den aufgerichteten Batterien beschossen, wodurch die Stadt selbst und die in ihr hausenden Dänen hart mitgenommen wurden. Doch der Weg zur See war ihnen frei und deshalb wurde ihnen durch ihre Schiffe bedeutende Verstärkung zugeführt, so daß sie es wagen konnten, einen Ausfall zu machen. Sie brachen deshalb kampfesmuthig und in ungeheurer Zahl aus allen Thoren hervor und griffen mit Wuth die aufgeworfenen Verschanzungen und die Batterien an und fügten durch ihren kühnen Aus-

fall den belagernden deutschen und schleswig-holsteinschen Truppen ungeheuren Verlust zu. Besonders heftig entbrannte und wogte der Kampf an dem Punkte, wo die dänischen Jäger den Angriff machten. Ihre wohlgezielten Schüsse streckten manchen Soldaten zu Boden und schon mußten diese weichen. Da stellte sich ihr tapferer Führer an die Spitze und führt sie mit Todesmuth noch einmal in den Kampf. Eine feindliche Kugel wirft ihn zu Boden; doch nun dringen seine Tapferen zur Rache entflammt, mit solcher Wuth mit gefälltem Bajonett auf die dänischen Jäger, daß diese mit großem Verluste ihren Rückzug antreten mußten. Dies geschah am 6. Juli 1849.

Kampf der Dänen gegen die schleswig-holsteinsche Batterie Christiansen bei Friedericia.

Wie ein verheerender Heuschreckenschwarm brachen die Dänen, kühn gemacht durch die bedeutende Verstärkung, welche ihnen zur See zugeführt worden war, und erbost durch das heftige Bombardement, wodurch die Schleswig-Holsteiner und andere deutsche Truppen mit ihren Feuerschlünden die Stadt verheerten und sie selbst plagten und ängstigten, aus allen Thoren Friedericia's hervor und griffen die Belagerer von allen Seiten mit rasender Wuth an. Kanonendonner von allen Seiten machte die Erde erbeben und dichter Pulverdampf bedeckte wie Wolken das Schlachtfeld. Von allen Seiten entbrannte der mörderische Kampf; mit Pelotonfeuer ma-

schirte die Infanterie gegen einander und als dennoch die braven Deutschen nicht wankten und wichen, griffen die Dänen mit dem Bajonett an und drangen mit lautem Hurrah vor. Besonders drangen sie mit großer Uebermacht gegen die Batterie Christiansen vor, die ihnen sehr vielen Schaden zufügte. Mit Todesverachtung vertheidigten die Schleswig-Holsteiner ihre Geschütze, doch mußten sie den mit dem Bajonett in ungeheurer Masse andringenden Dänen, welche die Vertheidiger und Artilleristen niederstachen, endlich weichen. Zuvor aber sprengten sie noch durch Bomben die Kanonen von den Lafetten, um sie dadurch unbrauchbar zu machen.

Original u. Eigenthum No. 2226.

Neu-R., 40. 2u h. Gustav Kühn.

Neuruppiner Bilderbogen zum Schleswig-Holsteinisch/Dänischen Krieg, 1849

ihm bei dieser Gelegenheit das notwendige Opfer nicht brachte und sich von einer augenblicklichen Verlegenheit dahin leiten ließ, die Ehre des Vaterlandes aufs Spiel zu setzen. Ganz Europa wird schadenfroh zuschauen.« Kurz darauf stellte er fest: »hätte unsere Versammlung den Vertrag gutgeheißen, sie wäre in der öffentlichen Meinung ganz gesunken«, und »jetzt wird es beinahe unmöglich, den König an die Spitze von Deutschland zu bringen«. Wenige Tage später gab es noch einmal eine heftige Auseinandersetzung über den Waffenstillstand von Malmö im Frankfurter Parlament, nach der mit knapper Mehrheit beschlossen wurde, ihn anzuerkennen; das Plenum paßte sich damit einer Entscheidung an, die von der preußischen Regierung schon gefällt worden war. Dadurch erlitt das Ansehen der Nationalversammlung, wie von Jacob Grimm richtig vorhergesagt, einen schweren Schlag. »Mir hat der ganze Hergang einen tiefen Eindruck gemacht und mich zu einem Entschluß gebracht«, schrieb Jacob, der in diesem Abstimmungsergebnis einen nicht wieder gutzumachenden Schaden für die Sache der deutschen Einheit erkannte, nach Berlin. Dieser Entschluß bestand darin, »daß ich die Stelle aufgebe« und »meine Wähler einen andern wählen« lasse. »Ich sehne mich nach der Heimkehr«, hatte er zuvor schon Alexander von Humboldt angekündigt, »der Aufbau des Vaterlandes ist so schwer, daß man zufrieden sein muß, Geringes dazu beizutragen.« Im Oktober 1848 verließ Jacob Grimm die Nationalversammlung und kehrte nach Berlin an seinen Schreibtisch zurück.

Das Frankfurter Parlament verabschiedete zwar im März 1849 eine Reichsverfassung, die »Grundrechte des deutschen Volkes«, hatte aber nicht die Macht, die Einzelstaaten zu

ihrer Anerkennung zu zwingen. Im April lehnte Friedrich Wilhelm IV. von Preußen seine Wahl zum deutschen Kaiser durch die Nationalversammlung ab. Die Annahme der Kaiserkrone hätte ihm bedeutet, sich an die Spitze der deutschen Revolution zu stellen, und dies, nachdem er die preußische Revolution inzwischen niedergeschlagen hatte. Preußen blieb Militär- und Polizeistaat mit Bevorzugung des Adels und Dreiklassenwahlrecht. In allen deutschen Staaten

Paßkarte für den Hofrat und Professor Jacob Grimm, Berlin 1859

siegte die Reaktion über die Revolution. Als sich die Nationalversammlung im April 1849 auflöste, ohne die deutsche Einheit herbeigeführt zu haben, war auch Jacob Grimms große Hoffnung zusammengebrochen.

Die letzten Jahre seines Lebens waren in politischer Hinsicht geprägt von tiefer Depression. »Die Flamme des Rechts wird jetzt mit Gewalt ausgelöscht«, schrieb er im Januar 1851, »und wer weiß, wann ihr Funke wieder ausbricht«; und: »Niedergeschlagener und betrübter bin ich in meinem Leben nie gewesen.« Auch Wilhelm gab seiner resignativen Stimmung Ausdruck; er sprach von der »traurigen Zeit, in der wir leben«, und er sei »gedrückt wie noch nie und unlustig zum Schreiben«. Mit der Eisenbahn aus seinem Ferienort Freienwalde zurückkommend, sah er »Berlin in der Ferne liegen« und »empfand eine eigene Beklemmung, wieder in die tägliche Unruhe, Not und Sorge eingehen zu müssen, die jetzt das Schicksal von ganz Deutschland ist . . . wir stehen vor der Zukunft wie vor einem verschlossenen Tor: es ist gut, daß wir nicht wissen, was dahinter steht, wenn es sich auftut.«

In einer letzten Äußerung Jacobs zur politischen Situation in Deutschland heißt es düster: »Wie oft muß einem das traurige Schicksal unseres Vaterlandes in den Sinn kommen und auf das Herz fallen und das Leben verbittern. Es ist an gar keine Rettung zu denken, wenn sie nicht durch große Gefahren und Umwälzungen herbeigeführt wird . . . Es kann nur durch rücksichtslose Gewalt geholfen werden. Je älter ich werde, desto demokratischer gesinnt bin ich. Säße ich nochmals in einer Nationalversammlung, ich würde viel mehr mit Uhland, Schoder stimmen, denn die Verfassung in das Geleise der bestehenden Verhältnisse zu zwängen, kann zu keinem Heil führen. Wir hängen an unsern vielen Errungenschaften und fürchten uns vor rohem Ausbruch der Gewalt, doch wie klein ist unser Stolz, wenn ihm keine Größe des Vaterlandes im Hintergrund steht. In den Wissenschaften ist etwas Unvertilgbares, sie werden nach jedem Stillstand neu und desto kräftiger ausschlagen.«

Jacob Grimm – am Ende seines Lebens ein radikaler Revolutionär? Nein, nur eine private Gebärde seiner Verzweiflung, die keinen Ausweg sah. Im Oktober 1849 hatte Heinrich Heine die Situation schon ironisch auf eine Formel gebracht: »Gelegt hat sich der starke Wind, / Und wieder stille wird's daheime; / Germania, das große Kind, / Erfreut sich wieder seiner Weihnachtsbäume.«

Die Reaction am Baum der Freiheit.

Da schlagen sie und nagen sie
An Wurzel, Stamm und Krone.
Vernichtet hätten sie gern den Baum —
Die lustigen Patrone!

Und Blatt um Blatt und Zweig um Zweig,
Sie fallen und verderren.
Und von dem frischen Baum blieb nichts
Als ein entlaubter Knorren.

Nun ist er einmal faul — drum laßt
Sie ruhig fällen und roden!
Ein neuer Same keimt bereits
Im gut durchwühlten Boden.

Und wenn der Schnee von den Bergen geht,
Und es Frühling wird auf Erden,
Dann sprengt er die Decke und bricht hervor,
Ein neuer Baum zu werden.

Und wird auch der zum zweiten Mal
Zerfressen und gestohlen:
Dann seid ihr ein Jammergeschlecht, und dann
Mag euch der Teufel holen!

Die politischen Verhältnisse in Preußen nach 1848. Holzstich aus der politisch-satirischen Zeitschrift »Kladderadatsch«, 19. Januar 1850

Triumph-Lied

von den herrlichen Siegen
der Deutschen über die Franzosen
und ihren
groß gewesenen
Exkaiser Napoleon.

Zum deutschen Friedens-Schmause

und allen Länder-Verwüstern zum Exempel
in Reime gebracht
von einem alten deutschen Sänger.

Gedruckt im Siegesjahre 1814, und in den Buchläden
um vier gute Groschen zu haben.

ganze Gegend beherrscht, und ist mit dem Schloß durch einen chinesischen Gang verbunden. Es soll zuweilen oben gespielt werden. Hier geben einige französische Schauspieler, die deutsch können, alle paar Monate ein kleines deutsches Stück, das dann wie ein weißer Rabe gesehen und bewundert wird. Es heißt indessen, daß einige Liebhaber deutsche Kunst aufrechterhalten, es ist aber so geheim, daß man nicht weiß, wo sie spielen, und kein Billett zu erlangen. Es soll auch ein neues Theater gebaut werden, ... und eine Konkurrenz ist eröffnet. Der Engelhardt macht auch einen Plan, oder will ihn machen. Da er aber alle Taschen, Futtertuch, Ärmel und, wie ein Hamster, auch die Backen voll von Plänen hat, so kann er sich nicht regen, um einen auszuführen. Er quält uns oft mit der Entstehung der gotischen Baukunst, die ohne Barmherzigkeit aus Ägypten her soll sein. Mir wird überhaupt die Manie zuwider, mit der man alles aus der Fremde herleiten und uns wieder entziehen will, daß man nächstens auf die Erde fallen wird, wenn man sich setzen will, weil der Stuhl weg ist. Nachdem eine allgemeine Verwandtschaft aller Sprachen nicht mehr zu leugnen, ist auch ganz natürlich eine Verwandtschaft aller Völker und ihrer Nationalideen anzunehmen: allein es ist doch sehr verkehrt, dieses Gemeinschaftliche, was auch bei uns Wurzel geschlagen und lebendig geworden, als ein geborgtes fremdes Stück anzusehen, womit man eine Lücke ausgefüllt: als einen verschiedenfarbigen Flicklappen, der dem ersten Besitzer zu restituieren.

WILHELM GRIMM AN ACHIM VON ARNIM. GEDANKEN ZUR NATIONALIDEEE IM FRANZÖSISCH BESETZTEN KASSEL, 3. AUGUST 1810

Wir haben von großem Glück zu sagen, daß der Rückzug des französischen Kaisers nicht hierher kam, bei dem Haß, den er gegen Kassel hatte, wär Plündern das geringste gewesen: die paar tausend, die durchkamen, mußten sich wohl ruhig betragen; sobald sie an kleinere Orte gekommen sind, haben sie nach Art geplündert, Gutsbesitzer haben ihre Pferde hergeben

Was mich angeht, ich gebe keine Hoffnung, keinen Glauben an Deutschland auf und werde ihn nie fahren lassen; wir werden ein unruhiges Leben haben, was macht das, in fünfzig Jahren oder eher, wo gewiß Kräuter über uns wachsen, können wir dann ebensogut ruhen, wie die, welche jetzt auf der Schande ruhen.

JACOB GRIMM AN FRIEDRICH KARL VON SAVIGNY, 31. AUGUST 1809

Es wird viel gebaut, aber richtig immer am unrechten Ort. Für eine schöne Aussicht haben die Franzosen auch gar keinen Sinn, und wissen sich nur das Innere bequem einzurichten: die reizendste Stelle hier, die Spitze von Bellevüe, ist mit Ställen angebaut, um die Pferde zur Betrachtung der Natur anzuleiten. Das neue Schauspielhaus zu Napoleonshöhe steht vorn an der Esplanade, welcher Punkt die

Befreiungskriege gegen Napoleon: die Schlacht an der Katzbach (26. August 1813), die einen Sieg für Blücher brachte. Zeitgenössischer Bilderbogen

müssen, dazu einen Schein, daß es freiwilliges Geschenk sei. Selbst daß Czernitscheff den ersten Tag nicht hereindrang, war ein Glück, weil die Kosaken bei der Erstürmung sicher geplündert hätten; wir alle dachten in der Freude nicht daran und glaubten jeden Augenblick, sie um die Ecke heransprengen zu sehen, einmal schien es ganz gewiß, da eine Kanone unter unsere Fenster geschleift wurde, die Stricke entzwei gehauen und die Pferde fortgejagt: sie waren auch bis auf die Mitte des Markts – Du weißt, er liegt ganz nah an unserer Wohnung – gekommen, mußten aber wieder zurück. Ich ging zuweilen auf unsern Boden, um dem Schießen über

die Brücke hin zuzusehen, einmal hört ich, wie ich auf der Treppe war, etwas auf dem Dach rappeln, worauf ich wieder zurückging, wir fanden hernach oben eine Kartätschenkugel; also haben wir auch ein Kriegszeichen im Haus. Zwei Drittel der Einwohner hatten ihre Habseligkeiten gepackt und versteckt, wir hatten unsere Manuskripte und Papiere nur in Tücher gebunden, um sie im Fall Feuer ausbräche, welches in unserer Gegend, wo lauter alte Nester eng beisammen stehen, sehr gefährlich gewesen wäre, fortschleppen zu können. Es ist aber schon alles wieder aufgebunden und in alte Ordnung gebracht.

<small>WILHELM GRIMM AN ACHIM VON ARNIM ÜBER DIE VERHÄLTNISSE IN KASSEL NACH DEM SIEG DER KOALITIONSTRUPPEN ÜBER NAPOLEON IN DER VÖLKERSCHLACHT VON LEIPZIG; 16. NOVEMBER 1813</small>

Als Gott und deutsche Tapferkeit unsere Fürsten wieder vor das Stadttor von Kassel geführt, da spannte das Volk die Pferde aus und rief: »Hessenblut soll sie hereinziehen, das lebt immerdar!« Und als die Männer hinauszogen, hielten sie das Schwert in der Hand, im Herzen den Gedanken fest: »Hessenblut soll fürs Vaterland kämpfen, das lebt immerdar!« So hat sich Liebe und Treue, selbst unter dem Schutt, den fremde Gewalt darüber geworfen, wie Gold in der Erde, unverringert und unversehrt erhalten.

In dieser Zeit, deren Freude zu erleben sieben Jahre Leid uns reinigten, ward die Bearbeitung eines alten, in sich deutschen Gedichts als ein geringes Opfer dargebracht. Jetzt hat sich unser gesamtes Vaterland in seinem Blut von dem französischen Aussatz wieder geheilt und zu Jugendleben gestärkt. Um diesen Preis gebe nun fortan jeder Deutsche alles andere hin und sei stets bereit, als ein freudig Opfer zu fallen. Und keiner stehe von der Gefahr ab, sondern denen, die aus Furcht oder Liebe ihn zurückhalten wollen, antworte er mit den schönsten Worten der reinen Jungfrau: »nun gönnet mir's, denn es muß sein!«

VORREDE ZU »DER ARME HEINRICH« VON HARTMANN VON AUE (1815)

Tiefe Bitterkeit herrscht im Lande über die geringen Gehalte der Staatsdiener bei dem Reichtum des Landesherrn; über die Eigenmacht, mit der bedeutende Kassenüberschüsse und der Ertrag der englischen Subsidien, 1786 offiziell als Staatseigentum erklärt, durchaus als Schatullvermögen behandelt wird. – Während bekannt ist, daß durch Vermittlung des allgemein verabscheuten Geheimrats Buderus von Karlshausen große Kapitalien dem Auslande vorgeschossen worden, bleibt der Kronprinz fast bloß auf die alte, knappe Apanage beschränkt, wird an jeder Besoldung geknausert, dem hart bedrängten Lande außer den gewöhnlichen Abgaben und der Tilgungssteuer vier Millionen Taler abgefordert, und die Rückstände von 1809 bis 1813 werden mit größter Strenge unter militärischen Exekutionen eingetrieben.

WILHELM GRIMM, »AUS HESSEN«. RHEINISCHER MERKUR, 17. APRIL 1815

Zu Regensburg setzten wir uns Freitag mittags auf ein Schiff. Das Schiff war nicht sehr groß, bestand aus Vorder- und Hinterteil, einem Kämmerlein mit einem festen Tisch und zu beiden Wänden Bänken und mit zwei Fensterchen, wenn wir vier nun darin saßen (der Graf, ich, der Erbprinz von Reuß-Groix [sic] und der Graf von Leiningen), war fast aller Raum erfüllt. Nebenan ein halb so großes Kämmerchen für drei Bediente; außerdem war bloß noch der Schiffmeister und sein Unterschiffer und gewöhnlich vier bis sechs Handwerksbursche, welche rudern halfen und dafür nichts bezahlten. Es waren vier Ruder, wovon aber die zwei in die Länge gewöhnlich ruhten; oben auf dem Dach eine Stange mit der blau und weißen bayrischen Fahne. Provision war genug da, und gekocht wurde auf einem

hölzernen, mit Asche bedeckten Herd. Insoweit alles gut, aber die Fahrt hat auch ihr Langweiliges und ich wäre lieber zu Land im Wagen gefahren. Einmal ging es langsam, wir brauchten fast fünf Tage und eine ganze Nacht, in der ich vor Frost über und über den Schnupfen bekam, weil keine Betten, nicht einmal Decken da waren und ich keinen Mantel hatte, dazu auf einer harten Brettkante lag und nichts als das Wimmern des Ruderkranzes hörte. Zweitens war mir die Gesellschaft und das meiste, wovon gesprochen wurde, unrecht; mit dem Prinzen, der auf Jakobiner mit der gewöhnlichen Dummheit loszog, bekam ich fast Händel, nicht sowohl seinetwegen, als weil man sieht, wie die Oberhäupter in Deutschland noch denken.

JACOB GRIMM AN WILHELM GRIMM ÜBER DIE FAHRT DONAUABWÄRTS ZUM WIENER KONGRESS, 2. OKTOBER 1814

Vom Kongreß ist nicht viel zu rühmen: 1) geschieht noch nichts, 2) was geschieht, heimlich, kleinlich, gewöhnlich und unlebendig, als wenn keine große Zeit nahe vorherstünde. Auf diesem Wege entspringt aus jeder Frage wieder eine Vorfrage und aus der Vorfrage noch eine andere, worüber sie verzweifeln und sich immer mehr hineinwickeln, während daß die Grundlage von unserer Not und Notwendigkeit so klar daliegt, daß ordentlich die Stimme eines unschuldigen Kinds auftreten und das Rechte aussprechen sollte. Aber wie viel ist von den schwachen und beschränkten Menschen, die obenan stehen, in den Wind geredet worden.

JACOB GRIMM AN WILHELM GRIMM. ERSTE EINDRÜCKE VOM WIENER KONGRESS, 8. OKTOBER 1814

Mit betrübtem Herzen komme ich auf die teure Sache unseres lieben Vaterlands zu sprechen; meine und so vieler Tausende treue Erwartungen brechen tagtäglich zusammen, und immer doch stärker wächst die halb tröstliche, halb bange Überzeugung, daß aus dem guten Volk und seiner Mitte alles Gute und Reine über uns ergehen muß und es aus den schlechten und schwachen, fast sämtlich deutschvergessenen Großen und denen, die mitsprechen, nimmermehr kann … Jeder deutsche Stand und Untertan soll auf einerlei Art

dienen und frei sein; das Volk ist gut, und auf seiner Güte sollte vertrauend das Haus gebaut werden.

JACOB GRIMM AN FRIEDRICH KARL VON SAVIGNY AUS WIEN, 29. OKTOBER 1814

Wie verkehrt ist all dieses Leben und Geschäft, taubes Stroh dreschen sie und sehen das am Ende ein, lassen sich aber augenblicks ein neu Gebund derselben Art unterlegen und arbeiten ebenso tapfer drauf los …

Der Graf [der Gesandte Keller, dem Jacob unterstellt war] ist seiner Geldumstände wegen so geizig gegen mich, daß ich mir alles selbst kaufen muß …, und noch nicht einmal, solange wir hier sind, habe ich mit ihm gegessen oder gefrühstückt. Da er nun die meisten Tage zu essen gebeten wird, z.B. die ganze Zeit während des Kurfürsts Anwesenheit an dessen Tafel speiste, so kann man sagen, daß ich für meine Person viel mehr ausgebe als er; denn ich kann Anstands wegen nicht anderswo essen, als wo nur ordentliche Leute hingehen, sitze jeden Mittag allein an einem Tischchen, wohin ich eine halbe Stunde Wegs zu laufen habe, und mir allen und jeden Bissen nach der schändlichen Restaurationsmanier erst bestellen muß, sonst kriegt man nichts. Übrigens bin ich sonst geniert, wohne in einer Stube, die von der des Grafen nur durch eine ganz dünne Wand geschieden wird, so daß er alles hört, wenn mich jemand besuchen will, oder ich von seinen Besuchen das Geräusch habe. Außerdem stört er mich mit seiner unendlichen schlemmerischen Geschwätzigkeit täglich vielmal … Ich verrichte eigentlich die Arbeit eines ganz ordinären Privatsekretärs, obgleich der Minister gutmütig ist und ich mir nichts gefallen lasse; aber einen, zwei Monat geht das mit, nicht in die Länge. Ich suche nur mit Ehre davonzukommen und möchte deshalb gern das Ende des Kongresses abwarten, um mich nicht gerade für die Zukunft aller Enden loszuschneiden. Aber nun sprechen sie gar von bis Ende Februar, wobei man versauern könnte.

JACOB GRIMM AN WILHELM GRIMM ÜBER SEIN DASEIN ALS KURHESSISCHER LEGATIONSSEKRETÄR BEIM WIENER KONGRESS, 31. DEZEMBER 1814

Der Wiener Kongreß 1814/15. Links vor seinem Stuhl: Fürst Metternich. Stich von J. Godefroy nach einem Gemälde von J. B. Isabey

Unter den Ministern ist Fürst Metternich leicht, lebenslustig und ein feiner, französisch gewandter Staatsmann, der es mit Österreich gut meint, aber Deutschland eben auch an die zweite Stelle setzt. Fürst Hardenberg, der im Wechsel eines vielfach bewegten Lebens ergraut, vertritt mit der ruhigen Mäßigung, die er darin gewonnen, das Interesse Preußens, dem er angehört, und fördert im übrigen das allgemeine Gute, soviel er vermag ... Der Minister [Wilhelm von] Humboldt ist gescheit und sehr vielwissend. Manche ver-

missen das Herzliche in seinem Wesen, das der Deutsche an seinesgleichen liebt, dafür ist ihm viel Licht gegeben. Von ihm sollen die letzten Verfassungspläne ausgehen, und er verficht sie sonderlich ... Der Minister Stein steht im eignen Verhältnis zur ganzen Versammlung, ausgezeichnet durch die Reinheit seines Willens für Deutschland, und überhaupt seine tüchtige Bravheit; er treibt viel Gutes, scheint aber zum großen Unglück in vielen Hauptplänen ohne den ergreifenden Einfluß, der ihm gebührt, weil man allzu frühe vergessen zu haben scheint, welchen Geistern man Sieg und Rettung verdankt, und was man vorher ohne sie geleistet.

JACOB GRIMM AN WILHELM GRIMM ÜBER HAUPTAKTEURE BEIM WIENER KONGRESS, 12. JANUAR 1815

Die Politik scheint ihn ernstlich zu beschäftigen, aber er bricht die Weltgeschichte kurz ab übers Knie, da wird er freilich leicht fertig. Inzwischen kann ich's ihm auch nicht verdenken, bei einem so unnatürlich heimlichen Kongresse, daß er sich seine Gedanken, Länderverteilungen, Konstitutionen auf die eigne Faust macht.

ACHIM VON ARNIM AN WILHELM GRIMM ÜBER DEN LEGATIONSSEKRETÄR JACOB GRIMM, 10. FEBRUAR 1815

Doch denke ich stets mit ganzem Herzen an unser Vaterland und freue mich mehr, wenn ich höre, daß etwas gut geht, als ich traure, wenn etwas Unrechtes geschieht. Nicht als ob ich von Haus aus lieber fröhlich wäre, sondern weil mich der langsame ernsthafte Gang der Deutschen in aller

»Der Wiener Kongreß tanzt«; Karikatur auf die maßgeblichen Teilnehmer des Kongresses 1814/15. Zeitgenössische Radierung

Geschichte gelehrt hat, daß selbst dem Guten unter ihnen, das zu rasch geschähe, nicht recht zu trauen ist. Eine bedächtige Entwicklung vieler herrlicher Verfassungskeime, die in uns stecken, paßt für das überall nachdenkende, zweifelnde Volk.

<small>JACOB GRIMM AN DEN BREMER BUNDESTAGSGESANDTEN JOHANN SMIDT ÜBER DIE DEUTSCHEN UND IHR VATERLAND, 5. NOVEMBER 1816</small>

Ich würde auch, wenn es praktisch an mich käme, in der Regel für und nicht wider die liberalen Dinge stimmen, welche man begehrt, für Landstände, Pressefreiheit u. dgl; heimlich aber bei mir beklagen, daß wir gute Deutsche so plötzlich zu solchen Neuerungen kommen und so viel Gutes, was an dem Alten hängt, zerreißen sollten. Man strebt nach Institutio-

nen, die den Untertan gegen allen und jeden Unfall schützen sollen, was an sich nicht auszuführen sein wird, und solche steife Theorie erzeugt wohl strenge, simple Formen, zerstört aber oder verletzt die Aufrichtigkeit der Herzen und macht alles einander gleichgültiger.

<small>JACOB GRIMM AN FRIEDRICH KARL VON SAVIGNY, 6. SEPTEMBER 1818</small>

Eine gute Staatsverfassung ist mir, die nicht alles durchdringen, alles ausfüllen will, die nicht alles auf sich bezieht und sich allen menschlichen Dingen oben auflastet. Der Staat soll den Menschen für sich schalten lassen und nicht in jedem Atemzug, den dieser tut, eine verhältnismäßige Portion Liebe und Achtung für sich begehren, sondern zur Zeit wahrer Not das Rechte und Große fordern. ... Ich kann auch nicht leiden, daß der Staat aus jedem Menschen gleichsam den besten Saft für seine Zwecke ziehen will.

<small>JACOB GRIMM AN FRIEDRICH KARL VON SAVIGNY, 20. AUGUST 1821</small>

Die neusten Beschlüsse des Bundestags, der sich noch durch nichts die Liebe und Achtung der Deutschen verdient hat, der nur droht, schilt und niederhält, aber durchaus keine Anstalt zu väterlicher Hilfe trifft und die Nation auf keine Weise emporzuheben weiß, machen einen traurigen, tiefen Eindruck. Die erste Folge ist, daß alle mäßigen, vernünftigen Leute, denen der gemeine Liberalismus ein Ekel war, sich nun wieder auf die liberale Seite neigen müssen. Auf dem eingeschlagnen Wege werden Preußen und Österreich niemals zu einem wohltätigen Einfluß auf Deutschland gelangen, sondern die Gefahren und Hindernisse nur vermehren. Unser gereiztes Nationalgefühl bedarf positiver Begütigung und Teilnahme; es ist Sünde, selbst wenn es verirrt sein sollte, dagegen zu wüten.

Die unselige Politik verleidet einem jetzt alle Tage und drängt sich zwischen alle Gedanken und Beschäftigungen.

<small>JACOB GRIMM AN FRIEDRICH KARL VON SAVIGNY ÜBER DIE JÜNGSTE TA-</small>

GUNG DES DEUTSCHEN BUNDES, DEM SEIT 1816 BESTEHENDEN ZUSAMMENSCHLUSS DER SOUVERÄNEN FÜRSTEN UND FREIEN STÄDTE DEUTSCHLANDS, 24. JULI 1822

Sonst sah sich jeder um, wenn er das unschuldigste Wort laut auf der Straße gesprochen hatte, das jemand hinter ihm hatte hören können, und wenn er einen Bonbon in den Mund steckte, warf er das Papier, worin er gewickelt war, nicht weg, weil es ein Polizeidiener aufhob und eine geheime Nachricht darin zu finden hoffte.

WILHELM GRIMM AN DEN BERLINER FREUND KARL HARTWIG GREGOR VON MEUSEBACH ÜBER DAS POLIZEIWESEN IN KASSEL UNTER KURFÜRST WILHELM II, 19. DEZEMBER 1831

Der Generation, zu welcher wir gehören, wird Mißtrauen und Abneigung gegen die Franzosen unauslöschlich eingeprägt bleiben, obgleich wir freilich vieles milder ansehen, als wir 1813–15 taten. Das Gefühl möchte aber meinethalben ganz übergehen in das gestärkte und sichere Bewußtsein unserer eigenen deutschen Kraft, ohne alle Feindseligkeit; dann hätten wir nichts zu fürchten. Ein solches Bewußtsein hängt aber ab von politischer Einheit, die einmal wieder über Deutschland kommen muß, und dazu kann es mehrere Wege geben, obwohl Dunkel über sie gebreitet ist.

JACOB GRIMM AN JOHANN SMIDT: WUNSCH NACH POLITISCHER EINHEIT DEUTSCHLANDS, 26. APRIL 1837

Auf das anrückende Fest, dessen Lust durch das neue Ereignis ohnehin gedämpft wird, freue ich mich wenig. Das Gepränge widersteht mir, was das schönste sein, und bleibenden Eindruck hinterlassen könnte, das einfache, natürliche Verhältnis zwischen Professoren und Studenten ist hier, wie fast überall, durch die engherzige kleinlichste Verfolgung alles dessen, woran die jungen Leute hängen, aus der Fuge geraten und in Spannung. Ich habe die letzten Jahre im Senat betrübte Erfahrungen darüber gemacht. Alle Verhandlungen durchdringt ein unheimlicher Polizeigeist, der was von Oben

ausgeht, furchtsam aufnimmt, was ihm untergeben ist, schonungslos mitnimmt.

JACOB GRIMM AN FRIEDRICH KARL VON SAVIGNY ÜBER DIE BEVORSTEHENDE JAHRHUNDERTFEIER DER UNIVERSITÄT GÖTTINGEN, 30. JUNI 1837

Aber mein Gewissen läßt sich keinen Meineid zumuten, ich will das, was mir ohne mein Zutun 1833 eidlich auferlegt worden ist, solange redlich halten, bis es mir klar und gültig abgenommen wird. Wir haben vier Jahre lang allgemein und ohne den geringsten Zweifel diese Verfassung gehalten, sind stets in gutem treuen Glauben daran gewesen, wen sollte das Geheiß nicht empören, diese bona fides zu verletzen. Das ist alles, und das einfachste von der Welt. Jedermann erwartete, daß die alten Minister den ersten Widerspruch einlegen würden; sie haben sich, wo ihnen Ehre und Pietät geboten war, mit Schande bedeckt, und statt die natürliche Stütze des Rechts zu sein, helfen sie nun, es zu untergraben. Diese schimpfliche und feige Stille zu brechen war unsere Sache, wie es die jedes einzelnen ist.

JACOB GRIMM AN FRIEDRICH KARL VON SAVIGNY ÜBER DEN PROTEST DER SIEBEN GÖTTINGER PROFESSOREN, 13. DEZEMBER 1837

Paß der Brüder Grimm für das Königreich Hannover

Ich glaube nicht, daß unser Schicksal so bald eine günstige Wendung nimmt, wenn ich auch glaube, daß im ganzen mehr Wohlwollen für uns herrscht, als ausgesprochen wird. Ich habe noch das Honorar für unsere letzten Bücher, und wir erhalten beide wieder etwas für das, was eben gedruckt wird. Dann habe ich einiges unmöglich zurückweisen können, was aus der reinsten Gesinnung kam. Am meisten rührte mich folgendes. Ich erhielt einen Wechsel von vierhundertsechzig Talern von einem Orte, an den ich nicht gedacht hatte, mit ein paar Zeilen ohne Unterschrift. Er war von einer jungen Frau geschrieben, ich erriet sie an einer orthographischen Seltsamkeit, die ihrem verstorbenen Vater eigen war. Da ich von Unbekannten nichts annehmen wollte, so fragte ich an und erhielt dann die Antwort, daß es von wenigen Freunden herrühre. Sie hatten aus früherer Zeit die Liebe rein und frisch bewahrt, und das sind nicht einmal wohlhabende Leute, sie konnten nur mit Entbehrungen so viel zusammenbringen.

WILHELM GRIMM AN KARL LACHMANN ÜBER DIE HILFSBEREITSCHAFT VON MITBÜRGERN NACH DEM GÖTTINGER EKLAT, 18. JANUAR 1838

Ich sehe wohl ein, daß eine günstige Veränderung unserer Lage jetzt noch nicht zu erwarten ist. Vorerst ist eine ruhige und stille Zurückgezogenheit nötig, damit sich die Welt von dem Schrecken erholt, daß wir gewagt haben, der Gewalt zu widersprechen. Hernach wird sich wohl ein gerechteres Urteil bilden, und endlich soviel Ehrlichkeit finden einzugestehen, daß die, welche die innere Stimme über alle andern Rücksichten setzten, nicht die schlechtesten sind. Welch eine sittliche Stärkung und Beruhigung würde Deutschland daraus empfangen haben, wenn man sich, wie Sachsen, entschlossen hätte, dies gleich anzuerkennen. Ich war einige Tage so einfältig, darauf zu hoffen. Jacob, bei dem Eifer, womit er alles angreift, möchte es freilich machen, wie er es mehrmals gemacht hat, wenn er sich

Jacob und Wilhelm Grimm über ihre Entlassung. Rechtfertigungsschrift von 1838 anläßlich des Protests der Göttinger Sieben. S. 8 und 9 von Jacob Grimms Druckmanuskript mit Einfügungen Wilhelm Grimms

Staatsgrundgesetzes. Als Nachfolger trat er aus der Reihe der Agnaten, und ihnen gegenüber, es nimmt seiner Vorgänger Gesichtspunkt an. Könnte jeder Nachfolger den Vertrag lösen, der mit dem Lande eingegangen war, so würde niemals Sicherheit auch nicht während langer Regierungen entspringen weil hinter jedem Thronerben ein Umsturz drohen würde. Nicht daß Verfassungen ewige Dauer gebührt: sie sollen gleich allem Irdischen vergänglich und zerbrechlich sein, nicht aber aus Willkür, sondern von beiden Theilen, zwischen welchen sie zu Stande gekommen waren, abgeändert oder zerbrochen werden. Es fällt mir weder ein noch ist es meine Sache, eine ~~entschiedene~~ ungewöhnliche Trefflichkeit der hannöverschen Gesetze von 1833 zu behaupten; es scheint von einem democratischen Stoffe zu viel, vom andern zu wenig enthalten und genug Mängel sonst an sich tragen; aber es ~~gilt~~ hat bisher bestanden und gegolten. und ~~besteht.~~ Allen ständischen Verfassungen in Deutschland kann der negative Nutzen schwerlich abgesprochen werden, den sie seit ihrer Dauer stifteten. Sie fördern nichts so offenbar, als sie wohlthätig Misbräuche hemmten, sie sind ein Damm, der eine Gegend noch nicht fruchtbar macht, ~~allein~~ aber den einbrechenden und ~~übersandenden~~ Wellen wehrt. Der eigentliche Segen geht allerdings oft von der reinen ~~Liebe~~ des Fürsten zu seinem Lande aus.

Bei ~~Erscheinung~~ der ersten Patents fanden sich die Landstände Bekanntmachung gerade noch in Hannover versammelt, und ihr Präsident scheint schwere Verantwortung auf sich geladen zu haben, dadurch daß er ihren rechtmäßigen Einspruch, als es die höchste Zeit war ihn geltend zu machen, vereitelte. Alle späteren Schwierigkeiten hängen von diesem ~~unbedeutenden~~ Fehlschluß ab, das Land ist der noth wendigsten Form beraubt worden, an welche es seinen Widerstand hätte binden ~~können~~.

Das einfachste Mittel war entrissen; aller Augen richteten sich auf die Minister hin, denen nun zunächst die Pflicht des Handelns oblag. In constitutionellen Ländern sind sie ein Barometer, sie dürfen über eine bestimmte Linie weder hinaufsteigen noch herabsinken, ohne einen gefährlichen,

nicht wohl befand, er nahm die Arznei, die für den ganzen Tag bestimmt war, auf einmal, um die Sache gleich abzutun. Er weiß sich hernach doch in das Unabwendbare zu finden.

WILHELM GRIMM AN FRIEDRICH KARL VON SAVIGNY ÜBER DIE SITUATION NACH DEN GÖTTINGER VORFÄLLEN, 7. FEBRUAR 1838

Der reformierte Kantor, bei dem mein Rudolf in die Schule geht, weigerte sich, das zugeschickte Schulgeld zu nehmen; für einen solchen Mann sind die paar Taler gerade keine Kleinigkeit, er kam aber selbst und bat, es sei ihm unmöglich, wir möchten es nicht von ihm verlangen. Als ihm meine Frau beim Weggehen freundlich die Hand reichte und sagte: »Es ist doch schön, Herr Kantor, daß Sie uns treu bleiben«, erwiderte er feierlich: »Frau Professorin, treu bis in den Tod!« Es war doch rührend.

WILHELM GRIMM AN KARL LACHMANN ÜBER EIN BEISPIEL DER SOLIDARITÄT MIT DEN VERFASSUNGSTREUEN SIEBEN GÖTTINGER PROFESSOREN, 27. APRIL 1838

War sint die eide komen?* Nib. 562, 3.

[Wohin sind die Eide gekommen?]

Der Wetterstrahl, von dem mein stilles Haus getroffen wurde, bewegt die Herzen in weiten Kreisen. Ist es bloß menschliches Mitgefühl, oder hat sich der Schlag elektrisch fortverbreitet, und ist es zugleich Furcht, daß ein eigener Besitz gefährdet werde? Nicht der Arm der Gerechtigkeit, die Gewalt nötigte mich, ein Land zu räumen, in das man mich berufen, wo ich acht Jahre in treuem, ehrenvollem Dienste zugebracht hatte. »Gib dem Herrn eine Hand, er ist ein Flüchtling«, sagte eine Großmutter zu ihrem Enkel, als ich am 16. Dezember die Grenze überschritten hatte. Und wo ward ich so genannt? In meinem Geburtslande, das an dem Abend desselben Tages ungern mich wieder aufnahm, meine Gefährten sogar von sich stieß.

Über eine Tat, deren Absicht offen, deren Beurteilung allen unerschwert war, die nicht mit sehenden Augen blind sein wollen, durfte sich die allzu neue Aufwal-

lung anfangs Schweigen gebieten; es ist mir von Freunden und Unbekannten liebevolle, ehrende Teilnahme, untermischt bei einzelnen mit scheuer Beklommenheit, an den Tag gelegt worden. Weder nach Beifall gelüstet hat mir, noch vor Tadel gebangt, als ich so handelte, wie ich mußte; aber es verlauten auch widerwärtige Stimmen, vornehme, die mir Klugheit, hoffärtige, die mir gesunden Menschenverstand absprechen, selbst höhnende, die im voraus entschlossen sind, mir gemeine und unwürdige Beweggründe unterzulegen, wie die Krähe angeflogen kommt, dem, den sie für tot hält, die Augen auszuhacken. Ich bin keiner so weichlichen Gelassenheit, daß ich mein Recht unverteidigt preisgeben und von allen in das Kreuz oder die Quere laufenden Tagesmeinungen verdrehen lassen möchte: mein gutes Recht, das, wie unbedeutend es der Welt scheinen mag, für mich den Inbegriff alles dessen enthält, was ich errungen habe und ohne Makel, ungelästert hüten will ...

Den Eid auf die Verfassung konnte niemand lösen als entweder der König gemeinschaftlich mit den nach dem Gesetz von 1833 berufenen Landständen oder ein rechtlicher Ausspruch des Bundestages; einen dritten Weg gab es nicht. Beiden Entscheidungen würden wir uns in ehrerbietigem Gehorsam gefügt haben, aber ohne volle Überzeugung war keine Entlastung möglich, jeder Zweifel hätte einen unerträglichen Zustand der Seele mit sich geführt. Ich sehe das kalte Lächeln derer, die sich die Klugen nennen und hier bloß eine nicht ernsthaft gemeinte Ausflucht erblicken; habe ich doch selbst sagen hören, ein Eid in politischen Angelegenheiten bedeute nicht viel, oder auch, der aufgelegte Eid binde eben nicht, man erfülle ihn, soweit man Lust habe. Gut, denkt der eine, daß sich Veranlassung findet, eine liberale Verfassung umzuwerfen, wenn es gelingt, so heiligt der Zweck die Mittel; wir haben ein höheres Recht, das die Rechte des Machwerks nicht zu achten braucht. Was kümmert mich die Politik, meint der andere, wenn sie mich in meiner Behaglichkeit oder in meinen gelehrten Arbeiten stört. Aber so sehr ist die Religiosität nicht verschwunden, daß nicht viele, die etwas Höheres als weltliche Klugheit kennen, die volle Schwere des Grundes

März-Revolution in Berlin 1848: Studenten und Jugendliche verteidigen die Barrikaden an der Kronen- und Friedrichstraße. Zeitgenössische Lithographie

mit mir im tiefsten Herzen empfinden. Es gibt noch Männer, die auch der Gewalt gegenüber ein Gewissen haben. –

JACOB GRIMM ÜBER SEINE ENTLASSUNG (1838)

Ich habe neulich Jacob Grimms Verteidigungsschrift mir gekauft, sie ist ausgezeichnet schön und eine Kraft darin, wie man sie selten findet.

FRIEDRICH ENGELS AN FRIEDRICH UND WILHELM GRAEBER, 1. SEPTEMBER 1838

Die Handlung ist mir zur Zeit des Ereignisses viel unbedeutender vorgekommen, aber natürlich und recht; ich glaube auch, daß den Menschen und ganzen Völkern nichts anders frommt, als gerecht und tapfer zu sein; das ist das Fundament der wahren Politik.

JACOB GRIMM AN BETTINE VON ARNIM ÜBER SEINE BETEILIGUNG AM GÖTTINGER PROTEST, 26. DEZEMBER 1839

Ich habe noch nie einen Tag in solcher Angst und Bewegung verlebt wie den 18. März. Um zwei Uhr noch Jubel über die erzielte Zusage, um drei Uhr begann schon der jammervolle Kampf. Vierzehn volle Stunden haben 2000 bis 2500 Mann mit dem Volk in den Straßen auf das heftigste gekämpft. Das knatternde Pelotonfeuer, das Krachen der Kanonen und Kartätschen war furchtbar, zumal in der Nacht. Dabei brannte es an verschiedenen Stellen, und wenn das Geschütz einige Augenblicke schwieg, hörte man die schauerliche Sturmglocke. Unsere Straße war durch ihre Lage am Schiffskanal, der sie an einem Ende schließt, insoweit gesichert, daß sie der Kampf nicht berührte, aber nicht weit von uns, an dem Anhalter Tor, war er desto wütender. Wir blieben natürlich die ganze Nacht auf.

WILHELM GRIMM AN LUDWIG EMIL GRIMM ÜBER DIE MÄRZ-REVOLUTION IN BERLIN, 20. MÄRZ 1848

Meine Herren! Als ich hierher reiste und die Natur prangen sah wie noch nie, da war es natürlich zu denken, daß auch die schwellenden Knospen unserer Einheit und Freiheit bald ausbrechen möchten. Wenn es an mir gelegen hätte, so würde

Jacob Grimm, Entwurf zum Artikel I der Grundrechte des deutschen Volkes, 1848

ich durch einen Zuruf an alle Gleichgesinnten zu erreichen versucht haben, was ich zu erreichen vermag. In Frankfurt angekommen sah ich, daß wir die Geschäfte auf die alte diplomatische Weise in die Länge ziehen. Man hat oft gesagt: die Diplomaten verderben, was wir errungen haben. Es ist in Aussicht gestellt, daß wir Monate beisammen bleiben, ohne daß etwas geschieht, was mit der großen Spannung des Volkes zusammenstimmt. Das Volk sehnt sich, erwartet eine baldige Entscheidung über die Hauptangelegenheit … Ich habe nur wenige Worte vorzutragen zu Gunsten des Artikels, den ich die Ehre habe vorzuschlagen. Zu meiner Freude hat in dem Entwurf des Ausschus-

ses unserer künftigen Grundrechte die Nachahmung der französischen Formel »Freiheit, Gleichheit und Brüderlichkeit« gefehlt. Die Menschen sind nicht gleich, wie neulich schon bemerkt wurde, sie sind auch im Sinne der Grundrechte keine Brüder; vielmehr die Brüderschaft – denn das ist die bessere Übersetzung – ist ein religiöser und sittlicher Begriff, der schon in der heiligen Schrift enthalten ist. Aber der Begriff von Freiheit ist ein so heiliger und wichtiger, daß es mir durchaus notwendig erscheint, ihn an die Spitze unserer Grundrechte zu stellen.

JACOB GRIMM, ANSPRACHE ÜBER DIE GRUNDRECHTE DES DEUTSCHEN VOLKES IN DER PAULSKIRCHE, 1848

Meine Herren! Auch mir leuchtet ein (Stimmen: »Laut!«), daß der Adel als bevorrechteter Stand aufhören müsse, denn so hat schon der Zeitgeist seit ein paar Generationen geurteilt, so hat er im stillen geurteilt, jetzt darf er ein lautes Zeugnis dafür abgeben. Der Adel ist eine Blume, die ihren Geruch verloren hat, vielleicht auch ihre Farbe. Wir wollen die Freiheit, als das Höchste, aufstellen, wie ist es dann möglich, daß wir ihr noch etwas Höheres hinzugeben? Also schon aus diesem Grunde, weil die Freiheit unser Mittelpunkt ist, darf nicht neben ihr noch etwas anderes Höheres bestehen. Die Freiheit war in unserer Mitte, solange deutsche Geschichte steht, die Freiheit ist der Grund aller unserer Rechte von jeher gewesen; so schon in der ältesten Zeit. Aber neben der Freiheit hob sich eine Knechtschaft, eine Unfreiheit auf der einen, und auf der anderen Seite eine Erhöhung der Freiheit selbst. In dieser Gliederung scheint mir ein Beweis gegen den Adel zu liegen. Als die härtere Unfreiheit sich in eine mildere auflöste und neben der härteren bestand, da entsprang auch eine Erhöhung der Freiheit in den Adel und des Adels in die fürstliche Würde. Nachdem diese Erhöhung der Unfreiheit aufgehört hat, muß auch die des Adels fallen. (»Bravo!« im Zentrum.)

… Gegen die Orden läßt sich zweierlei einwenden. Einmal, daß sie, ihren Statuten nach, ursprünglich nicht auf das bloße Verdienst gerichtet waren, sondern auch der bloßen Gunst des Fürsten verdankt werden sollten.

… Deutschland hat, scheint es mir, für sich allein mehr Orden hervorgebracht als das ganze übrige Europa, und die meisten kamen auf in den letzten Jahrhunderten,

in der Zeit unserer politischen Erniedrigung; wie vermochten sie das Herz zu erheben? Jeder Fürst wollte auch seinen Orden, wenigstens seinen kleinen Orden haben, und so sahen wir die bunteste Fülle von Orden und Bändern, die Ihr Auge wohl öfter an einem puppengleich geschmückten Minister oder Kammerherrn angeschaut haben wird. Das kann ein wahres Verdienst nicht ehren noch die Kraft langer Fortdauer und Überlieferung auf die Nachwelt in sich tragen.

Ich hätte also überhaupt folgende Anträge zu bilden und zu übergeben. In bezug auf den Adel trage ich darauf an:

Aller rechtliche Unterschied zwischen Adeligen, Bürgerlichen und Bauern hört auf, und keine Erhebung weder in den Adel noch aus einem niedern in den höheren Adel findet statt.

Ich glaube, dann wird der Adel nach und nach selbst erlöschen, ohne daß die Erinnerungen an ihn aufhören. Denn dadurch, daß ein schlechter Briefadel zum alten Adel hinzutrat, hat sich der Adel länger erhalten und zugleich entartet. In bezug auf die Orden möchte ich meinen Vorschlag einigermaßen abändern und folgenden Ihrer Genehmigung anheimgeben:

1. Alle Orden für den Zivilstand sind und bleiben abgetan.
2. Der Krieger behält seine auf dem Schlachtfelde erworbenen Orden.
3. Für das Heer wird ein neuer deutscher Orden gestiftet, den ein Kriegsgericht erteilt und der nur eine einzige Klasse haben darf, der dem Höchsten wie dem Geringsten zufallen kann.
4. Fremde Orden darf weder Zivil noch

Militär tragen. Das sind meine Anträge. (»Bravo!« vom Zentrum und von der Linken.)

In den letzten Jahren ist die Zeit und der Anblick des Vaterlands so finster geworden, daß man gar nicht an andre Dinge denken mochte … mich tröstet allein die Zuversicht, daß vielleicht noch nie in allen guten treuen Menschen die Ursache unserer Zwietracht so tief empfunden und eingesehen werde, und daß daraus allein das wahre Mittel der Heilung entspringen muß.

Die Flamme des Rechts wird jetzt mit Gewalt ausgelöscht, und wer weiß, wann ihr Funke wieder ausbricht? Aber er wird schon einmal vorbrechen. Niedergeschlagener und betrübter bin ich in meinem Leben nie gewesen als seit dem letzten halben Jahr. Es ist gut, daß Sie sich in der Arbeit Trost suchen, ich tue es auch.

Ein weit stärkerer Faden bricht in mir und auch in Ihnen niemals ab, die Liebe zu Deutschland und zu Hessen. Mag auch der Kummer und das Leid, die wir nun beide tragen, solange unser Leben noch währt, schwerlich weichen, glücklichere Nachkommen in besserer Zeit werden uns das Zeugnis nicht versagen, daß wir redlich nach unserm Vermögen zur Erhebung des Vaterlandes mitgestrebt und mitgewirkt haben.

»Ich dachte mir, des Vaterlandes Freiheit …«. Manuskriptzettel von Jacob Grimm, 5. März 1849

Epilog

Ich will, daß nach meinem Tod alle meine Habe meinem Bruder Wilhelm oder dessen Kindern Hermann, Rudolf und Auguste zufalle, und ohne Streit und Ansprache gehöre. Da ich von Jugend auf alle Sachen mit Wilhelm zusammengehabt habe, und fortwährend ungetrennte Verwaltung, Mehrung oder Minderung derselben bestanden hat, ist ohnehin keine Sonderung möglich. Zu meinen übrigen Geschwistern, die ich alle lieb habe, vertraue ich fest, daß sie diesen meinen herzlichen, wohl bedachten Willen ebenso heilig halten, als wäre er auf das förmlichste ausgedrückt. Auch will ich, daß meine sämtlichen literarischen Kollektaneen verbrannt werden. Ausgenommen sind die Sammlung von Weistümern sowie alles in gebundnen Büchern Niedergeschriebene, was von kundigen Händen vielleicht gebraucht werden kann.

Göttingen, 7. Febr. 1837.   Jac. Grimm
Diese Bestimmung wohlbedächtig nochmals ausgesprochen; es bleibt alles so. Kassel, 13. Febr. 1841. Jac. Grimm.
Es bleibt dabei. Berlin, 1. Aug. 1843, abends 10 Uhr.

TESTAMENT JACOB GRIMMS

Das Grimm-Denkmal in Hanau, gestaltet von Syrius Eberle (1844–1903), enthüllt am 18. Oktober 1896. »Für ihr Denkmal, das in Hessen stehen wird, steuerten alle Deutschen bei, auch aus fremden Erdteilen. Kinder und arme Leute brachten oft nur wenige Pfennige.« (Herman Grimm)

Was hab ich Ihnen zu melden! Gestern … ist Wilhelm, die Hälfte von mir, gestorben.

JACOB GRIMM AN PAUL WIGAND, 17. DEZEMBER 1859

Um 3 Uhr heute nachmittag ist der liebe Vater gestorben. Sein Tod war sanft, und er blieb bis zum letzten Augenblick beinahe bei Besinnung. Er erkannte uns alle. Eine Lungenlähmung war die letzte Ursache seiner Auflösung. Es hatte sich infolge der vielfachen Schnitte im Rücken dort eine Rose gebildet, welche ein Fieber bis zu 16 Pulsschlägen herbeiführte. Seit voriger Nacht erwarteten wir sein Ende. Merkwürdig war, wie er bei all seinen Phantasien immer uns gegenüber zugleich klar blieb, besonders schön aber und erhebend waren die Reden, die er halb träumend, halb wachend heute morgen führte, in denen er in der schönsten Sprache die edelsten Gedanken über große und schöne Gegenstände aussprach. Wir waren ununterbrochen bei ihm. Der Apapa ist sehr erschüttert, aber gefaßt ...

HERMAN GRIMM ÜBER DEN TOD SEINES VATERS

Den 16. Dezember 1859, nachmittags 3 Uhr, starb mein lieber Bruder Wilhelm an den Folgen eines Rückgratblutgeschwürs (Karfunkel), das sich zuletzt nach innen schlug. Er wäre den 24. Febr. 1860 74 Jahre alt geworden. Begraben wurde er Dienstag, den 20. Dez., auf dem Matthäikirchhof, im Hause hielt Hr. Propst Nitzsch die Leichenrede, auf dem Grab das Gebet Cons.-Rat Snethlage. Ich werde diesem liebsten Bruder über nicht lange nachfolgen und an seiner Seite zu liegen kommen, wie ich ihm im Leben fast immer vereint gewesen bin.

Jacob Grimm.

EINTRAG JACOB GRIMMS IN DIE FAMILIENBIBEL

Berlin. Der Heimgang seines Bruders Wilhelm hat auf Jacob Grimm einen solchen erschütternden Eindruck gemacht, daß bis jetzt alle Trostworte der Freunde es nicht vermocht haben, den schwergebeugten zurückgebliebenen Bruder einigermaßen wieder aufzurichten. Fast stumm und sprachlos irrt Jacob Grimm in den Zimmern des geliebten Bruders umher, und nur ein langer, krampfhafter Händedruck und ein unbeschreiblicher Schmerzensblick sagt den Freunden, wie tief das Herz Jacob Grimms getroffen ist.

Niemand kann sich der Tränen erwehren, wer den Zurückgebliebenen des so innig miteinander verwachsenen Bruderpaares, das ein Stolz des deutschen Vaterlandes so lange Jahre hindurch gewesen ist, erblickt.

KASSELER ZEITUNG, 24. DEZEMBER 1859

Die Zeitungen brachten romantisch klingende Berichte über den Zustand Jacobs nach dem Tode seines Bruders. Verzweifelnd sollte er in den verlassenen Stuben umherirren und nach ihm suchen. Nichts davon ist wahr. Er nahm das Ereignis ganz ruhig auf, obgleich er es am wenigsten erwartet hatte. Als ich ihn gegen Morgen der letzten Nacht weckte, trat ich in seine dunkle Schlafstube und hörte ihn ruhig atmen. »Ach Gott«, sagte er dann, »ich dachte, es würde nun alles gut gehn.« Nachdem der Vater gestorben war, ging er oft in dessen Arbeitsstube, wo er lag, und betrachtete ihn genau. Beim Begräbnis schritt er zwischen meinem Bruder und mir die sanfte Anhöhe des Kirchhofes im scharfen Winde über den knisternden Schnee kräftig hinan. Auch das wird denen unvergessen bleiben, die damals am Grabe standen, wie er zuletzt mit seinen feinen Fingern nach einer Scholle suchte,

Jacob Grimm. Bleistiftzeichnung von Ludwig Emil Grimm, dat. 23. September 1858

um sie in die Grube zu werfen. In seinem Wesen war keine Veränderung zu gewahren. Er nahm die gewohnten Arbeiten sogleich wieder auf und hat sie bis zu seinem Ende in der alten Weise fortgeführt.

HERMAN GRIMM ÜBER DIE REAKTION SEINES ONKELS AUF WILHELM GRIMMS TOD

Wilhelms Stube ist ganz wieder so hergestellt, wie er darin lebte, und wir alle gehen ohne Scheu aus und ein wie sonst. Was in Zukunft geschehen muß, weiß ich noch nicht. Schmerzlich war das Aufschließen seiner Schubladen und Gefächer. Da er unser Geld in Händen hatte, borgten wir während der Krankheit, um ihn nicht zu beunruhigen, denn er dachte nur zuweilen an sein Ende und hoffte, solange er bei Bewußtsein blieb, auf Herstellung. Ich war noch getrost am 3. Dezember nach Hamburg gereist, wurde aber den fünften durch ein Telegramm zurückgerufen. Es hatte sich den vierten verschlimmert. Als ich den sechsten frühmorgens eintraf, stand es wieder besser, und so schwankte der Zustand wochenlang. Die drei Ärzte gaben beständig Hoffnung, bis zuletzt den 14., 15. sichtbare Gefahr nahte. Er lag schlaflos in heftigen Phantasien, fast immer redend, oft schön und zusammenhängend, aber plötzlich abspringend, Erinnerungen früher und später Zeit vermischend. Solche Fülle von Gedanken mußte kurz darauf dahinschwinden! Trat man vor ihn, so erkannte er augenblicklich, eine Minute darauf nicht mehr, und so ging's zum Tode hin, der ganz still ohne Ausatmen eintraf. Der Pulsschlag war in den letzten Tagen unausgesetzt schnell, wurde nur allmählich schwächer. Im Tode lag er drei Tage unentstellt, unverändert, so daß wir ihn oft sahen. So würden Sie ihn auch gesehen haben, wären Sie hier gewesen. Die drei Kinder sind sehr brav und gut. Herman, der kaum ausgezogen war, kann darnach keinen halben Tag von uns wegbleiben und geht ab und zu. In unseren Vermögensverhältnissen entspringen mehrere eingreifende und schwierige Änderungen. Wäre ich voraus gestorben, so stünde es darum leichter, denn mein Bruder hatte alles in der Hand, was mir fremd geworden ist, ich also jetzt auch den Söhnen überlasse. ... Am liebsten lese ich jetzt in

Testamentarische Verfügung von Jacob Grimm vom 11. Dezember 1862

den Märchen und hole das von Wilhelm zuletzt darin Gearbeitete nach.

JACOB GRIMM AN SALOMON HIRZEL, JANUAR 1860

So nahm uns denn in den langen schleichenden Schuljahren *ein* Bett auf und *ein* Stübchen, da saßen wir an einem und demselben Tisch arbeitend; hernach in der Studentenzeit standen zwei Betten und zwei Tische in derselben Stube, im späteren Leben noch immer zwei Arbeitstische in dem nämlichen Zimmer; endlich bis zuletzt in zwei Zimmern nebeneinander, immer unter einem Dach in gänzlicher, unangefochten und ungestört beibehaltener Gemeinschaft unserer Habe und Bücher, mit Ausnahme weniger, die jedem gleich zur Hand liegen mußten und darum doppelt gekauft wurden. Auch unsere letzten Betten, hat es allen Anschein, werden wieder dicht nebeneinander gemacht sein; erwäge man, ob wir zusammengehören und ob von ihm redend ich es vermeiden kann, meiner dabei zu erwähnen.

JACOB GRIMM, REDE AUF WILHELM GRIMM (AUSZUG), 5. JULI 1860

Lieber Herr Professor! Gestern Abend bald nach 10 Uhr hat unser teurer Onkel, Ihr lieber Freund, seine Seele ausgehaucht und ist nun wieder mit dem Papa zusammen. Vor etwa 12 Tagen, nachdem er fast 3 Wochen mit uns im Harz war und sehr wohl zurückgekommen, mit wahrer Herzenslust an die Arbeit gegangen, befiel ihn eine heftige Leberentzündung, die aber durch Blutigel und Calomel gehoben wurde, so daß er wieder mit Appetit aß, im Bett las und Notizen machte. Vorgestern nachmittag stand er erlaubter Maßen etwas auf, ging zum Fenster ganz allein und ruhte dann auf einem gewöhnlichen Rohrstuhle. Da fiel er mir, nachdem er auf einige Fragen nicht geantwortet, auf den Arm, sah mich so lieb an. Ich dachte, er sterbe, da er so bleich, oder eine tiefe Ohnmacht – ach, es war ein Schlaganfall, der die rechte Seite getroffen, Zunge und Hand gelähmt! Er konnte nicht sprechen, und Sie können denken, wie herzzerreißend es für uns war, als er es gern tun wollte. Die Nacht lag er meist im Traum. Gestern nachmittag richtete er um 3 Uhr sich plötzlich auf, und nun begann die wahrlich schwerste Arbeit, die er je getan: das Fieber jagte, das Herz pochte zum Zerspringen. Das so zu sehen, ohne helfen zu können, war zu schrecklich. Erst 20 Minuten nach zehn war das noch so starke Leben bezwungen. Er liegt so mit dem Ausdruck der Herzensgüte, die der Pulsschlag seines Lebens war, auf seinem Bett: man möchte ihn gar nicht verlassen, seine Bücher umstehen ihn wie Waisen. Er kannte uns, des sind wir sicher, bis zu den letzten Augenblicken. Dann richteten sich seine Augen der ewigen Heimat zu ...

AUGUSTE GRIMM AN KARL WEIGAND ÜBER DEN TOD JACOB GRIMMS, 21.SEPTEMBER 1863

Sonntag gegen Morgen kam er augenscheinlich mehr zur Besinnung, wandte die Augen nach uns allen und nach Freunden, die mit uns um ihn waren, schien zu verstehen, was wir ihm sagten, und bewegte sich viel. Einmal glaubten wir ihn schon verloren, als er eine Photographie Wilhelms, die dalag, plötzlich ergriff, mit der gesunden Hand rasch und wie er zu tun pflegte dicht vor seine Augen führte, einige Momente betrachtete und dann auf die Decke legte. Sonntag, den 20. September, zehn Uhr zwanzig Minuten abends, tat er den letzten Atemzug. Sein letztes Bette ist ihm, wie er vorausgesagt, neben dem seines Bruders bereitet worden.

HERMAN GRIMM ÜBER DAS ENDE JACOB GRIMMS

Die »Voss Ztg.« bringt die erschütternde Kunde *von dem Tode Jacob Grimms*, über dessen in der Besserung begriffenen Gesundheitszustand wir gestern noch einem Berliner Blatt eine beruhigende Notiz entnahmen. Nachdem er von einer Leberentzündung, an der er in den letzten Wochen erkrankt war, anscheinend leicht sich wieder erholt hatte, traf ihn am Samstag abends ein Schlaganfall, der 24 Stunden später das Leben des großen Mannes endete. Er hat das 79ste Lebensjahr nicht vollendet. Das Vaterland und die Wissenschaft werden in seltner Einmütigkeit der Trauer den unersetzlichen Verlust empfinden.

ALLGEMEINE ZEITUNG AUGSBURG, 24. SEPTEMBER 1863

Zeitgenössische Urteile über Jacob und Wilhelm Grimm

Der liebe Kamerad tat mir sehr leid, und mein Herz zog mich täglich zu ihm hin. Ich referierte ihm über Schularbeiten und Schulgeschichten, und er suchte durch eigne Übung mit uns fortzukommen. Dabei brachte ich ihm Lektüre und freute mich über ein schönes Bild, das er mit großem Fleiß punktierte. Sein getroster Mut und sein heiterer Sinn verließen ihn nie, wenn er sich auch oft ziemlich elend fühlte, und alle Arzneien nichts helfen wollten.

PAUL WIGAND ÜBER WILHELM GRIMM

Nach meiner Überzeugung gibt es unter allen, die sich jetzt in Deutschland um dessen ältere Literatur bekümmern, keinen, wie [Wilhelm] Grimm und seinen Bruder [Jacob], an Wahrheitsliebe, Gründlichkeit, Umfassung und Fleiß.

ACHIM VON ARNIM

Ein artiger junger Mann, der aus Arnim, Brentano und Engelhardt gemischt ist, auch in der Physiognomie. Er ist ein Jüngling im vollen Sinn des Wortes, wohlgebaut, schlank, eher ein wenig zu groß, bescheiden, ohne ängstlich, zutraulich, ohne dringend zu sein.

GOETHES BIBLIOTHEKAR RIEMER ÜBER WILHELM GRIMM

Schlegel lobt an den Gebrüdern Grimm, was zu loben ist, aber das nichtige, kleinliche Sinnbildeln und Wortdeuteln, ihre ganze Andacht zum Unbedeutenden verspottet er mit ganzem Witz.

SULPIZ BOISSERÉE

Beide werden mir immer lieber in ihrem Wesen; was sie machen, ist tüchtig und gut gemacht; es ist alles bester Weizen, und der böse Feind hat kein Unkraut hineingesäet. Von ihnen und ihresgleichen wird die Zukunft einmal ein viel zu gutes Urteil von unserer Zeit sich abziehen, wenn diese nicht dafür sorgte, daß auch ihre Erbärmlichkeiten bis zu ihr gelangen.

JOSEPH VON GÖRRES

Wilhelm ist stark, korpulent, Jacob schmächtig und schmal. Ihr Vortrag ist sich ganz gleich. Sie haben lebhafte, klangvolle Stimmen. Sie lieben in Metaphern zu sprechen, wie denn Jacob eine Vorlesung anfing: »Der Gedanke ist der Blitz, das Wort der Donner«. Beide Brüder sind in ihrem Wesen ungemein wohlwollend. Wilhelm, der Bibliothekar, war stets gefällig und dienstfertig, daß er oft Stunden verschwendete, um den Studierenden Bücher zu suchen, die sehr oft am unrechten Orte stehen. Jacob Grimm war Mitglied der Kommission zur Prüfung der Schulamtskandidaten. In dieser Stellung rühmt man seine Humanität.

ANONYM, AUS GÖTTINGEN

Es gibt wenig Menschen mehr in der Welt, deren aufrichtige Gesinnung so ohne Fehl und nicht als Mißgeburt zur Welt kommt, gerüstet mit dem Stahl der Weisheit, ein Beginnen wie Minerva aus Jupiters Haupt ans Licht springt, völlig gepanzert gegen alle Spiegelfechterei. Das ist herrlich, von solchen liebevoll anerkannt zu sein. Wir wollen's nimmer verscherzen.

BETTINE VON ARNIM

Später besuchten mich Jacob und Wilhelm Grimm, die Sprachgewaltigen, die wackern, biedern Männer voll Treu und Mut! Ich hätte sie unangekündigt schwerlich erkannt. Jacob hat zu sehr, Wilhelm nicht genug gealtert ... Ein treffliches Brüderpaar, redlich, schlicht, fleißig und genial in ihrem Beruf. Ehre dem König, der sie uns gewonnen!

KARL VARNHAGEN VON ENSE

Es sind gute, ehrliche Leute, ja gewiß, aber borniertes Geistes und kleinen Gemütes, ohne allen politischen Sinn. Sie wollen auf den Göttinger Lorbeeren ausruhen, und man soll sie nicht zur Unzeit aus dieser Ruhe stören; sie sind ordentlich stolz auf ihr Philistertum. Arme Leute!

KARL VARNHAGEN VON ENSE

1. Die Brüder Grimm.
Öfters zitierten wir wohl im Buch den verbannten Professor,
Aber zu Kuchen und Tee nimmer zitierten wir ihn.
2. Einmal ist keinmal.
Pocht sie denn ewig ans Tor, die vaterländische Gesinnung?
Einmal erklärten wir uns: laßt uns doch ferner in Ruh!

KARL GUTZKOW

Und dann schritt der alte Jacob Grimm auf das Podium zu, der wundervolle Charakterkopf – ähnlich wie der Kopf Mommsens sich dem Gedächtnis einprägend – von langem schneeweißem Haar umleuchtet, und sprach irgend was von Deutschland, etwas ganz Allgemeines, das ihm, in jeder richtigen politischen Versammlung, den Ruf »Zur Sache« eingetragen haben würde. Dieser Ruf unterblieb aber, denn jeder war betroffen und gerührt von dem Anblick und fühlte, wie weit ab das auch liegen mochte, daß man ihm folgen müsse, wollend oder nicht.

THEODOR FONTANE

Fräulein Armgart von Arnim gab mir ein Billett an Wilhelm mit, den ich so wie den Bruder Jacob vor einigen Tagen sprach: Wilhelm, ein schöner Greis, liebevoll in Reden und Gebärden, nahm mich freundlich auf und sprach nett über seine Begegnung mit Goethe. Er führte mich, auf seinen Stock und meinen Arm gestützt, in das Zimmer des Bruders hinüber, der wie ein Biber zwischen seinen Büchern stand. So angenehm Wilhelm auf mich wirkte, so abstoßend war mir Jacob Grimm. Er frug, ob ich Philologe sei, und ähnliches mehr. Der stiere Blick, der stets bloß das Weiße des Auges und spärlich die Pupille blicken läßt, sodann seine Schwerhörigkeit vermehrten das Unbehagen. Als ich mich von der deutschen Sprache verabschiedete, die, nebenbei bemerkt, die Vokabel ›Borgtheater‹ brauchte, da trat Jacob Grimm, während ich noch in der Tür war, buchstäblich wie ein aus der Ruhe gestört gewesener Biber in seine viereckige Wohnung zurück, und ich dankte dem Himmel, daß ich die Begegnung hinter mir hatte.

EMIL KUH

Gestern erlebte ich einen sehr glücklichen Abend bei den Grimms. Gleich vom ersten Empfang an fühlte ich mich warm und behaglich wie kaum zuvor, solange ich in Berlin bin. Die Professorin ist eine liebe Frau, von hessischer Biederkeit, völlig anspruchslos, die liebenswürdigste Wirtin, die man sich denken kann. Zuerst trat Wilhelm ein: von hoher Gestalt, mit einem ruhig ehrwürdigen Haupt mit blauen Augen und langen, grauen Haaren. Er macht vor allem den Eindruck des Gemütvollen. Die Milde seiner Erscheinung zieht an, ohne daß man sich von seiner geistigen Überlegenheit befangen fühlen müßte. Ganz anders Jacob, der etwas später nach dem Bruder hereinkam. Vor dem hat man zuerst eine gewisse Scheu: die Lebhaftigkeit seiner Augen fesselt und bindet. Aber wenn dann das herzige Lächeln seine Züge bewegt, wenn die Hast seines Wesens sich in gutmütige Beweglichkeit verwandelt, dann geht auch jene Beklommenheit in eine ganz ungewöhnliche Zuneigung über, in ein trauliches Empfinden seiner Anziehung. Man fühlt sich ihm wie verwandt. Der Herr »Hofrat« wollte mir nicht recht über die Lippen. Es war mir immer, als müsse ich ihn schlechtweg »Jacob« nennen, wie sein Bruder tat, oder »Onkelchen«, wie die schmeichelnde Nichte Auguste. Er ist ein kleiner Mann, der in seinem altfränkischem Frack aussieht wie ein Stück aus

der guten, alten Zeit, gar nichts von einem Stubengelehrten und noch weniger von dem vornehmen Berliner Professor an sich hat. Die hohe Stirn umgraut ein volles Haar, und die Augen funkeln.

JULIUS RODENBERG

Jacob Grimm ist eine der Persönlichkeiten, die man lieben muß, und an die man sich anschließt.

HANS CHRISTIAN ANDERSEN

Wilhelm Grimm besaß nicht den gewaltigen Geist, die schöpferische, stets aus dem Vollen und Ganzen arbeitende Kraft, den weiten, genialen Blick und den Gedankenreichtum seines Bruders; er war eine minder großartig angelegte, mehr still vor sich hin schaffende, in engeren Grenzen sich bewegende Natur, die aber durch beharrliches Hinstreben nach einem klar erkannten, unverrückbaren Ziele gleichwohl Großes erreichte …

Für Poesie besaß er ein aufs feinste ausgebildetes Gefühl und tiefes Verständnis, und besonders war es das Volkstümliche und Sinnvolle in der Poesie, was ihn vor allem und am meisten anzog; nichts dahin Bezügliches achtete er gering, und selbst dem für andere Augen Unscheinbaren wußte er interessante Seiten abzugewinnen und sie in überraschend helles Licht zu stellen. Einen Text kritisch zu bearbeiten und ohne Sang und Klang in die Welt zu schicken, den Lesern überlassend, sich damit so gut es ginge zurechtzufinden, war nicht seine Sache; er hielt es vielmehr, und mit Recht, für die Pflicht eines Herausgebers, dem zu Tage geförderten Neuen auch zugleich den Schlüssel zum Verständnis beizugeben. Fast alle seine Ausgaben zeichnen sich durch lehrreiche Einleitungen und eingehende sachliche wie sprachliche Anmerkungen vorteilhaft aus. Diese liebevolle Fürsorge und Hingabe an die Bedürfnisse der Leser hat der Würde und dem Ansehen der Wissenschaft keinen Eintrag getan. Die Saat, die er ausgestreut, wird noch lange hinaus Früchte tragen.

FRANZ PFEIFFER

Die Stimme Jacob Grimms war eine hochliegende, tenorartige. Sein Auge leuchtete noch hell und warm, wenn er es aufschlug, er sah bereits mager und abge-

fallen aus. Es war eine leichte, feine Hülle, in der ein großer, weitumfassender Geist lebte. Den Tod seines Bruders Wilhelm verwand er nie … Seine Einsamstellung, getrennt von dem Bruder, überwand er nur durch treue und unablässige Hingebung an die Arbeit.

In dem grauen Sommerkleide, mit dem breitkrempigen Sommerhute, darunter die langen weißen Locken hervorquollen, war Jacob Grimm eine jener Erscheinungen, die nicht hineintaugen in das unruhvolle Getriebe unserer Zeit und einer großen lärmerfüllten Stadt. Er führte ein einsiedlerisches, von der Weihe der Wissenschaft geheiligtes Leben …

Er ging aufrechter Haltung, nur den Kopf etwas vorgebeugt; er trug nie einen Stock und hatte beim Gehen die linke Hand immer auf den Rücken gelegt. Wenn er sprach, warf er, ganz wie Uhland, den Kopf mit einem raschen Schütteln zurück … Er lächelte, als ich ihm erzählte, wie Uhland sich darüber gewundert habe, daß Grimm alle die verschlungenen »Umgänge« im Tiergarten so genau kenne. Sie waren da oft miteinander gewandelt. Und in der Tat wußte Jacob Grimm die lauschigsten Partien des Tiergartens, wo man nichts mehr hört und merkt vom Wagengerassel und wo selten ein einsamer Wanderer hinkommt. Er erzählte, daß er sich noch wohl fühle, nur sein Schlaf sei kürzer … Ich stand einmal still und machte ihn auf den hellen Sang einer Schwarzamsel aufmerksam. Da sagte er tief wehmütig in Ton und Blick: »Ich höre nicht mehr gut, ferne Töne gar nicht, ich höre keinen Donner und auch den Vogelgesang nur undeutlich.« Das war das letztemal, daß ich das Glück hatte, Jacob Grimm zu sprechen und mich seiner Freundlichkeit zu erfreuen.

BERTHOLD AUERBACH

Wenn Jacob sich in großartigen kühnen Konzeptionen erging, so war Wilhelm der Meister feiner, gleichmäßiger, sauberer Arbeit. Jener wagte wohl auch, was sich nicht behaupten ließ; dieser zog sich engere Grenzen, in denen er dann aber ganz zu Hause war. Sie waren nicht immer einer ganz mit dem andern zufrieden; aber sie förderten sich unablässig und erkannten sich in ihrer Eigentümlichkeit an.

GEORG WAITZ

Jacob las über Rechtsaltertümer, Grammatik, Literaturgeschichte und Diplomatik, erklärte mitunter auch einen alten deutschen Dichter und einigemale die Germania des Tacitus. Manchem ist vielleicht die kleine lebhafte Gestalt, die rauhe Stimme mit starkem hessischen Dialekt auf dem Katheder noch erinnerlich. Er las ohne Heft, ein kleiner Zettel, auf dem ein paar Namen, Wörter, Zahlen standen, genügte seinem unvergleichlichen Gedächtnis. Aber der Vortrag blieb hinter den Erwartungen zurück. Wohl traten häufig die schönen schlagenden Bilder hervor, an denen seine Schriften so reich sind, aber gesprochen wirkten sie nicht wie geschrieben, sie wurden hastig ruckweise hingeworfen und unterbrachen fast befremdend die nie versagende Fülle der tatsächlichen Angaben, während sie in seinen Büchern, schön eingefügt, zur Sache gehörend, den Gedanken nicht bloß anders wenden, vielmehr unter blumiger Hülle fortentwickeln: »Der Gedanke ist der Blitz, das Wort der Donner; die Konsonanten sind die Knochen, die Vokale das Blut der Sprache.« Rührend war, wenn mitten im sachlichen Vortrage eine Stockung eintrat und dann rasch gefaßt entschuldigt wurde: »Mein Bruder ist so krank.« Und Wilhelm war viel krank, Jacob ist es niemals gewesen; so klein und

zierlich sein Äußeres, hatte er doch etwas Urverwandtes mit den alten Kämpfern, die den Helm abbindend und an der Luft stehend sich in den Ringen kühlten, um den Kampf mit gesammeltem Atem wieder anzuheben. Er selbst vergleicht sich damit. Ihnen wuchs im Kampf die Kraft und ihm in der Arbeit. Sie flog ihm leicht von der Hand; er hatte alles gegenwärtig, er schrieb für den Druck fast ohne zu ändern, hätte dann aber, wenn es gedruckt an ihn zurückgelangte und korrigiert werden sollte, am liebsten alles umgeworfen, um es reicher und besser zu fassen. Von Wilhelm sagte er, fast verwundert: »Mein Bruder liest seine Schrift vor dem Druck wieder durch.«

KARL GOEDEKE

Seine Bücher liebte er [Jacob], das Wort ist nicht zu stark, mit Zärtlichkeit. Die gemeinschaftliche Bibliothek [der Brüder] stand unter seiner besonderen Obhut. Er ließ die Werke nach eigner Angabe verschiedenartig einbinden und konnte es bis zu einem gewissen Luxus darin treiben. Die gute oder bessere Meinung, die er von dem Werte eines Buches hegte, deutete er durch mehr oder weniger kostbaren Einband an. Bei kleineren Gelegenheitsschriften ließ er das zu überreichende Exemplar gern in dunkelroten Samt binden. Der

nach dem Tode meines Vaters gedruckte Freidank [1860] erhielt den teuersten Einband, der herzustellen war. Es hat etwas Natürliches, daß er, der so lange Jahre Bibliothekar gewesen war, nun seine Bibliothek als eine Art Persönlichkeit betrachtete. Mit Wohlgefallen ging er oft die aufgestellten Reihen entlang, nahm auch wohl diesen oder jenen Band heraus, besah ihn, schlug ihn auf und stellte ihn wieder an seinen Ort. Es machte ihm Freude, aufzuspringen und das Buch selbst zu geben, wenn man es bei ihm suchte und nicht gleich finden konnte. Nach meines Vaters Tode, als er dessen Stube mit zur Bibliothek einrichtete, ordnete er die Bücher nach einem neuen Plan und besorgte die Umstellung ganz allein. Er konnte im Dunkeln jedes Buch ergreifen ohne Irrtum. Er verlieh nicht gern, weil er in die Bücher zu schreiben und Zettel hineinzulegen pflegte ... Er hat auch mir einmal davon geredet, wie nach seinem und meines Vaters Tode die Bücher zerstreut werden würden und so der Plan, nach dem sie sie gesammelt, niemandem als ihnen bewußt gewesen wäre, allein wenn ihm bei solchen Gelegenheiten widersprochen ward, ließ er das gelten. Mehrfach haben meine Geschwister und ich ihm versichert, es würden die Bücher nicht auseinandergerissen [werden].

HERMAN GRIMM

Anhang

STAMMTAFEL
DER FAMILIE GRIMM

Friedrich Grimm
* 11.3.1707
† 20.3.1777
⚭ 6.10.1734
Christine Heilmann
   aus Birstein
* 22.10.1715
† 17. 2.1754

Joh. Hermann Zimmer
*   2.1709
† 22.11.1798
⚭ 10.11.1740
Anna Elisab. Boppo
   aus Kassel
* 22. 4.1718
† 12.10.1792

Juliane
Charlotte Friederike
verehel. Schlemmer
1735–1796, verw. 1785

Philipp Wilhelm Grimm
* 19.9.1751
† 10.1.1796

⚭ 23.2.1783

Dorothea Zimmer
   aus Kassel
* 20.11.1755
† 27. 5.1808

Henriette Zimmer
*   3.1748
† 15.4.1815

Friedrich Hermann
Georg
* 12.12.1783
† 16. 3.1784

Jacob Ludwig Carl
* 4.1.1785
† 20.9.1863

Wilhelm Carl
* 24. 2.1786
† 16.12.1859
⚭ 15.5.1825
   Henriette Dorothea
   Wild
   * 23.5.1795
   † 22.8.1867

Carl Friedrich
* 24.4.1787
† 25.5.1852

Ferdinand Philipp
* 18.12.1788
† 6. 1.1844

Ludwig Emil
* 14.3.1790
† 4.4.1863
⚭ 25.5.1832
   1. Marie Böttner
     * 9.8.1803
     † 15.8.1842
⚭ 14.4.1845
   2. Friederike Ernst
     * 24.12.1806
     †   1894

Friedrich
* 15.6.1791
† 20.8.1792

Charlotte Amalie
* 10.5.1793
† 15.6.1833
⚭ 2.7.1822
   Ludwig Hassenpflug
   * 26. 2.1794
   † 10.10.1862

Georg Eduard
* 26.7.1794
† 19.4.1795

Jacob
* 3. 4.1826
† 15.12.1826

Herman Friedrich
* 6. 1.1828
† 16.6.1901
⚭ 25.10.1859
   Gisela von Arnim
   * 30.8.1827
   † 4.4.1889

Rudolf George Ludwig
* 31. 3.1830
† 13.11.1889

Auguste Luise
Pauline Marie
* 21.8.1832
† 9.2.1919

Friederike (Ideke)
Lotte Amalia Maria
* 23. 7.1833
† 17.12.1914
⚭ 19.8.1854
   Rudolf von Eschwege
   * 22. 1.1821
   † 24.11.1875

Karl
* 5.1.1824
† 18.2.1890

Agnes
* 11.12.1825
† 29.10.1826

Friedrich
* 10.9.1827
† 23.1.1892

Berta
* 27.4.1829
† 9.6.1830

Louis
* 1.12.1831
† 11.10.1878

Dorothea
* 23.5.1833
† 24.1.1898

ZEITTAFEL

Jahr	Brüder Grimm	Zeitgeschehen	Kulturelles Leben	Naturwissenschaften Technik, Wirtschaft
1785	Jacob Grimm als Sohn des Advokaten Philipp Wilhelm Grimm und seiner Frau Dorothea (geb. Zimmer) am 4. Januar in Hanau geboren	Friedrich II. (der Große) gründet Fürstenbund gegen österreichische Politik	Bettine Brentano geboren. Kant: »Grundlegung zur Metaphysik der Sitten«. »The Times« gegründet	Coulomb entdeckt elektrische und magnetische Gesetze. Erste Dampfmaschine in Preußen
1786	Wilhelm Grimm am 24. Februar in Hanau geboren	Friedrich Wilhelm II. König von Preußen	Mozart: »Figaros Hochzeit«. Goethe geht auf die italienische Reise. Musäus: »Volksmärchen der Deutschen«. Haydn: 6 Pariser Symphonien	Watt: Dampfmaschine mit Kolbenstange und Zentrifugalregulator. Erste versuchsweise Gasbeleuchtung in Frankreich und Deutschland
1789	Jacob und Wilhelm lernen bei ihrer Tante Schlemmer Lesen und Schreiben	Beginn der Französischen Revolution: Sturm auf die Bastille, Verkündung der Menschenrechte. Verfassung der USA: George Washington 1. Präsident der USA	Antrittsvorlesung Schillers in Jena: »Was heißt und zu welchem Ende studiert man Universalgeschichte?«. Goethe: »Torquato Tasso«. Graf Rumford: Englischer Garten in München	Trostwigk/Deimann: Zerlegung des Wassers mit elektrischem Strom in Wasserstoff und Sauerstoff. Erste gedruckte Preislisten der Fabrikanten
1796	Tod des Vaters Grimm, Amtmann in Steinau	Napoleon siegt in Italien über die Österreicher. Katharina II. (die Große) von Rußland gestorben	Jean Paul: »Siebenkäs«. Fichte: »Grundlage des Naturrechts und Prinzipien der Wissenschaftslehre«. Tieck: »William Lovell«. Hölderlin Hauslehrer bei von Gontard (Suzette/Diotima)	Erster deutscher Kokshochofen. Senefelder: Steindruck (Lithographie). Erste Eisenbrücken Europas in Schlesien
1798	Jacob und Wilhelm zur Schule nach Kassel	Koalition England, Rußland, Österreich, Neapel, Türkei gegen Frankreich. Franz. Truppen besetzen Rom, Gefangennahme Papst Pius' VI. Napoleons Feldzug in Ägypten richtet sich gegen England und Indien	A. v. Arnim Student der Rechte und der Physik in Halle. Schiller: »Die Bürgschaft«. Tieck: »Franz Sternbalds Wanderungen«. Novalis: Fragmente zur romantischen Poesie und Philosophie. A. W. und F. Schlegel: »Athenäum« (wichtigste Zeitschrift der Romantik)	Brandes/Benzenberg: Erste wissenschaftliche Meteorbeobachtungen. Cavendish mißt Gravitationskraft der Erde. Fulton: Modell des U-Bootes »Nautilus« (Stapellauf 1800). Einführung der Einkommenssteuer in England
1802	Jacob zum Studium der Rechte nach Marburg. Begegnung mit Savigny	Napoleon Konsul auf Lebenszeit. Friede von Amiens: England gibt Frankreich Kolonien zurück	Beethoven: 2. Symphonie. Schiller: »Die Jungfrau von Orleans«. Canova: »Napoleon Bonaparte« (Büste)	Jacquard: Webstuhl. A. v. Humboldt besteigt den Chimborasso in Ecuador (6310 m). $5/7$ aller Berufstätigen in Deutschland arbeiten in der Landwirtschaft

Jahr	Brüder Grimm	Zeitgeschehen	Kulturelles Leben	Naturwissenschaften Technik, Wirtschaft
1803	Wilhelm zum Studium der Rechte nach Marburg	Aufgabe des letzten franz. Kolonialbesitzes in Nordamerika. Eingriff Napoleons in die deutschen Verhältnisse: Reichsdeputationshauptschluß (Entschädigung der deutschen Fürsten für die linksrheinischen Gebietsverluste auf Kosten der geistlichen Territorien)	Ludwig Richter geboren, Gottfried Herder, F. Klopstock gestorben. Thorvaldsen: »Jason mit dem goldenen Vlies« (Skulptur)	Ritter: Akkumulator. Technische Hochschule in Prag gegründet. Justus von Liebig geboren
1805	Jacob verläßt ohne Studienabschluß Marburg und assistiert Savigny bei seinen Forschungen in Paris. Mutter Grimm übersiedelt von Steinau nach Kassel. Die Brüder beginnen ihre altdeutschen Studien	Koalition England, Rußland, Österreich gegen Napoleon. Napoleon siegt bei Austerlitz. Bayern und Württemberg Königreiche. Tirol an Bayern	Adalbert Stifter, Hans Chr. Andersen geboren, Friedrich v. Schiller gestorben. Beethoven: »Fidelio« (1. Fassung). Turner: »Schiffbruch« (Gemälde). Runge: »Die Hülsenbeckschen Kinder« (Gemälde)	Sertürner entdeckt das Morphium. Park: Niger-Expedition
1806	Jacob Sekretär beim Kriegskollegium in Kassel. Wilhelm schließt sein Studium mit Examen ab, kehrt nach Kassel zuruck. Beginn der Marchensammlung	Deutschland hat 23 Mio. Einwohner. Napoleon siegt bei Jena und Auerstedt: Zusammenbruch Preußens. Kontinentalsperre Napoleons gegen England. Rheinbund deutscher Fürsten unter Napoleon gegen Österreich und Preußen. Ende des »Heiligen Römischen Reiches Deutscher Nation«	Hegel: »Phänomenologie des Geistes«. Karoline von Günderode gestorben. Arnim/ Brentano: »Des Knaben Wunderhorn«, 1. Band. Goethe: »Faust«, 1. Teil (beendet)	Knight: Schwerkraft beeinflußt Pflanzenwachstum
1807	Jacob scheidet aus seiner Stellung aus	Friede von Tilsit: Russisch-franz. Bündnis. Königreich Westphalen unter Jérôme Bonaparte. Beginn der preußischen Reformen durch Frhr. vom Stein: Aufhebung der strengen ständischen Gliederung, Aufhebung der Erbuntertänigkeit der Bauern	Görres: »Die deutschen Volksbücher«. Beethoven: C-Dur-Messe. Kleist: »Amphitryon«. Fichte: »Reden an die deutsche Nation«	Der Schweizer Major de Rivaz meldet Patent auf einen Wagen mit Explosionsmotor an. Anfang der Straßenbeleuchtung in London
1808	Tod der Mutter Grimm. Jacob, der seine Geschwister unterhalten muß, wird Bibliothekar bei König Jérôme. Erste Veröffentlichungen der Brüder in Arnim/Brentanos »Zeitung für Einsiedler«	Spanischer Aufstand gegen Napoleon. Wellington besiegt Napoleon in Spanien. Vom Stein: Städteordnung mit Selbstverwaltung der Städte durch die Bürgerschaft. Neuordnung der preußischen Staatsverwaltung. Entlassung Steins auf Drängen Napoleons	Kleist: »Der zerbrochne Krug«, »Penthesilea«. Arnim/ Brentano: »Zeitung für Einsiedler«. Beethoven: 5. und 6. Symphonie. Honoré Daumier geboren	Dalton: Chemische Atomtheorie. A. v. Humboldt: »Ansichten der Natur«

Jahr	Brüder Grimm	Zeitgeschehen	Kulturelles Leben	Naturwissenschaften Technik, Wirtschaft
1811	Die ersten Bücher. Jacob: »Über den altdeutschen Meistergesang«. Wilhelm: »Altdänische Heldenlieder, Balladen und Märchen«	v. Hardenberg bewirkt Aufhebung der Zünfte und Frondienste in Preußen	C. D. Friedrich: »Morgen im Riesengebirge« (Gemälde). Arnim: »Halle und Jerusalem«. Franz Liszt geboren. Nach »Costüme Parisien« trägt der Herr einen Überrock und Hosenbeine, die in Gamaschen übergehen, dazu einen Zylinder. Die Hoftoilette der Damen ist tief dekolletiert	Flugversuch des Schneiders von Ulm«, Berblinger. Balli: Künstliche Arme und Hände, durch Muskeln bewegt. Avogadro: Molekulartheorie der Gase
1812	Brüder Grimm: »Kinder- und Hausmärchen«, 1. Band. »Die beiden ältesten deutschen Gedichte aus dem 8. Jahrhundert: Das Lied von Hildebrand und Hadubrand und das Weißenbrunner Gebet«	Rußland-Feldzug Napoleons: Brand Moskaus, Rückzug und Untergang des franz. Heeres, Flucht und Rückkehr Napoleons nach Paris. General York schließt Waffenstillstand mit den Russen: Konvention von Tauroggen	Begegnung Goethes mit Beethoven in Teplitz. Arnim: »Isabella von Ägypten« u. a. Novellen. Aufbau des Humanistischen Gymnasiums in Preußen. Rossini: »Die Liebesprobe«	F. Krupp: Gußstahlfabrikation. König/Bauer: Schnelldruckpresse
1813	Brüder Grimm: »Altdeutsche Wälder« (Zeitschrift bis 1816). Wilhelm: »Drei altschottische Lieder«	Preußisch-russisches Bündnis. Bildung von Landwehr und Landsturm in Preußen. Befreiungskriege gegen Napoleon. Koalition Preußen, Rußland, England, Österreich, Schweden siegt bei Leipzig über Frankreich. Auflösung des Rheinbundes	E. T. A. Hoffmann: »Fantasiestücke in Callots Manier«. Schopenhauer: »Über die vierfache Wurzel des Satzes vom zureichenden Grunde«. Guiseppe Verdi, Richard Wagner, Georg Büchner, Sören Kierkegaard geboren	Davy: Elektrischer Lichtbogen
1814	Jacob als Legationssekretär nach Paris und zum Wiener Kongreß. Wilhelm Bibliothekssekretär des nach Kassel zurückgekehrten Kurfürsten	Einmarsch der Verbündeten in Frankreich. Napoleon nach Elba verbannt. Erster Pariser Friede. Einberufung des Wiener Kongresses durch die Verbündeten zur politischen Neuordnung Europas	Arnim schreibt Nachruf und Sonett auf Fichtes Tod. Byron: »Der Korsar«. Chamisso: »Peter Schlehmils wundersame Geschichte«. Turner: »Frostiger Morgen« (Gemälde)	Fraunhofer: Optisches Glas
1815	Jacob nach Abschluß des Wiener Kongresses zum dritten Mal nach Paris. Wilhelm auf Rheinreise. Brüder Grimm: »Kinder- und Hausmärchen«, 2. Band. »Lieder der alten Edda«	Napoleons Rückkehr nach Frankreich: »Herrschaft der 100 Tage«. Vernichtung der letzten Armee Napoleons bei Waterloo durch Blücher und Wellington. Verbannung Napoleons nach St. Helena. Zweiter Pariser Friede	Schinkel wird preußischer Oberbaurat. Brentano: »Die Gründung Prags«. Methfessel: »Kommersbuch Germania«. Schubert: »Wanderers Nachtlied«, »Heideröslein«	Fresnel: Theorie des Lichts. Mälzel: Metronom. Technische Hochschule in Wien gegründet
1816	Jacob Bibliothekar des Kurfürsten in Kassel. Brüder Grimm: »Deutsche Sagen«, 1. Band	Deutscher Bund unter österreichischer Führung mit Bundestag in Frankfurt/M. Erste Verfassung in einem deutschen Land durch Karl August von Sachsen-Weimar. Görres' »Rheinischer Merkur« verboten	Klenze beginnt Bau der Münchener Glyptothek. E. T. A. Hoffmann: »Die Elixiere des Teufels«. Rossini: »Der Barbier von Sevilla«. Byron: »Die Belagerung von Korinth«	Erstes (engl.) Dampfschiff auf dem Rhein. A. Müller: »Versuch einer neuen Theorie des Geldes«. Gauß: Entwicklung der nichteuklidischen Geometrie

Jahr	Brüder Grimm	Zeitgeschehen	Kulturelles Leben	Naturwissenschaften Technik, Wirtschaft
1819	Ehrendoktorat für Jacob und Wilhelm durch die Universität Marburg. Jacob: »Deutsche Grammatik«, 1. Band. Brüder Grimm: »Kinder- und Hausmärchen«, 2. Auflage	Karlsbader Beschlüsse gegen politische und geistige Freiheit in Deutschland. Demagogenverfolgungen. Entlassung Wilhelm von Humboldts. Simon Bolivar beginnt Befreiung Südamerikas von der spanischen Herrschaft	Schopenhauer: »Die Welt als Wille und Vorstellung«. Eichendorff: »Das Marmorbild«. Beethoven verliert das Gehör. Jacques Offenbach, Theodor Fontane, Gottfried Keller geboren	Erste Phosphorzündhölzer. In England Einführung des 12stündigen Arbeitstages und Arbeitsverbot für Kinder unter 9 Jahren (wirkungslos)
1822	Lotte Grimm heiratet H. D. Ludwig Hassenpflug. Jacob: »Deutsche Grammatik«, 2. Band. Brüder Grimm: »Kinder- und Hausmärchen«, 3. Band (= Kommentarband)	Griechenland, unterstützt durch die Philhellenen ganz Europas, erklärt seine Unabhängigkeit von der Türkei	W. v. Humboldt: »Über das vergleichende Sprachstudium«. Stendhal: »Über die Liebe«. Beethoven: »Missa Solemnis«	Schnellpost. Ampère: Magnetismus beruht auf elektrischen Molekularströmen. Champollion entziffert Hieroglyphen. Gregor Mendel, Louis Pasteur geboren. Buschmann: Ziehharmonika
1825	Wilhelm heiratet Henriette Dorothea Wild	Ludwig I. König von Bayern. Zar Nikolaus I. von Rußland: Dekabristenaufstand liberaler Aristokraten und Offiziere für eine Verfassung in Rußland niedergeschlagen. Bildung der demokratischen und republikanischen Parteien in den USA	D. Tieck/Baudissin beginnen Übersetzung der Dramen Shakespeares. Beethoven: Späte Quartette. Puschkin: »Boris Godunow«. C.F. Meyer, Johann Strauß geboren, Jean Paul gestorben	Laplace: »Himmelsmechanik«. Ampère: Untersuchungen zu den mechanischen Wirkungen stromdurchflossener Leiter
1828	Wilhelm: »Zur Literatur der Runen«, »Graf Rudolf«. Jacob: »Deutsche Rechtsaltertümer«	Zollvertrag zwischen Preußen und Hessen-Darmstadt (Vorstufe zum Zollverein). Russisch-türkischer Krieg	Schubert: 7. Symphonie. Raimund: »Der Alpen-König und der Menschenfeind«. Leo Tolstoi, Henrik Ibsen geboren, Francesco José de Goya, Franz Schubert gestorben	Leipziger Buchdruckergesellen verlangen vom König Entfernung der Schnelldruckpressen
1829	Die Brüder kündigen ihren Dienst als Bibliothekare des Kurfürsten auf und nehmen einen Ruf nach Göttingen an. Wilhelm: »Die deutsche Heldensage«	Unabhängigkeit Griechenlands, Otto von Bayern griechischer König. Beginn der großen Reformen in England	F. Schlegel: »Philosophie der Geschichte«. Mendelssohn-Bartholdy führt nach 100 Jahren Bachs »Matthäuspassion« wieder auf. Goethe: »Wilhelm Meisters Wanderjahre«	A. v. Humboldt auf Forschungsreise in Sibirien. Erste Gewerkschaften in England
1830	Jacob Bibliothekar und ordentlicher Professor, Wilhelm Bibliothekar an der Universität Göttingen. Jacob: »Hymnorum veteris ecclesiae …«. Wilhelm: »De Hildebrando …«	Juli-Revolution in Paris, in deren Gefolge Aufstände in Europa; schließlich: Einführung von Verfassungen in Hannover, Kurhessen, Sachsen. Neubelebung der liberalen und nationalen Bewegung	Goethe: »Faust«, 2. Teil (teilw. Druck). Karl Blechen: »Bei der Teufelsbrücke« (Gemälde). Balzac: »Tolldreiste Geschichten«. Chopin kommt nach Paris. Delacroix: »Die Freiheit auf den Barrikaden«. Marie v. Ebner-Eschenbach geboren	Brown entdeckt Zellkern. Hugi begründet Gletscherforschung. Madersperger: Nähmaschine
1831	Wilhelm außerordentlicher Professor. Jacob: »Deutsche Grammatik«, 3. Band	Arbeiteraufstand in Lyon. Letzte öffentliche Hinrichtung durch das Schwert in Deutschland. Frhr. v. Stein, v. Gneisenau gestorben	Hugo: »Notre Dame de Paris«. Stendhal: »Rot und Schwarz«. Goethes letzter Geburtstag in Ilmenau. Achim v. Arnim, Friedrich Hegel gestorben	Darwin geht auf Weltreise. Goethe vermutet Abstammung des Menschen vom Tier. Faraday: Induktionsgesetz (Grundlage des Dynamos). Ross: Entdeckung des magnetischen Südpols im Nordpolargebiet

Jahr	Brüder Grimm	Zeitgeschehen	Kulturelles Leben	Naturwissenschaften Technik, Wirtschaft
1835	Wilhelm ordentlicher Professor. Jacob: »Deutsche Mythologie«, »Taciti Germania«	Verbot der Bücher des liberalen »Jungen Deutschland« (Heine, Gutzkow, Börne, Laube u. a.). C. F. Dahlmann: »Politik auf das Maß der gegebenen Zustände zurückgeführt«	Bettine Brentano (v. Arnim): »Goethes Briefwechsel mit einem Kinde«. Gutzkow: »Wally die Zweiflerin«. Büchner: »Dantons Tod«. Mark Twain geboren, Wilhelm v. Humboldt gestorben	Erste deutsche Eisenbahn Nürnberg–Fürth. Colt: Revolver. Fabrikation von Schreibstahlfedern
1837	Protest der Göttinger Sieben gegen den Verfassungsbruch Ernst August II., Entlassung aus dem Staatsdienst. Jacob des Landes verwiesen, zieht nach Kassel. Jacob: »Deutsche Grammatik«, 4. Band	Ende der Personalunion England-Hannover. Der neue König Ernst-August II. von Hannover setzt die Verfassung außer Kraft. Victoria Königin von Großbritannien. Kölner Kirchenstreit über Einsegnung und konfessionelle Kindererziehung in gemischt konfessionellen Ehen	Lortzing: »Zar und Zimmermann«, Rückert: »Sieben Bücher morgenländischer Sagen und Geschichten«. Eichendorff: »Gedichte«. Georg Büchner, Alexander Puschkin gestorben	Borsig gründet Berliner Maschinenindustrie. Dove: Polare und äquatoriale Luftströme bestimmen europäisches Wetter. Morse: Zeichendrucktelegraph
1838	Plan zum »Deutschen Wörterbuch«. Wilhelm übersiedelt mit seiner Familie nach Kassel. Jacob: »Lateinische Gedichte des X. und XI. Jahrhunderts« (mit A. Schmeller). Wilhelm: »Rolandslied«. Jacob und Wilhelm: »Über ihre Entlassung«	Beginn des »Opiumkrieges« zwischen England und China	Grillparzer: »Weh dem, der lügt«. Brentano: »Gockel, Hinkel und Gackeleia«. Dickens: »Oliver Twist«. Schumann: »Kinderszenen«	Daguerre: Photographie. Erster englischer Dampfer nach New York. Schleiden: Alle Pflanzen bestehen aus wesensgleichen Zellen. Um die Militärtauglichkeit zu heben (!), wird in Preußen die Fabrikarbeit für Kinder unter 9 Jahren verboten
1840	Berufung der Brüder Grimm nach Berlin. Jacob: »Weistümer«, »Sendschreiben an Karl Lachmann«, »Andreas und Elene«. Wilhelm: »Konrad von Würzburg: Goldene Schmiede«	Friedrich Wilhelm IV. König von Preußen (der »Romantiker auf dem Thron der Caesaren«). August Bebel geboren. Hongkong durch die Briten erobert. Kanada erhält parlamentarische Selbstregierung	Bettine Brentano (v. Arnim): »Die Günderode«. Erste Arbeiterbildungsvereine in Deutschland. Claude Monet, Peter Tschaikowski, Auguste Rodin geboren, Caspar David Friedrich gestorben	Erste Briefmarken in England. Liebig: »Die organische Chemie in ihrer Anwendung auf Agrikultur und Physiologie«
1841	Umzug nach Berlin. Antrittsvorlesungen	Dardanellen-Vertrag: Sperrung der Dardanellen und des Bosporus für nichttürkische Kriegsschiffe (gegen Rußland gerichtet)	Hoffmann von Fallersleben: »Deutschland, Deutschland über alles« (Melodie: J. Haydn). Feuerbach: »Das Wesen des Christentums«. Auguste Renoir geboren. Die Krinoline bestimmt das Bild in der Damenmode	Borsig: Bau der ersten deutschen Lokomotive. Oken: »Naturgeschichte für alle Stände«. F. Voigtländer: Kinematographisches »Lebensrad«. Eröffnung des Zoos in Berlin
1846	Jacob präsidiert der 1. Germanistenversammlung in Frankfurt/M. Wilhelm berichtet dort über das »Deutsche Wörterbuch«	Aufhebung der Getreidezölle in England zur Belebung des Freihandels	»Daily News« (Hrsg. der liberalen englischen Tageszeitung: Ch. Dickens). Dostojewskij: »Der Doppelgänger«. Proudhon: »Philosophie des Elends«	Erste Asphaltstraßen in Wien. Morton/Jackson: Äthernarkose. Zeiss gründet optische Werke in Jena

Jahr	Brüder Grimm	Zeitgeschehen	Kulturelles Leben	Naturwissenschaften Technik, Wirtschaft
1848	Jacob und Wilhelm zum Vorparlament nach Frankfurt/M. Jacob Abgeordneter der Deutschen Nationalversammlung in der Paulskirche. Jacob: »Geschichte der deutschen Sprache«. Jacob zieht sich von seiner Professorentätigkeit zurück	Februar-Revolution in Paris. März-Revolution in Deutschland und Österreich. Deutsche Nationalversammlung in Frankfurt/M. Marx/Engels: »Das kommunistische Manifest«. Arizona, Neu-Mexico, Kalifornien von Mexico an USA	Thackeray: »Jahrmarkt der Eitelkeiten«. Erste deutsche »Frauenzeitung« von Luise Otto-Peters. Paul Gauguin geboren, Joseph von Görres, Annette von Droste-Hülshoff gestorben	Erste Dampfkriegsschiffe. Böttger: Sicherheitszündhölzer. Hancock: Erste Blinddarmoperation. Duchenne de Boulogne begründet Elektrotherapie. In Deutschland 14–16stündiger Arbeitstag, auch für Jugendliche, üblich. Goldfunde in Kalifornien lösen Massenwanderung aus
1852	Auch Wilhelm gibt seine Tätigkeit an der Berliner Universität auf und arbeitet nur noch als Forscher. Jacob und Wilhelm: »Deutsches Wörterbuch«, 1. Lieferung	Napoleon III. erblicher Kaiser von Frankreich (durch Volksabstimmung)	Hebbel: »Agnes Bernauer«. Gründung des Germanischen Nationalmuseums in Nürnberg. Storm: »Immensee«. Beecher-Stowe: »Onkel Toms Hütte«	Fox: Stahlgestell für Regenschirm. Wolff bestimmt Häufigkeit der Sonnenflecken
1854	Jacob und Wilhelm: »Deutsches Wörterbuch«, 1. Band: A-Biermolke	Der Deutsche Bundestag erläßt allgemeines Koalitionsverbot (Verbot aller Arbeitervereine). Gründung der Republikanischen Partei in USA mit Programm gegen Sklaverei. Rußland gegen Türkei, Großbritannien und Frankreich im 2. Kriegsjahr (»Krimkrieg«)	Wagner beginnt Komposition »Ring des Nibelungen«. Keller: »Der grüne Heinrich«. England dominiert in der Mode. Jeremias Gotthelf gestorben	Glaspalast in München. Litfaß-Säulen in Berlin. Sinsteden: Blei-Akkumulator. England dominiert wirtschaftlich
1859	Wilhelm Grimms Tod am 16. Dezember	Italienischer Einigungskrieg (Frankreich und Sardinien gegen Österreich). Lombardei an Sardinien. Karl Marx: »Zur Kritik der politischen Ökonomie«. Fürst Metternich gestorben	Verdi: »Ein Maskenball«. Gontscharow: »Oblomow«. Böcklin: »Pan im Schilf« (Gemälde). Wagner: »Tristan und Isolde« (beendet). Brahms: Klavierkonzert d-Moll. Henri Bergson, Edmund Husserl, Eleonore Duse geboren, Bettine von Arnim gestorben	Bunsen/Kirchhoff: Spektralanalyse. Darwin: »Über die Entstehung der Arten durch natürliche Zuchtwahl«. F. Siemens: Stahlschmelzofen
1860	Jacob und Wilhelm: »Deutsches Wörterbuch«, 2. Band: Biermörder – D	England und Frankreich besetzen Peking. Lincoln Präsident der USA. Garibaldi erobert Süditalien	Ausgrabungen in Pompeji und Herkulaneum. Turgenjew: »Erste Liebe«. Gustav Mahler, Hugo Wolf geboren, Arthur Schopenhauer, Ernst M. Arndt gestorben	Reis: Telephon. Kölner Dom erhält Dachstuhl aus Eisen. Krupp: Geschützrohre aus Gußstahl
1862	Jacob und Wilhelm: »Deutsches Wörterbuch«, 3. Band: E – Forsche	Auflösung des Preußischen Abgeordnetenhauses. Bismarck preußischer Ministerpräsident	Fontane: »Wanderungen durch die Mark Brandenburg«. Verdi: »Die Macht des Schicksals«. Gustav Klimt, Arthur Schnitzler, Claude Debussy geboren, Ludwig Uhland gestorben	Foucault: Messung der Lichtgeschwindigkeit. Weltausstellung in London. A. Opel gründet Nähmaschinenfabrik

Jahr	Brüder Grimm	Zeitgeschehen	Kulturelles Leben	Naturwissenschaften Technik, Wirtschaft
1863	Jacob Grimms Tod am 20. September	Ferdinand Lassalle: Allgemeiner Deutscher Arbeiterverein. Erzherzog Maximilian von Österreich Kaiser von Mexico	Manet: »Das Frühstück im Freien«, »Olympia«. Flaubert: »Salammbô«. Edvard Munch, Gabriele d'Annunzio, Hermann Bahr, Arno Holz, Henry van de Velde, Konstantin Stanislawski geboren, Eugène Delacroix, Friedrich Hebbel gestorben	Eröffnung der Londoner U-Bahn. Deutsche Farbenfabriken gegründet (Bayer, Höchst). Sorby: Metallographie. Fitz-Roy: Wettervorhersage aus der Bewegung von Luftmassenfronten. Liebig: Fleischextrakt. W. Siemens regt Patentreform an. Billroth: Allgemeine chirurgische Pathologie und Therapie

MITGLIEDSCHAFTEN DER BRÜDER GRIMM
BEI WISSENSCHAFTLICHEN INSTITUTIONEN, EHRUNGEN
UND AUSZEICHNUNGEN

1811 Paris. Académie Celtique. Jacob korrespondierendes Mitglied

1812 Amsterdam. Konikl. Nederlandsche instituut van wetenschappen, letterkunde en schone kunsten. Jacob korrespondierendes Mitglied

1813 Frankfurt/M. Museum. Jacob Ehrenmitglied
Leiden. Maatschappij der Nederlandsche Letterkunde. Jacob Mitglied. Wilhelm Mitglied 1816

1816 Berlin. Gesellschaft für deutsche Sprache. Jacob und Wilhelm Mitglied
Kopenhagen. Det Scandiaviske Litteratur Selskab. Jacob und Wilhelm Mitglied

1818 Frankfurt/M. Gelehrtenverein für deutsche Sprache. Jacob und Wilhelm Mitglied
Frankfurt/M. Gesellschaft für ältere deutsche Geschichtkunde. Jacob außerordentliches korrespondierendes und Ehrenmitglied

1819 Marburg. Philipps-Universität. Jacob und Wilhelm Ehrendoktoren der phil. Fakultät

1822 Utrecht. Provinciaal Utrechts Genootschap van Kunsten en Wetenschappen. Jacob Mitglied

1823 Reykjavik. Hid Íslenzka Bókmenta-Felag. Jacob und Wilhelm Ehrenmitglieder

1824 Göttingen. Societas Regia scientiarum Gottingensis. Jacob korrespondierendes Mitglied. Jacob und Wilhelm ordentliche Mitglieder 1830

1824 Münster. Verein für Geschichte und Altertumskunde Westfalens. Jacob und Wilhelm korrespondierende Mitglieder

1825 Königsberg. Königliche Deutsche Gesellschaft. Jacob Ehrenmitglied
Kopenhagen. Norræna Fornfræda felag. Jacob ordentliches Mitglied
Kopenhagen. Det Kongelige nordiske Oldskriftselskap. La société Royale des antiquaires. Jacob ordentliches Mitglied. Wilhelm ordentliches Mitglied 1833

1826 Berlin. Königliche Akademie der Wissenschaften. Jacob korrespondierendes Mitglied. Wilhelm korrespondierendes Mitglied 1832

1827 Leipzig. Deutsche Gesellschaft zur Erforschung vaterländischer Sprache und Altertümer. Wilhelm Ehrenmitglied

1828 Berlin. Regia Universitas litteraria Berolinensis. Jacob Dr. iur. h. c.

1829 Breslau. Universitas litterarum Vratislaviensis. Jacob Dr. iur. utr. h. c.
Breslau. Der Breslauer Kunstverein. Jacob Ehrenmitglied
Kopenhagen. Det Kongelige Danske Videnskabernes Selskab. Jacob und Wilhelm Mitglieder

1832 Groningen. Genootschap te Groningen pro exolendo jure patrio. Jacob Mitglied
Halle. Thüringisch-Sächsischer Verein für Erforschung der vaterländischen Altertümer. Jacob und Wilhelm Mitglieder
Leeuwarden. Het Provinciaal Friesch Genootschap ter beoefening der Friesche Geschied-, Oudheit- en Taalkunde. Jacob Ehrenmitglied

1832 München. Königliche Akademie der Wissenschaften. Philosophisch-philologische Klasse. Jacob auswärtiges Mitglied. Wilhelm dass. 1852

1833 Kiel. Schleswig-Holstein-Lauenburgische Gesellschaft für vaterländische Geschichte. Jacob und Wilhelm korrespondierende Mitglieder

1834 Kassel. Verein für Hessische Geschichte und Landeskunde. Wilhelm wirkliches Mitglied

1835 Dresden. Königlich Sächsischer Verein zur Erforschung und Erhaltung vaterländischer Altertümer. Wilhelm Ehrenmitglied
Görlitz. Privilegierte Oberlausitzische Gesellschaft der Wissenschaften. Urkunde für Jacob und Wilhelm
Hannover. Der historische Verein für Niedersachsen. Jacob wirkliches Mitglied
Schwerin. Verein für Mecklenburgische Geschichte und Altertumskunde. Jacob und Wilhelm korrespondierende Mitglieder

1836 Mitau. Kurländische Gesellschaft für Literatur und Kunst. Jacob Ehrenmitglied

1837 Upsala. Kunglige Vetenskaps-Societeten i Upsala. Jacob korrespond. Mitglied

1838 Gent. Maetschappij van vlaemsche lette-

roefening te Gent »De Tael is gantsch het Volk«. Jacob Mitglied

1839 Catania. Accademia Gioenia di scienze naturali. Jacob und Wilhelm korrespondierende Mitglieder
Paris. Institut de France. Académie Royale des inscriptions et belles-lettres. Jacob korrespondierendes Mitglied

1841 Paris. Chevalier de l'ordre royal de la Légion d'honneur. Jacob Mitglied
Stettin. Gesellschaft für Pommersche Geschichte und Altertumskunde. Jacob korrespondierendes Mitglied

1842 Berlin. Friedensklasse des Ordens pour le mérite. Jacob
Meiningen. Hennebergischer altertumsforschender Verein. Wilhelm Ehrenmitglied
Stockholm. Regia Academia litterarum humaniarum historiarum et antiquitatum. Jacob und Wilhelm (1853) außerordentliche Mitglieder
Würzburg. Historischer Verein für Unterfranken und Aschaffenburg. Jacob und Wilhelm Ehrenmitglieder

1843 Brüssel. Académie Royale des Sciences et Belles-Lettres de Bruxelles. Jacob korrespondierendes Mitglied
London. Philological Society. Jacob und Wilhelm (1844) Ehrenmitglieder

1844 Berlin. Roter Adler-Orden vierter Klasse. Urkunde für Jacob
Mainz. Verein zur Erforschung Rheinischer Geschichte und Altertümer. Jacob Ehrenmitglied
Regensburg. Der historische Verein für Oberpfalz und Regensburg. Jacob und Wilhelm korrespondierende Mitglieder
Stockholm. Svenska Fornskrift Sällskapet. Jacob Mitglied
Stockholm. Riddere af Nordstjerne-Orden. Jacob

1845 Hamburg. Verein für Hamburgische Geschichte. Jacob Mitglied
Helsinki. Suomalaisen Kirjallisuuden Seura (Finnische Literaturgesellschaft). Jacob korrespondierendes Mitglied
New York. The American Ethnological Society. Jacob Ehrenmitglied
Zürich. Allgemeine geschichtsforschende

Gesellschaft der Schweiz. Jacob Ehrenmitglied

1846 Berlin. Roter Adler-Orden dritter Klasse mit Schleife. Urkunde für Jacob
Philadelphia. Gelehrte Gesellschaft. Jacob Ehrenmitglied
Stuttgart. Würtembergischer Altertumsverein. Jacob Ehrenmitglied

1848 Prag. Caesarea Regia Carolo Ferdinandea Universitas Pragena, phil. Fakultät. Jacob gewähltes Mitglied
Wien. Kaiserliche Akademie der Wissenschaften. Historisch-philologische Klasse. Jacob Ehrenmitglied

1849 Belgrad (Serbische Gelehrte Gesellschaft). Jacob Gründungsmitglied
Dublin. Royal Irish Academy. Urkunde für Jacob
London. Societas Antiquariorum Londini. Jacob Mitglied
Tallin (Reval). Estländische Litterärische Gesellschaft. Jacob korrespondierendes Mitglied

1850 Kiel. Schleswig-Holsteinische Denkmünze. Jacob
Zagreb. Verein für Geschichte und Altertum Jugoslawiens. Jacob und Wilhelm Ehrenmitglieder

1852 Amsterdam. Gesellschaft Belgicum zu Amsterdam. Jacob Mitglied
Jena. Verein für thüringische Geschichte und Altertumskunde in Jena. Wilhelm korrespondierendes Mitglied

1853 Dünkirchen. Comité Flamand de France. Jacob Ehrenpräsident
München. Maximiliansorden. Jacob

1854 Leningrad. Imperialis Academia scientiarum Petropolitana. Jacob korrespondierendes Mitglied

1855 Amsterdam. Académie royale de sciences. Section des lettres et des sciences historiques et philosophiques. Jacob Mitglied
Florenz. L'imperiale e reale Ateneo Italiano. Jacob Mitglied
Nürnberg. Germanisches Nationalmuseum. Jacob Mitglied

1856 Brünn. K. K. mährisch-schlesische Gesellschaft zur Beförderung des Ackerbaues, der Natur- und Landeskunde. Historisch-statistische Section. Jacob Ehrenmitglied

Erfurt. Akademie gemeinnütziger Wissenschaften. Jacob Mitglied
Graz. Historischer Verein für Steiermark. Jacob und Wilhelm Ehrenmitglieder

1857 Boston. American Academy of Arts and Sciences. Class of Moral and Political Sciences. Section of Philology and Archaeology. Jacob Ehrenmitglied
Laibach. Der historische Verein für Krain. Jacob Ehrenmitglied

1858 Jena. Litterarum Universitas. Wilhelm Dr. iur. h. c.

1859 Budapest. Magyar Akademia. Academia Scientiarum Hungarica. Jacob korrespondierendes Mitglied
Wiesbaden. Verein für Nassauische Altertumskunde und Geschichtsforschung. Jacob Mitglied

1860 Mülhausen. Literarischer Verein Concordia. Jacob Mitglied

1862 Prag. Museum des Königreichs Böhmen. Jacob Ehrenmitglied

1863 Philadelphia. American Philosophical Society. Jacob Mitglied

(Nach Ludwig Dennecke)

BIBLIOGRAPHIE

I. BRÜDER GRIMM

1. Jacob Grimm

SELBSTÄNDIG ERSCHIENENE WERKE
UND EDITIONEN
(Erstausgaben, chronologisch)

Über den altdeutschen Meistergesang. Göttingen: Dieterich 1811. Meinen zwei lieben Brüdern Wilhelm und Ferdinand Grimm zugeeignet aus Treue, Liebe und Einigkeit.

Silva de romances viejos publicada por Jacobo Grimm. Wien: Mayer 1815. [Der Herausgeber widmet dieses Buch Joseph Görres, um ihm sein Wohlwollen auszudrücken.]

Irmenstraße und Irmensäule. Wien 1815. [Dem holländischen Nationalinstitut gewidmet.]

Deutsche Grammatik. 1. Teil. Göttingen: Dieterich 1819. An Herrn Geh. Justizrat und Professor von Savigny zu Berlin. (2. Ausgabe: 1822; 3. Ausgabe: 1840). 2. Teil: 1826. Dem Herrn Hofrat und Bibliothekar Benecke in Göttingen gewidmet. (Unveränderter Nachdruck: 1852). 3. Teil: 1831 [Wilhelm Grimm gewidmet]. 4. Teil: 1837. Den mitforschenden Freunden Haupt, Hoffmann, Massmann, Schmeller und Wackernagel gewidmet.

Hausbüchel für unser Leben lang. Kassel 1820

Wuks Stephanowitsch kleine serbische Grammatik. Verdeutscht und mit einer Vorrede von Jacob Grimm. Leipzig und Berlin: Reimer 1824

Zur Rezension der deutschen Grammatik. Unwiderlegt herausgegeben von Jacob Grimm. Kassel 1826

Deutsche Rechtsaltertümer. Göttingen: Dieterich 1828. Carl Gregor Hartwig Freiherrn von Meusebach [gewidmet]. (2. Ausgabe: 1854)

Hymnorum veteris ecclesiae XXVI interpretatio Theodisca nunc primum edita. Göttingen 1830

Reinhart Fuchs. Berlin: Reimer 1834. Karl Lachmann gewidmet.

Deutsche Mythologie. Göttingen. Dieterich: 1835. [Friedrich Christoph Dahlmann gewidmet.] (2. Ausgabe: 2 Bde. 1844. 3. Ausgabe: 1854)

Taciti Germania. Edidit et quae ad res Germaniorum pertinere videntur e reliquo Tacitino opere excerpsit Jacobus Grimm. Gottingae 1835

Lateinische Gedichte des X. und XI. Jahrhunderts. Hrsg. von Jacob Grimm und Andreas Schmeller. Göttingen: Dieterich 1838. Freiherrn Joseph von Lassberg zu Mersburg am Bodensee [gewidmet]

Sendschreiben an Karl Lachmann über Reinhart Fuchs. Leipzig: Weidmann 1840

Weistümer. Bd. 1. Göttingen: Dieterich 1840. Bd. 2 hrsg. mit Ernst Dronke und Heinrich Bayer. 1840. Bd. 3: 1842. Bd. 4 hrsg. durch die Bayrische Historische Kommission 1863. Bd. 5: 1866. Bd. 6: 1869. Bd. 7: 1878

Andreas und Elene. Hrsg. von Jacob Grimm. Kassel: Fischer 1840 [Friedrich Blume gewidmet]

Frau Aventiure klopft an Beneckes Tür. Berlin: Reimer 1842

Geschichte der deutschen Sprache. 2 Bde. Leipzig: Weidmann 1848 [Georg Gottfried Gervinus gewidmet]. (2. Aufl. 1853)

Das Wort des Besitzes. Berlin 1850

Rede auf Wilhelm Grimm und Rede über das Alter (1860). Hrsg. von Herman Grimm. Berlin 1860

Kleinere Schriften. Bd. 1–5. Hrsg. von Karl Müllenhoff. Berlin: Dümmler 1864–1871. Bd. 6–7 hrsg. von Eduard Ippel. Berlin: Dümmler 1882–1884. Bd. 8 hrsg. von Eduard Ippel. Gütersloh: Bertelsmann 1890. (1. Reden und Abhandlungen. 2. Abhandlungen zur Mythologie und Sittenkunde. 3. Abhandlungen zur Literatur und Grammatik. 4.–7. Rezensionen und vermischte Aufsätze. 8. Vorreden, Zeitgeschichtliches und Persönliches.)

AUSWAHL AUS
DEN KLEINEREN SCHRIFTEN
(Erscheinungsjahr/Bandnummer)

Bemerkungen über eins der Projekte der Pentarchen zu einer deutschen Bundesakte (1815/8)

De desiderio patriae (1830/6)

Gedanken wie sich Sagen zur Poesie und Geschichte verhalten (1808/1)

Gedanken über Mythos, Epos und Geschichte (1813/4)

Italienische und skandinavische Eindrücke (1844/1)

Rede auf Lachmann (1851/1)

Rede auf Schiller (1859/1)

Selbstbiographie (1830/8)

Über Adel und Orden (1840/8)

Über das finnische Epos (1845/2)

Über das Pedantische in der deutschen Sprache (1847/1)

Über das Verbrennen von Leichen (1849/2)

Über den Liebesgott (1851/2)

Über den Personenwechsel in der Rede (1855/3)

Über den Schlaf der Vögel (1862/7)

Über den Ursprung der Sprache (1851/1)

Über den Wert der ungenauen Wissenschaften (1846/7)

Über die Namen des Donners (1853/2)

Über Frauennamen aus Blumen (1852/2)

Über meine Entlassung (1838/1)

Über Schenken und Geben (1848/2)

Über Schule, Universität, Akademie (1849/1)

Verhandlungen über die Bundesverfassung (1815/8)

Von der Poesie im Recht (1815/6)

Von Vertretung männlicher durch weibliche Namensformen (1858/3)

Wuk Stephanowitsch, serbische Volkslieder (1818/4)

Zirkular, die Sammlung der Volkspoesie betreffend (1815/7)

2. Wilhelm Grimm

Altdänische Heldenlieder, Balladen und Märchen [Übersetzung]. Heidelberg: Mohr und Zimmer 1811. Dem Freiherrn Ludwig Achim von Arnim und Clemens Brentano zugeeignet. [Titelkupfer nach Dürer-Motiven von Ludwig Emil Grimm]

Drei altschottische Lieder, in Original und Übersetzung aus zwei neuen Sammlungen. Nebst einem Sendschreiben an Professor F. D. Gräter. Heidelberg: Mohr und Zimmer 1813

Über deutsche Runen. Mit elf Kupfertafeln. Göttingen: Dieterich 1821

Grâve Ruodolf. Hrsg. von Wihelm Grimm. Göttingen: Dieterich 1828 (2. Ausgabe: Graf Rudolf von Wilhelm Grimm. 1844)

Die deutsche Heldensage. Göttingen: Dieterich 1829. Herrn Professor Karl Lachmann in Berlin aus Freundschaft.

De Hildebrando antiquissimi carminis teutonici fragmentum. Göttingen: Selbstverlag 1830

Vrîdankes Bescheidenheit von Wilhelm Grimm. Göttingen: Dieterich 1834. George Friedrich Benecke, seinem verehrten Freunde (2. Ausgabe: 1860)

Der Rosengarten. Göttingen 1826

Ruolandes liet. Mit einem Faksimile und den Bildern der pfälzischen Handschrift. Göttingen: Dieterich 1838. An Friedrich Blume, Oberappellationsrat in Lübeck

Wernher vom Niederrhein von Wilhelm Grimm. Göttingen: Dieterich 1839

Konrads von Würzburg Goldene Schmiede von Wilhelm Grimm. Berlin: Kleemann 1840

Konrads von Würzburg Silvester von Wilhelm Grimm. Göttingen: Dieterich 1841

Über Freidank. 2. Nachtrag. Göttingen 1855

Kleinere Schriften. Bd. 1–3 hrsg. von Gustav Hinrichs. Berlin: Dümmler 1881–1883. 4. Bd. hrsg. von Gustav Hinrichs. Gütersloh: Bertelsmann 1887

Altdeutsche Gespräche (1850/3)
Athis und Prophilias (1844/3)
Aus Hessen (1815/1)
Bericht über das Deutsche Wörterbuch (1846/1)
Deutsche Wörter für Krieg (1846/3)
Die altnordische Literatur in der gegenwärtigen Periode (1820/3)
Die Sage vom Polyphem (1857/4)
Die Sage vom Ursprung der Christusbilder (1842/3)
Einleitung zur Vorlesung über Gudrun (1836/4)
Einleitung zur Vorlesung über Hartmanns Erek (1843/4)
Göttinger Rede über Geschichte und Poesie (1831/1)
Selbstbiographie (1830/1)
Tierfabeln bei den Meistersingern (1855/4)
Über die Bedeutung der deutschen Fingernamen (1848/3)
Über die Entstehung der deutschen Poesie und ihr Verhältnis zu der nordischen (1809/1)
Über die Ständeversammlung in Hessen (1815/1)
Über Freidank (1850/4)
Über Gesetzgebung und Rechtswissenschaft in unserer Zeit (1815/1)
Vorwort zu Arnims Werken (1839/1)
Zur Geschichte des Reims (1852/4)
Zur Literatur der Runen (1828/3)

3. Brüder Grimm

Die beiden ältesten deutschen Gedichte aus dem achten Jahrhundert. Das Lied von Hildebrand und Hadubrand und das Weißenbrunner [Wessobrunner] Gebet zum erstenmal in ihrem Metrum dargestellt und herausgegeben durch die Brüder Grimm. Kassel: Thurneißen 1812. Dem Herrn Professor Benecke in Göttingen aus Freundschaft und Hochachtung gewidmet.

Kinder- und Hausmärchen. 1. Bd. Berlin: Realschulbuchhandlung 1812. An die Frau Elisabeth von Arnim für den kleinen Johannes Freimund. 2. Bd. 1815. (2. Aufl. Teil 1 u. 2: 1819) 3. Bd. [Kommentarband] Göttingen: Dieterich 1822 (Bd. 1 u. 2: 3. Aufl. 1837. 4. Aufl. 1840. 5. Aufl. 1843. 6. Aufl. 1850. 7. Aufl. 1857)

Kinder- und Hausmärchen. Kleine Ausgabe. Berlin: Reimer 1825 (Zu Lebzeiten der Brüder Grimm 10 Auflagen)

Märchen der Brüder Grimm. Urfassung nach der Originalhandschrift der Abtei Ölenberg im Elsaß. Hrsg. von Joseph Lefftz [= Schriften der Elsaß-Lothringischen wissenschaftlichen Gesellschaft Reihe C Bd. I]. Heidelberg 1927.

[Besser: Die älteste Märchensammlung der Brüder Grimm. Synopse der handschriftlichen Urfassung von 1810 und der Erstdrucke von 1812. Hrsg. und erläutert von Heinz Rölleke. Cologny–Genève 1975]

Altdeutsche Wälder. Hrsg. durch die Brüder Grimm. 1. Bd. Kassel 1813. 2. u. 3. Bd. Frankfurt/M. 1815/1816

Der arme Heinrich von Hartmann von der Aue. Aus der Straßburgischen und Vatikanischen Handschrift hrsg. und erklärt durch die Brüder Grimm. Berlin: Realschulbuchhandlung 1815. I.I. königl. Hoheiten der Kurfürstin und Kurprinzessin von Hessen in tiefster Ehrerbietung zugeeignet.

Lieder der alten Edda. Aus der Handschrift hrsg. und erklärt durch die Brüder Grimm. Berlin: Realschulbuchhandlung 1815 [Frh. Hans von Hammerstein in Kopenhagen gewidmet]

Deutsche Sagen. Hrsg. von den Brüdern Grimm. 2 Bde. Berlin: Nicolai 1816/1818. Unserm Bruder Ludwig Emil Grimm in herzlicher Liebe zugeeignet.

Irische Elfenmärchen. Übersetzt von den Brüdern Grimm. Leipzig: Fleischer 1826

Deutsches Wörterbuch. Von Jacob Grimm und Wilhelm Grimm. Erste Lieferung. A – Allverein. Leipzig: Weidmann 1852
  1. Bd.: A bis Biermolke. 1854
  2. Bd.: Biermörder bis D. 1860
  3. Bd.: E bis Forsche. 1862

4. Briefwechsel

Bolte, Johannes (Hrsg.): Briefwechsel zwischen Jacob Grimm und Karl Goedeke. Berlin 1927

Grimm, Herman und Gustav Hinrichs (Hrsg.): Briefwechsel zwischen Jacob und Wilhelm Grimm aus der Jugendzeit. Weimar 1881. 2. Aufl. besorgt von Wilhelm Schoof. Weimar 1963

Ippel, Eduard (Hrsg.): Briefwechsel zwischen Jacob und Wilhelm Grimm, Dahlmann und Gervinus. 2 Bde. Berlin 1885–1886

Leitzmann, Albert (Hrsg.): Briefwechsel der Brüder Jacob und Wilhelm Grimm mit Karl Lachmann. Mit einer Einleitung von Konrad Burdach. 2 Bde. Jena 1927

Müller, Wilhelm (Hrsg.): Briefe der Brüder Jacob und Wilhelm Grimm an George Friedrich Benecke aus den Jahren 1808–1829. Göttingen 1889

Reifferscheid, Alexander (Hrsg.): Freundesbriefe von Jacob und Wilhelm Grimm. Heilbronn 1878

Schmidt, Ernst (Hrsg.): Briefwechsel der Gebrüder Grimm mit nordischen Gelehrten. Berlin 1885

Schoof, Wilhelm und Jörn Göres (Hrsg.): Unbekannte Briefe der Brüder Grimm. Bonn 1960

Schoof, Wilhelm und Ingeborg Schnack (Hrsg.): Briefe der Brüder Grimm an Savigny. Berlin 1953

Schulte-Kemminghausen, Karl (Hrsg.): Briefwechsel zwischen Jenny von Droste-Hülshoff und Wilhelm Grimm. Münster 1929

Stenzel, E. (Hrsg.): Private und amtliche Beziehungen der Brüder Grimm zu Hessen.
1. Bd.: Briefe der Brüder Grimm an hessische Freunde. Marburg 1886
2. Bd.: Aktenstücke über die Tätigkeit der Brüder Grimm im hessischen Staatsdienste. Marburg 1886
3. Bd.: Briefe der Brüder Grimm an Paul Wigand. Marburg 1910

Wendeler, Camillus (Hrsg.): Briefwechsel des Freiherrn von Meusebach mit Jacob und Wilhelm Grimm. Heilbronn 1880

5. Neuere Ausgaben

Brüder Grimm: Deutsche Sagen. Ausgewählt und mit einer Einleitung hrsg. von Hermann Gerstner. Stuttgart: Reclam 1961

Brüder Grimm: Deutsche Sagen. Vollständige Ausgabe nach dem Text der 3. Aufl. von 1891, mit der Vorrede der Brüder Grimm zur 1. Aufl. 1816 und 1818 und mit einer Vorbemerkung von Herman Grimm, sowie einem Nachwort von Lutz Röhrich. 5. Aufl. München: Winkler 1981

Brüder Grimm: Deutsches Wörterbuch. 33 Bde., München: Deutscher Taschenbuch Verlag 1984

Brüder Grimm: Deutsches Wörterbuch. 33 Bde. Leipzig: S. Hirzel Verlag, Sonderauflage 1984

Brüder Grimm: Irische Elfenmärchen. 4. Aufl. Stuttgart: Verlag Freies Geistesleben 1976

Brüder Grimm: Kinder- und Hausmärchen. Ausgabe letzter Hand mit den Originalanmerkungen der Brüder Grimm. Mit einem Anhang sämtlicher, nicht in allen Auflagen veröffentlichter Märchen und Herkunftsnachweisen hrsg. von Heinz Rölleke. 3 Bde. Stuttgart: Reclam 1980

Brüder Grimm: Kinder- und Hausmärchen. Vollständige Ausgabe, mit einer Einleitung von Herman Grimm und der Vorrede der Brüder Grimm zur ersten Gesamtausgabe 1819. Mit 184 Textillustrationen zeitgenössischer Künstler. 12. Aufl. München: Winkler 1980

Die Selbstbiographien Jacob und Wilhelm Grimms. Aus dem Juli und September 1830. Hrsg. von Ingeborg Schnack [= Sonderdruck der Schillergesellschaft Bd. II, 1958]. Brüder Grimm Gesellschaft Kassel 1958

Grimm, Jacob: De desiderio patriae, Antrittsrede an der Universität Göttingen. Hrsg. von Wilhelm von Ebel. Kassel: Stauda 1967

Grimm, Jacob: Deutsche Mythologie. 3 Bde. Neues wissenschaftliches Vorwort von L. Kretzenbacher, bearbeitet von Elard Meyer. Nachdruck der 4. Aufl. Berlin 1875–1878. Graz: Akademische Druck- und Verlagsanstalt 1968

Grimm, Jacob: Deutsche Mythologie. 1. und 2. Bd.: Nachdruck der Ausgabe von 1835. 3. Bd.: Nachdruck des Nachtragsbandes zum 1. und 2. Bd. Hrsg. von Elard Hugo Meyer, 1877. Berlin: Ullstein 1981

Grimm, Jacob: Deutsche Rechtsaltertümer. 2 Bde. Hrsg. von Andreas Heusler und Rudolf Hübner. Nachdruck der 4. Aufl. 1899. Darmstadt: Wissenschaftliche Buchgesellschaft 1983

Grimm, Jacob und J. Andreas Schmeller: Lateinische Gedichte des X. und XI. Jahrhunderts. Nachdruck der Ausgabe Göttingen 1838. Amsterdam: Editions Rodopi 1967

Grimm, Jacob: Rede auf Wilhelm Grimm und Rede über das Alter. Kassel: Stauda 1963

Grimm, Jacob: Reden und Aufsätze. Eine Auswahl. Hrsg. von Wilhelm Schoof. München: Winkler 1966

Grimm, Jacob: Reinhart Fuchs. Nachdruck der Ausgabe Berlin 1834. Olms 1974

Grimm, Jacob: Vorreden zur Deutschen Grammatik von 1819 und 1822. Darmstadt: Wissenschaftliche Buchgesellschaft 1968

Ippel, Eduard (Hrsg.): Briefwechsel zwischen Jacob und Wilhelm Grimm, Dahlmann und Gervinus. 2 Bde. Neudruck der Ausgabe von 1885–1886. Schaan-Liechtenstein: Sändig 1973

Jacob und Wilhelm Grimm über ihre Entlassung. Faksimile des Druckmanuskripts ihrer Rechtfertigungsschrift von 1838 aus dem Nachlaß Grimm der Staatsbibliothek Preußischer Kulturbesitz. Hrsg. von Dieter Hennig. Kassel: Bärenreiter 1979

Schmidt, Ernst (Hrsg.): Briefwechsel der Brüder Grimm mit nordischen Gelehrten. Anhang: Briefwechsel der Brüder Grimm mit slavischen Gelehrten. Hrsg. von August Sauer. Neudruck der Ausgabe von 1885. Schaan-Liechtenstein: Sändig 1973

Schoof, Wilhelm und Ingeborg Schnack (Hrsg.): Briefe der Brüder Grimm an Savigny. Berlin: Erich Schmidt 1953

II. ALLGEMEINES

1. Zeitgenössische Quellen

Andersen, Hans Christian: Das Märchen meines Lebens. Stuttgart o. J.

[Arnim, Achim von und Clemens Brentano]: Des Knaben Wunderhorn. [Alte deutsche Lieder. 3 Bde. 1806–1808] Hrsg. von Hans Günther Thalheim. 3 Bde. Berlin 1966

Arnim, Ludwig Achim von und Clemens Brentano (Hrsg.): Zeitung für Einsiedler, Heidelberg. April–August 1808

Arndt, Ernst Moritz: Der Rhein. Deutschlands Strom, aber nicht Deutschlands Grenze. Leipzig 1813

Bechstein, Ludwig: Sämtliche Märchen. 7. Aufl. München 1983

Dahlmann, Friedrich Christoph: Zur Verständigung. Basel 1838

Eichendorff, Joseph von: Werke. Bd. 1: Gedichte, Versepen. Dramen. Autobiographisches. Nach den Ausgaben letzter Hand unter Hinzuziehung der Erstdrucke. 2. Aufl. München: Winkler 1980

Fichte, Johann Gottlieb: Reden an die deutsche Nation. 5., durchgesehene Aufl. nach dem Erstdruck von 1808, mit neuer Einleitung von Reinhard Lauth. Hamburg 1978

Fontane, Theodor: Sämtliche Werke. Bd. IV: Meine Kinderjahre. Christian Friedrich Scherenberg und das literarische Berlin 1840–1860. Mein Erstling: Das Schlachtfeld von Gross-Beeren. München 1961

Görres, Joseph (Hrsg.): Rheinischer Merkur, Koblenz 1814–1816

Goethe, Ottilie von: Traurige Geschichte der Sieben. In Weimar auf einer Maskerade ausgeteilt. [Handschrift.] Nachlaß Grimm. Staatsbibliothek Preußischer Kulturbesitz Berlin

Grimm, Herman: Die Brüder Grimm. Erinnerungen. Vorrede zur neuen Ausgabe der Kinder- und Hausmärchen. In: Deutsche Rundschau, Jg. XXI, 1895, S. 85 ff.

ders.: Die Brüder Grimm und die Kinder- und

Hausmärchen. In: H. G.: Beiträge zur deutschen Kulturgeschichte. Berlin 1897

Grimm, Ludwig Emil: Erinnerungen aus meinem Leben. Hrsg. von Adolf Stoll. Leipzig 1911

Grün, Anastasius [= Alexander Graf von Auersperg]: An Jacob Grimm. Separatdruck. Nachlaß Grimm. Staatsbibliothek Preußischer Kulturbesitz, Berlin

Heine, Heinrich: Sämtliche Werke. Hrsg. von Fritz Strich. Bd. 5: Elementargeister. München 1925

Kleist, Heinrich von: Werke. Gesamtausgabe, Bd. 5: Anekdoten. Kleine Schriften. München 1964

Koch, Ernst: Prinz Rosa Stramin. Mit einem Nachwort hrsg. von Raimund Steinert. Weimar 1918

Marx, Karl und Friedrich Engels: Werke. Bd. 16 u. 34 b. Berlin (Institut für Marxismus-Leninismus beim ZK der SED) 1962

Müller, Adam Heinrich: Die Elemente der Staatskunst. Sechsunddreißig Vorlesungen (1809). Mersburg 1936

Novalis: Werke und Briefe, hrsg. und mit einem Nachwort versehen von Alfred Kelletat, 2. Aufl. München: Winkler 1968

Savigny, Friedrich Karl von: Juristische Methodenlehre. Nach der Ausarbeitung von Jacob Grimm hrsg. von Gerhard Wesenberg. Stuttgart 1951

Schulze, Friedrich (Hrsg.): 1813–1815. Die deutschen Befreiungskriege in zeitgenössischer Schilderung. 2. Aufl. Leipzig 1912

Steffens, Henrich: Was ich erlebte. München 1956

Wilhelmi, Alexander [= Alexander Viktor Zechmeister]: Einer muß heiraten! In: A. W.: Lustspiele, 1. Bd. Dresden 1853

2. Sekundärliteratur

Aubin, Hermann, Wolfgang Zorn (Hrsg.): Handbuch der deutschen Wirtschafts- und Sozialgeschichte, Bd. 2: Knut Borchardt u. a.: Das 19. und 20. Jahrhundert. Hrsg. von Wolfgang Zorn, Stuttgart 1976

Bastian, Ulrike: Die ›Kinder- und Hausmärchen‹ der Brüder Grimm in der literaturpädagogischen Diskussion des 19. und 20. Jahrhunderts, Frankfurt/M. 1981

Bedürftig, Friedemann: Preußisches Lesebuch. Bilder, Texte, Dokumente. Stuttgart 1981

Bötterle, Karl (Hrsg.): Carlemann und Ideke. Achtundzwanzig Kinderzeichnungen von Ludwig Emil Grimm. Mit einem Geleitwort von Wilhelm Praesent. Kassel 1939

Bolte, Johannes und Georg Polivka: Anmerkungen zu den Kinder- und Hausmärchen der Brüder Grimm, 3 Bde. Leipzig 1913–1918

Brandt, Meyer, Just (Hrsg.): Handbuch der deutschen Geschichte, Bd. 3, I, 1: Knut von Raumer, Manfred Botzenhart: Deutsche Geschichte im 19. Jahrhundert. Deutschland um 1800. Krise und Neugestaltung. Von 1789–1815, 5. Aufl., Wiesbaden 1980, Bd. 3, I, 2: Karl-Georg Faber: Deutsche Geschichte im 19. Jahrhundert. Restauration und Revolution. Von 1815–1851. Wiesbaden 1979

Brüder Grimm-Museum Kassel. Katalog der Ausstellung im Palais Bellevue. Kassel 1973

Daffis, Hans: Inventar der Grimmschränke in der Preußischen Staatsbibliothek. Leipzig 1923

Denecke, Ludwig und Ina-Maria Greverus: Brüder Grimm Gedenken. Gedenkschrift zur hundertsten Wiederkehr des Todestages von Jacob Grimm. Marburg 1963

Denecke, Ludwig (Hrsg.): Brüder Grimm Gedenken, Band 2. Marburg 1975

ders. (Hrsg.): Brüder Grimm Gedenken, Band 3 [= Schriften der Brüder Grimm-Gesellschaft Kassel e. V.] 1981

ders.: Jacob Grimm und sein Bruder Wilhelm. Stuttgart 1971

Dielmann, Karl: Märchenillustrationen von Ludwig Emil Grimm. [= Sonder-Druck aus Hanauer Geschichtsblättern] Hanau 1962

Dierking, F.: Personalbestand der Georg-August-Universität zu Göttingen. Auf das halbe Jahr von Michaelis 1837 bis Ostern 1838. Göttingen 1838

Drewitz, Ingeborg: Bettine von Arnim. Romantik – Revolution – Utopie. 4. Aufl. München 1982

Feilchenfeldt, Konrad (Hrsg.): Brentano Chronik. Daten zu Leben und Werk. München 1978

Feldmann, Roland: Jacob Grimm und die Politik. Kassel 1970

Friedenthal, Richard: Goethe. Sein Leben und seine Zeit. 11. Aufl. München 1982

Gerstl, Quirin: Die Brüder Grimm als Erzieher. Pädagogische Analyse des Märchens. München 1964

Gerstner, Hermann: Brüder Grimm in Selbstzeugnissen und Bilddokumenten. 3. Aufl. Reinbek 1980

ders.: Die Brüder Grimm. Ihr Leben und Werk in Selbstzeugnissen, Briefen und Aufzeichnungen. Ebenhausen 1952

ders.: Leben und Werk der Brüder Grimm. Biographie. Gerabronn 1970

Goedeke, Karl: Jacob Grimm. In: Göttinger Professoren. Ein Beitrag zur deutschen Kultur- und Literärgeschichte in acht Vorträgen. Gotha 1872

Haffner, Sebastian: Preußen ohne Legende. Hamburg 1979

Höck, Alfred: Die Brüder Grimm als Studenten in Marburg. Marburg 1978

Huch, Ricarda: Die Romantik. Ausbreitung, Blütezeit und Verfall. Tübingen 1951

Kastinger Riley, Helene M. (Hrsg.): Achim von Arnim in Selbstzeugnissen und Bilddokumenten. Reinbek 1979

Kluckhohn, Paul: Das Ideengut der deutschen Romantik [= Handbücherei der Deutschkunde Bd. 8] 5. Aufl. Tübingen 1966

Leyen, Friedrich von der: Das deutsche Märchen und die Brüder Grimm. Düsseldorf 1964

Lüdtke, Gerhard und Lutz Mackensen (Hrsg.): Deutscher Kulturatlas, Bd. IV: Von Goethe bis Bismarck. Berlin 1928–1938

Lüthi, Max: Das europäische Volksmärchen. Form und Wesen. 5., durchgesehene Auflage. München 1976

Mann, Golo: Deutsche Geschichte des 19. und 20. Jahrhunderts. Frankfurt/M. 1958

Michaelis-Jena, Ruth: Die Brüder Grimm. Münster 1979

Neumann, Friedrich: Ein »Heiratsplan« Jacob Grimms. Wilhelm Schoof zum 85. Geburtstag. In: Zeitschrift des Vereins für hessische Geschichte und Landeskunde 72 (1961), 143–159

Nipperdey, Thomas: Deutsche Geschichte 1800–1866. Bürgerwelt und starker Staat. München 1983

Praesent, Wilhelm: Amtmann Grimm besichtigt den Schlüchterner Markt. Kassel 1966

ders.: Bergwinkel Chronik. Zeittafel und Bildband zur Geschichte des Kreises Schlüchtern. 2., verbesserte Aufl. Schlüchtern 1968

Preußen. Versuch einer Bilanz. Katalog zur Ausstellung 15. August – 15. November 1981 im Gropius-Bau Berlin, 5 Bde. Hamburg 1981

Probst Erich: Die deutsche Illustration der Grimmschen Märchen im 19. Jahrhundert. Ein Beitrag zur Geschichte der Märchenillustration. Coburg 1935

Real, Willy (Hrsg.): Friedrich Karl von Savigny. 1814–1875, Briefe, Akten, Aufzeichnungen aus dem Nachlaß eines preußischen Diplomaten der Reichsgründungszeit. 2 Bde. Boppard 1981

Rölleke, Heinz: Nebeninschriften. Brüder Grimm, Arnim und Brentano, Droste-Hülshoff. Literarhistorische Studien [= Gesamthochschule Wuppertal. Schriftenreihe Literaturwissenschaft, Bd. 16] Bonn 1980

ders.: Die älteste Märchensammlung der Brüder Grimm. Synopse der handschriftlichen Urfassung von 1810 und der Erstdrucke von 1812. Cologny–Genève 1975

Scherer, Wilhelm: Jacob und Wilhelm Grimm. In: Allgemeine Deutsche Biographie, Bd. 9. Leipzig 1879

Schnack, Ingeborg: Marburg. Bild einer alten Stadt. Impressionen u. Profile. Hanau 1974

Schoof, Wilhelm: Die Brüder Grimm in Berlin. Berlin 1964

ders.: Wilhelm Grimm. Aus seinem Leben. Bonn 1960

ders.: Zur Entstehungsgeschichte der Grimmschen Märchen. Hamburg 1959

Schulte-Kemminghausen, Karl: Westfälische Märchen und Sagen aus dem Nachlaß der Brüder Grimm. Beiträge des Droste-Kreises. 2. Aufl. Münster 1963

Seidel, Ina: Drei Dichter der Romantik. Clemens Brentano, Bettina, Achim von Arnim. Stuttgart 1956

Steig, Reinhold: Goethe und die Brüder Grimm. Berlin 1892

ders.: Achim von Arnim und Jacob und Wilhelm Grimm. Stuttgart 1904

ders.: Clemens Brentano und die Brüder Grimm. Stuttgart 1914

Stein, Werner: Kulturfahrplan. Die wichtigsten Daten der Kulturgeschichte von Anbeginn bis 1975. München 1976

Willms, Johannes: Nationalismus ohne Nation. Deutsche Geschichte 1789–1914. Düsseldorf 1983

Treue, Wilhelm: Deutsche Geschichte. Von den Anfängen bis zum Ende der Ära Adenauer. 5. Aufl. Stuttgart 1978

Valentin, Veit: Die erste deutsche Nationalversammlung. München 1919

Vogel, Hans: Ludwig Emil Grimm. Handzeichnungen, Aquarelle, Ölbilder und Radierungen aus dem Historischen Museum Hanau. Ausstellungskatalog. Hanau 1963

Vonessen, Hedwig: Friedrich Karl von Savigny und Jacob Grimm. Köln 1958

Waitz, Georg: Zum Gedächtnis an Jacob Grimm. Gelesen in der Königlichen Gesellschaft der Wissenschaften den 5. Dezember 1863 [= Abhandlungen der Königlichen Gesellschaft der Wissenschaften zu Göttingen, Bd. 11]. Göttingen 1864

Wetzel, Christoph: Brüder Grimm [Die großen Klassiker, Bd. 34]. Salzburg 1983

Der Wiener Kongreß. 1. September 1814– 9. Juni 1815. Katalog zur Ausstellung 1. Juni–15. Oktober 1965 in den Schauräumen der Hofburg-Kaiserappartements. Wien 1965

Wigand, Franz (Hrsg.): Stenographischer Bericht der deutschen konstituierenden Nationalversammlung zu Frankfurt am Main. (9 Bde.), Bd. 1 und 2. 1848

Zechlin, Egmont: Die deutsche Einheitsbewegung. 2. Aufl. Frankfurt/M. 1973

ANMERKUNG ZUR SCHREIBWEISE

Jacob Grimm war der erste Verfechter einer deutschen Rechtschreibungsreform. 1817 protestierte er erstmals gegen die traditionelle Schreibweise des Deutschen und gegen die »ursprünglich höchst philistrische Erfindung der großen Buchstaben«. Seit Anfang der 1820er Jahre ging Jacob Grimm von der deutschen zur lateinischen Schrift und zur Kleinschreibung über.

Zu seinem eigenen Mißvergnügen hat sich Jacob Grimms Rechtschreibungsreform jedoch nicht durchgesetzt. Aus Gründen der Einheitlichkeit und besseren Lesbarkeit wurden deshalb in dieser Ausgabe Orthographie und Zeichensetzung der Zitate dem heutigen Sprachgebrauch angepaßt. Auslassungen in den Zitaten sind durch drei Punkte bezeichnet.

BILDNACHWEIS

Für freundliche Unterstützung, insbesondere bei der Bildbeschaffung, danken Autorin und Verlag dem Brüder Grimm-Museum, Kassel, Herrn Dr. D. Hennig und Frau U. Lange-Lieberknecht; der Verwaltung der Staatlichen Schlösser und Gärten Hessen, Bad Homburg, Herrn Dr. W. Stubenvoll; der Staatsbibliothek Preußischer Kulturbesitz Berlin, Frau Dr. E. Bliembach; dem Historischen Museum Hanau, Herrn Dr. Merk sowie dem Main-Kinzig-Kreis / Bildstelle Hanau, Herrn G. Starke.

Für die Erteilung der Abdruckgenehmigung danken wir folgenden Stellen:
Brüder Grimm-Museum, Kassel: S. 10 (l.o., r.o., u.), 12 o., 19 u., 21, 22, 24/25, 31, 36 (l.o., r.M.), 53, 55, 59, 60, 61, 63 o., 65, 66 u., 67, 68, 81, 83, 90, 95, 100, 104, 107, 114, 115, 138
Verwaltung der Staatlichen Schlösser und Gärten Hessen, Bad Homburg: S. 9 u., 13, 14, 27, 29, 30, 51, 93, 141; über Brüder Grimm-Museum, Kassel: S. 17, 18, 32 (r.u.), 34, 36 (r.o.), 101
Staatsbibliothek Preußischer Kulturbesitz, Berlin: S. 28, 36 (l.M., l.u., r.u.), 50, 52, 64, 66 o., 79, 92, 94, 109, 110, 113, 121, 124, 129, 130, 133, 145, 150, 151 o., 154, 161, 162, 163, 165, 166, 169
Bildarchiv Preußischer Kulturbesitz, Berlin: S. 39, 56, 62, 84 l., 85, 98, 111, 125, 126 o., 127, 128, 135, 139, 140, 144, 146, 147, 148, 149, 151 u., 153, 155, 159, 160, 164
Historisches Museum Hanau, Schloß Philipps-

ruhe: S. 9 o., 12 u., 15, 32 l.o., 33, 41, 58, 63 u., 75, 78, 99, 103, 112, 131, 137, 168
Main-Kinzig-Kreis / Bildstelle Hanau: S. 23, 43, 142
Hessisches Staatsarchiv Marburg (über Brüder Grimm-Museum, Kassel): S. 10 o.M., 106
Dr. Hans Peters Verlag, Hanau: S. 26, 40, 97
Archiv für Kunst und Geschichte, Berlin: S. 42
Freies Deutsches Hochstift, Frankfurt a.M.: S. 45
Staatliche Kunstsammlungen Kassel: S. 46
Nationalgalerie. Staatliche Museen Preußischer Kulturbesitz, Berlin (West): 47
Schiller-Nationalmuseum, Marbach am Neckar: S. 49
Westfälisches Amt für Denkmalpflege, Münster: S. 71, 72
Städtisches Museum Göttingen: S. 96
Germanisches Nationalmuseum, Nürnberg: S. 118, 119
Internationale Jugendbibliothek, München: S. 120
Kurhessische Hausstiftung, Museum Schloß Fasanerie bei Fulda (über Brüder Grimm-Museum, Kassel) S. 19 o.
Fotos: ZEFA, Helmut Adam: S. 11; Hans Leisen: S. 37, 167; Michael Ruetz: S. 91 (entnommen aus dem Bildband: Michael Ruetz, Auf Goethes Spuren, Zürich 1978); Thomas Höpker / Agentur Anne Hamann: S. 122.
S. 54: Caspar David Friedrich: Der Sommer. 1807, München, Neue Pinakothek. Foto: Joachim Blauel-Artothek.